耳のなかの魚

耳のなかの魚

——翻訳＝通訳をめぐる驚くべき冒険

デイヴィッド・ベロス
松田憲次郎訳

水声社

目次

プロローグ

わたしが学部生のころ、学生のあいだでこんな噂が流れた。ハリスという名のフェロー〔研究費を支給される特別研究員で教師を兼ねる〕が、翻訳の授業の担当を拒否したというのだ。それも、自分は「翻訳」とは何かわからないからだという。

彼は教授会に自分が教えるよう依頼されているものは果たしてどういうものなのか答えてくれ、と要求した。そんなの、みんな知っているはずだ！　と教授連は言った。何世紀ものあいだ、翻訳はこの大学で教えられてきたのだから。しかし、大学の伝統を守ることができるということと、自分が何について授業しているのか知っていることとは同じではない。ハリスとしては、上司たちが定義できない科目を教えることはどうしてもできなかったのだろう。

われわれ学生は、こいつは傑作な話だと思った。下っ端教員が、退屈な仕事から逃れるため哲学的な難問を突きつけ、旧弊な連中に一泡吹かせてやったのだ、と。

おとなになりたての時期に、わたしはこのロイ・ハリスという人物〔一九三一―二〇一五。言語学者、オックスフォード大学教授〕が出した難問に魅せられながら答えが見出せず、歯がゆい思いをした。それにもかかわらず、あれ以来何十年ものあいだ、あつかましくも翻訳を教えつづけてきた。また、たくさんの本を翻訳したし、翻訳・異文化間コミュニケーション専攻〔プリンストン大学の教育・研究組織のひとつ〕の長にもなった。どうやら、わたしがハリスの質問に答えるときがきたようだ。

しかし、答えは問いが適切になされたときにこそ、もっともよく見つかるものだ。「〜とは何か？」という設問は、ふつう探求に役立つ出発点とはならない。ほとんどの場合、まっしぐらに言葉の意味をめぐる重箱の隅をつつくような議論に陥ってしまうからである。

もちろん、「翻訳」という言葉の意味が、興味をそそらないわけではなく、現にわたしはこの問題に本書の章のひとつを充てている。しかしそれは、こちらがどんな表現を用いるにしろ、それでも生じてくるほかの多くの問いほど重要性をもたない。

そのような問いをいくつかあげてみよう。たとえば、われわれは翻訳から何を学ぶことができるだろうか？　それはわれわれに何を教えてくれるだろうか？

それから、ほかにも多くの問いが浮かぶ。現時点で、われわれは翻訳について何を知っているだろうか？　翻訳に関してさらに知らなければならないのは、どんなことだろうか？

また、次のように問う必要もある。最良の翻訳法について意見を述べたり、教えをたれたりする人は、それによって何が言いたいのか？　すべての翻訳は、同一の種類のものなのか、それともさまざまな種類があって、それぞれが異なる働きをもつのか？　翻訳するということは、書いたり話したりすることと根本的に違うのか、それともわれわれが他人の言わんとすることを理解できるという、いまだ解明されざる不可思議な現象のひとつにすぎないのか？

本書は翻訳法やわたし個人の翻訳技術を伝授するものではない。その種のものは、すでに良書がたくさん出ている。それらより劣る本をそこに新たに加える必要はまったくないだろう。

そうではなく、本書はわたしには真の問題と思えること――すなわち翻訳とは何をなすものなのか理解すること――、これをめぐる挿話、実例、議論で構成されている。わたしとしては、翻訳の果たす役割の解明をとおして、多様な種類の文化的、社会的、人間的な問題について総括的な展望を提示しようとしたつもりだ。そのために、学術書や研究論文を参照し、博学な友人の知恵や知識を拝借し、また多くの場合、自分の個人的な経験を活用した。

わたしはイギリスで育ち、アメリカに住んでいるので、本書が取っているものの見方は、はっきりと英語圏のものだ。

英語は現在のところ、もっともよく使用される国際語であるため、英語を母語とする人たちは、そうでない大多数の人たちよりも、翻訳とは何かを理解するのが困難だ。これこそ、わたしが翻訳について書く主な動機となっている。

翻訳が過去に何をなし、今日何をなしているのか、翻訳について人びとが何を語り、なぜ語ってきたのか、翻訳には一種類しかないのか、それとも多種類なのか――こうしたことを知ろうとすれば、遠くシュメール、ブリュッセル、北京まで、また幅広くマンガ本や古典的文学作品まで、さらに人類学、言語学、コンピュータ・サイエンスのようなさまざまな周辺的学問分野にまで探索の手を伸ばさなければならない。翻訳が何をなすのかという問題は、ひじょうに多くの解答可能な問いを提起するので、翻訳とは何かという厄介な問題は、当分のあいだ、棚上げにしてもかまわないだろう。

1　訳文とは何か？

ダグラス・ホフスタッターは、十六世紀のウィットに富むフランス詩人、クレマン・マロの次の短詩がとても気に入った。

Ma mignonne.　ぼくの可愛い娘。
Je vous donne　あなたにあげよう
Le bon jour;　すてきな一日を、
Le séjour　じっとしていると
C'est prison.　まるで牢屋にいるようだ。
Guérison　健康を
Recouvrez,　取り戻しなさい、
Puis ouvrez　それから開きなさい
Votre porte　あなたの扉を
Et qu'on sorte　そして外に出なさい
Vitement,　すばやく、
Car Clément　というのもクレマンが
Le vous mande.　そうするようあなたに言うからだ。
Va, friande　ほら、おいしいもの好きの
De ta bouche,　きみの唇が、
Qui se couche　ジャムを
En danger　食べようと
Pour manger　危険のなか
Confitures;　身を屈めている、
Si tu dures　もしきみが重い
Trop malade,　病でいつづければ、
Couleur fade　生気のない顔色を
Tu prendras,　きみはもつだろう、
Et perdras　そしてなるだろう
L'embonpoint.　やせた身体に。
Dieu te doint　神はきみに授けてくれる

Santé bonne　申し分のない健康を
Ma mignonne　ぼくの可愛い娘

彼はこの詩のコピーを多くの友人知人に送って、詩のなかに自分が確認した以下の形式的特性をできるかぎり踏襲して英訳するよう依頼した。

（1）二十八行、（2）一行三音節、（3）脚韻を踏む二行連句、（4）最初と最後の詩行は同一、（5）途中、フォーマル（'vous'（あなた））からインフォーマル（'tu'（きみ））へ移行、そして（6）詩人は自分の名をそのまま詩に挿入。[1]

それから数カ月、数年のあいだ、インディアナ大学の認知科学者ホフスタッターは、実にたくさんの返書を受け取った。それらはみな異なってはいたが、それぞれまぎれもなくマロの短詩の訳だった。この簡単な方法で、彼は翻訳に関するもっとも厄介かつ驚くべき真実のひとつを例証した。それはこうだ。すなわち、極端に短いものでないかぎり、どんな言語表現にも、ひとつしか訳がないということはない。すべての言語表現には、数えきれないほど多くの容認可能な訳がありうるのだ。

　通常の散文でも、詩の場合と同様の結果が得られる。百人の有能な翻訳者に一ページの同一テクストを訳してもらい、それを集めたとすれば、そのなかに一字一句まるで同じ訳文があるという可能性はゼロに近い。異言語間のコミュニケーションに関してこういう事実があるため、多くの人が翻訳は面白いトピックではない——翻訳はつねに原文の近似物なので、二流のものにすぎない——と思っている。だから「翻訳」は、伝統的な学問分野のうちに入らなかった。それに携わっている人が、多くの場合、ほかの何らかの学問分野の研究者であってもそうだった。一定の結果がまったく得られない作業について、どうやったら理論や原則が立てられるというのか？

　わたしは、ホフスタッターと同様、これとは反対の見解をもつ。翻訳の結果がそれぞれ違うということは、人間の精神が無限に柔軟であることの明々白々な証拠である。これほど興味深いテーマは、ほかになかなか見つからないだろう。

　翻訳者たちは実際には何をやっているのだろうか？　翻訳の作業にはいくつ異なるタイプがあるのだろうか？　この摩訶不思議な能力を用いるプロセスから、われわれは過去および現在の人間社会について何が学べるだろうか？翻訳に関する諸事実は、言語使用一般と——またわれわれが言語と考えるものと、どのような関連をもっているのか？

わたしは本書で以上のような問いに答えるつもりだ。定義や理論や原則の問題は、自分たちが何を議論しているのかもっとよくわかるまで、わきに置いておこう。それらを時期尚早のうちに当てはめ、クレマン・マロの次の訳詩（ホフスタッター自身が訳を試みた数多いヴァージョンのうちのひとつ）がいい出来か、悪い出来か、それとも並の出来なのか判断してはいけないのである。それでは話が逆だ。このヴァージョンがなぜマロの訳詩のひとつと見なせるのか説明できるようになるまで、われわれは、翻訳という言葉を口にしても自分が何を言っているのか、本当には知らないのである。

Gentle gem,	優しい宝石よ、
Diadem,	王冠よ、
Ciao! Bonjour!	チャオ！　ボンジュール！
Heard that you're	あなたは荒地に
In the rough:	いるとぼくは聞いた、
Glum, sub-snuff.	憂鬱な、半残りかす。
Precious, tone	貴重な、トーン
Down your moan,	ダウンさせなさいうめき声を、
And fling wide	大きく開けなさい
Your door; glide	あなたの扉を、滑り出でなさい
From your oy-	カキの養殖場
ster bed, coy	から、内気で
Little pearl.	小さな真珠よ。
See, blue girl,	ほら、青ざめた少女よ、
Beet-red ru-	真っ赤なル
by's your hue.	ビーがきみの色。
For your aches,	きみの心痛には、
Carat cakes	宝石のようなケーキが
Are the cure.	特効薬
Eat no few'r	お食べ、少なくとも
Than fourteen,	十四個は
Silv'ry queen –	銀で飾られた女王よ——
But no more	でも多くとも
'n twenty-four,	二十四個までだよ、
Golden dream.	すばらしい夢。
How you'll gleam!	きみはなんと輝くことか！

Trust old Clem,
Gentle gem.

信じてごらんクレムのことを、
優しい宝石よ。

2 翻訳＝通訳をなくすことはできるか？

翻訳《トランスレーション》＝通訳はいたるところで行われている――国連、欧州連合（EU）、世界貿易機関、また現代生活の基本的側面に関与するほかの多くの国際機関でもそうだ。それは現代のビジネスでも重要となっており、主要な業界で業務のため翻訳＝通訳が用いられなかったり、翻訳＝通訳がなされなかったりするところはまずない。それは家の本棚にもあるし、大学で教えられるどの学問分野のどの科目の推薦図書リストにもあるし、加工食品のラベルにもあるし、平箱包装された家具の使用説明書にもある。翻訳＝通訳がなかったら、われわれはどうやっていくというのか？　もし、現金自動支払機のスクリーンに映る二言語併記メッセージから国家元首同士の極秘の会談まで、買ったばかりの新品腕時計の保証書から世界文学の古典まで、いついかなる場合でも翻訳＝通訳がなされないとしたら、われわれはどんな世界に生きるのだろう、と思うこと自体が、ナンセンスのように感じられるほどだ。

　ところが、それでもわれわれは翻訳＝通訳なしでもやっていけるだろう。それを用いるかわりに、関わりたいと思う共同体の言語をすべて学べばよい。あるいは、みんなが同一の言語を自分たちの言語とすることに決めてもいいし、もしかしたらほかの共同体と意思疎通するため共通語をひとつ採用してもよい。しかし、共通語の採用にしり込みし、さらに必要とする多言語の学習を拒んだとしても、われわれはまた、自分たちと違う言語を話す人たちをたんに無視することもできる。

　この三つの選択肢〔①多言語の習得、②言語の統一、③孤立や鎖国〕は、いささか行き過ぎのような感じがするので、おそらくどれも本書の読者の望むところではなさそうだ。とはいえ、これらは異文化間コミュニケーションがはらむ多くのパラドックスを解決するための仮想の策などではない。翻訳＝通訳を不要なものとするこれら三つの方策は、歴史を振り返ってみれば、すべて実行に移されたものであることが確認される。それどころではなく、上にあげたうちひとつないしふたつ以上の手段を使って翻訳＝通訳なしですまそうとする傾向のほうが、今日世界じゅうで自然に、また不可避的に広まっているようにみえる翻訳文化よりも、この惑星では歴史的に言ってたぶん標準的な状態に近いのだ。翻訳＝通訳をめぐっては、大いなる真実がしばしば秘密にされてきたが、その真実のひとつが、翻訳＝通訳なしでも多くの社会がしごく立派にやっていたということなのである。

　長いあいだインド亜大陸は、多種多様な言語を話すさまざまな集団の人たちが住む地であった。ところが、インドには翻訳＝通訳の伝統がまったくない。つい最近まで、ウルドゥー語、ヒンディー語、カナラ語、タミル語、マラーティー語等のあいだでは、翻訳＝通訳が直接なされることはなかった。それでも、これら別個の言語を話す共同体は、人口過密の大陸で互いに触れ合いながら何世紀にもわたって存続してきた。どうしてそんなことが可能だったのか？　彼らはほかの言語を学んだのだ！　この亜大陸では一言語しか知らない住民はわずかしかいない。インドの人たちは伝統的に三つ、四つ、あるいは五つの言語を操ってきたのである。[1]

中世後期、状況はヨーロッパの多くの地域でまったく似たようなものだった。貿易商、詩人、船乗り、冒険家たちは、陸路で、また内海をめぐって旅をし、その旅先で多少とも遠縁の同族関係にある諸言語を覚え、さらにそれらをチャンポンにして使うことも多かった。そういう人たちのなかでももっとも思慮深い者しか、自分は「異なる」言語を話しているのか、それともたんにその地方特有の話し方に合わせてしゃべっているのか考えたりはしなかった。偉大な探検家クリストファー・コロンブスは、中世後期におけるヨーロッパ諸言語間の相互理解可能性〔異なる母語の話者同士が、それらの母語に関連性がある場合、比較的容易に意思疎通がとれる傾向〕と互換性に関して珍しく文書による十分な裏づけのある事例を提供してくれる。彼は所持していたプリニウス〔二三―七九。ローマの博物学者〕の本の余白に、今日では初期イタリア語と認められている言語で書き込みをしているが、〈新世界〉で発見した場所を名づけるときは、たいてい――キューバのように――ポルトガル語の地名を用いた。公式の通信文書にはカスティリャ語〔標準スペイン語〕で書いたが、自分がつけていた大切な航海日誌にはラテン語を用いた。しかし、その「秘密の」写しはギリシャ語で記し、またアブラハム・ザクート〔一四五二―一五一五。スペイン生まれのユダヤ系天文学者〕制作の星座表を使えるくらいにはヘブライ語に通じていたはずである。というのも、彼はこれを使って月食を予測し、カリブ海の島で遭遇した原住民を感心させていたからだ。さらに、カスティリャ語やイタリア語で書くとき、リンガ・フランカから特徴的な言葉を多少借用しているところをみると、この言語にも親しんでいたにちがいない。リンガ・フランカとは、中世から十九世紀はじめまで地中海人種の船乗りや貿易商に使われていた「接触言語《コンタクト・ランゲージ》」で、単純化されたアラビア語のシンタックスと、主としてイタリア語とスペイン語から取られたボキャブラリーで成り立っている。[2] 一四九二年に大洋を渡ったとき、コロンブスはいくつの言語に通じていたのだろうか？　答えは多少とも恣意的となってしまう。それは、国内で使用される諸言語のうち、ある程度の相互理解可能性のあるものがいくつも存在する今日のインドに、いくつ言語があるかという問いに答えるのと同じである。コロンブスがイタリア語、カスティリャ語、ポルトガル語をそれぞれ別個の言語と認識していたとは考えにくい。なぜなら、これらの言語にはまだまったく文法書はなかったからだ。三つの古典語の読み書きができるという点からみれば、彼は教養人だった。しかし、そのほかの点では、彼はひとりの地中海人の船乗りにすぎない。仕事に必要とあらば、どんな言語でもしゃべったのである。

今日の世界では、ひょっとすると、使用される言語は七千もの数にのぼるかもしれないが[3]、それをぜんぶ習得した人はひとりもいない。どんな文化圏の人でも、どんなに多言語使用文化圏の人でも、習得できる言語は五から十が事実上限度だと思われる。なかには執念で二十もの言語を話せるようになる人もいるし、毎日外国語学習に明け暮れる語学の達人ともなると少数ながら、五十かそれ以上の言語に通じていると自負する人もいる。しかし、このような頭脳明晰な語学狂いの人ですら、現存するすべての言語のうちのほんのわずかな部分をマスターできるにすぎない。

世界の言語の大多数は、ごく小さな集団によって使用されている。主としてそのために、それらのうちの多くが消滅の危機にある。しかしながら、六つほどの「メジャーな」世界言語のうちのどれかを話す少数の国をのぞいて、ひとつの言語しか使用しない人は地球上にほんのわずかしかいない。たとえばロシア連邦内では、何百という言語が話されている——それらはスラブ語派、チュルク語諸語、カフカス諸語、アルタイ語族、そのほかの語族に属している。ところが、これら多種多様な言語を話す共同体のどれかの一員で、かつロシア語ができないという人はまずいない。同様にインドでは、ヒンディー語、ウルドゥー語、ベンガル語、英語、あるいはそのほかこの亜大陸で用いられている六つの有力な言語のうちどれも使えないという人はあまりいない。世界のごく小さな部分をのぞくすべての人と接触するために、彼らの第一言語〔母語〕をすべて学ぶ必要はない。彼らの使う媒介言語《ヴィーヒキュラー・ランゲージ》——母語が異なる人たち同士が意思疎通のために用いる言語——をすべて学べばよいのだ。世界にはどこかの地域でこのように使われている言語がおよそ八十ある。しかし、媒介言語はまたある集団（通常ひじょうに大きな集団）にとって母語でもあり、しかも多くの人はひとつ以上の媒介言語を話すので（そのうちのひとつがその人たちにとって母語なのかもしれないし、そうでないかもしれない）、地球上の大多数の人とコミュニケーションをとるため八十の媒介言語をすべて学ぶ必要はない。そのうちのほんの九つ——中国語（使用者一三億人）、ヒンディー語（八億人）、アラビア語（五億三〇〇〇万人）、スペイン語（三億五〇〇〇万人）、ロシア語（一億七八〇〇万人）ウルドゥー語（一億八〇〇〇万人）、フランス語（一億七五〇〇万人）、日本語（一億三〇〇〇万人）、英語（八億から一八億の間の人数）——を話すことができれば、たとえ細かい交渉とか真面目な知的議論は無理でも、日常会話はなんとかなるはずである。そして日常会話なら、少なくとも四五億、ことによると五五億の人、すなわち全世界の人口のおよそ九〇パーセントの人と話ができるのだ。(「英語を話す」人の推定数値の驚くべき幅の広さには、「英語を話す」とはどういう意味なのか規定するのが難しいという事実が反映されている。)さらにインドネシア語(一億八五〇〇万人)、トルコ語(六三〇〇万人)、スワヒリ語(五〇〇〇万人)を加えて十三の言語をマスターすれば、(4)これはもうアメリカ大陸全体、大西洋からウラル山脈までのヨーロッパの大部分、モロッコからパキスタンまでの大イスラム文化圏、インドのかなりの部分、アフリカ大陸、また東アジアの人口過密地域のほとんどを自由に闊歩できるということだ。ほかにどんな言語を学べばいいというのか?(5) 翻訳者・通訳者たち退場《エクシアント》! 語学教師たち登場! ただし、このふたつの役とも出演者はだいたい同じ人たちなので、失業の実数は世界じゅうを見てもおそらくゼロ同然にちがいない。

十三もの言語を学ぶのはあまりにも大変だというなら、みんな同じひとつの言語を学ぶようにすればいいではないか? このような考え方は、ローマ人には当たり前であったらしい。彼らはギリシャ語を唯一の、だが重大な例外として、自分たちが征服した多くの民族の言語をほとんど学ぼうとしなかった。古代ローマ人がエトルリア語、ウンブリア語、現在のフランスや英国で使われていたケルト諸語、ローマ帝国の北東国境地域に住む部族の話すゲルマン諸語、ローマに滅ぼされたカルタゴおよび東地中海沿岸地域や黒海地域の植民地で話されていたセム語派諸語に興味を示したという形跡はまず見当たらないのである。もしローマに征服されれば、ラテン語を学ぶだけのことであって、話はそれで終わりだった。ローマ帝国が推し進めた言語の統一が長期的に残した結果として、ラテン語の書き言葉が帝国滅亡後千年以上にわたってヨーロッパにおける異文化間コミュニケーションの主要媒体であったことがあげられる。傲慢にもローマ人は他民族との差異に無神経だったわけだが、それがヨーロッパに多大な恩恵をもたらしたのである。(6)

同種の重要性をもつ言語の統一が、ここ五十年のあいだにほとんどの科学分野で起きている。多くの言語が、さまざまな時代に科学の進歩を伝える媒体の役目を果たしてきた。古代から中世までは中国語、サンスクリット語、ギリシャ語、シリア語、ラテン語、アラビア語が、それからヨーロッパのルネサンス時代および近世初期にはイタリア語とフランス語がそうだった。十八世紀、植物の記述・分類の分野でリンネが、また化学研究の分野でベルセーリウス〔一七七九―一八四八。元素記号の提唱者〕がもたらした進歩の結果、スウェーデン語は科学の言語となり、およそ百年のあいだ権威ある地位を保った。英語とフランス語は数多くの学問分野で使われつづけたが、十九世紀になるとリービヒ〔一八〇三―七三。農業化学の創始者〕その他が切り開いた先端的な化学の登場とともにドイツ語が突如として表舞台に躍り出た。そしてドミトリ・メンデレーエフが元素の周期率を発見、周期表を作成したことに押され、十九世紀が終わる前にロシア語は科学の国際語の仲間入りを果たした。一九〇〇年から一九四〇年のあいだ、新たな科学研究の成果は、しばしば激しいライバル関係にあったロシア語、フランス語、ドイツ語、英語で発表されつづけた（このころまでに、スウェーデン語は国際語グループから脱落していた）。ところが、一九三三年から一九四五年にかけて、ナチスが科学を悪用したため、彼らの使う言語、つまりドイツ語が信用を傷つけられてしまった。一九四五年のベルリン陥落で、ドイツ語は国際的な科学言語としての地位を失うようになり――多くの一流ドイツ人科学者は、すぐさまアメリカやイギリスへと脱出し、以降は英語話者として仕事をするようになった。フランス語はゆっくりと凋落に向かい、第二次世界大戦以後、ロシア語の使用が拡大し、ソビエト連邦が存続しているあいだ、政治的理由から勢力を伸ばしつづけたが、一九八九年〔冷戦終結宣言〕に科学の表舞台から遠ざかってしまった。そういうわけで、英語が表舞台に残った。英語は国際的な科学言語であり、東京、北京、モスクワ、ベルリン、パリで発行される学術雑誌は、いまやもっぱら英語で発表されるか、さもなければ、それ以外の言語で書かれた原文に英語の翻訳が添えられているか、そのどちらかである。学問の進歩は、どこであろうと英語で発表されるかどうかにかかっている。それどころか、イスラエルでは、神ご自身でさえ、もしエルサレム・ヘブライ大学に勤めていたら、どの理系学科でも昇進できないだろうと噂されている。なぜ昇進できないか？　神はたったひとつの著作しか発表なされておらず――しかもそれは、英語で書かれていないからである。（実をいうと、わたしにはその噂は信じられない。当の著作物が英語に翻訳されており、しかもペーパーバック版でも普及しているとなると、昇進人事委員会が抱く疑念など吹き飛ばされてしまうのは確実にちがいないからだ。）

　とはいえ、いくつかの言語をローカルな科学言語として、もう一度役立てようとする取り組みもなされている。たとえば、米国政府がスポンサーとなっているウェブサービスWideScience.org では、中国、ロシア、フランス、および南米の数カ国における非英語科学文献情報のデータベースを検索することができる。検索結果は、中国語、フランス語、ドイツ語、日本語、朝鮮語、ポルトガル語、スペイン語、ロシア語へ自動翻訳される。この新しい取り組みでは、データベースの情報が収集される国と、それが翻訳される先の言語の使用国とは正確には重ならず、そこにいまどこで科学が盛んなのかを示す興味深い見取り図を見てとることができる。

なぜ英語が科学の分野で独り勝ちしているのかに答えるのは容易ではない。われわれとしては、英語はほかの言語よりも簡単だからという不適切だが世にはびこっている俗説を、その理由のなかに含めることはとうていできない。

しかし、科学言語の歴史と現状を経済力や軍事力の直接の結果として説明することもまたできない。先にあげた三つの実例では、単独の個人の仕事によって世界のほかのどこでも無視できないような進歩がなされたため、その個人の用いた言語が科学研究の伝達媒体となったのである（リービヒとドイツ語、ベルセーリウスとスウェーデン語、メンデレーエフとロシア語）。ひとつの言語が、その使用者たちの犯した政治的愚行ゆえに、その役目を終えることもある（ドイツ語）。われわれが目にしてきたのは、科学の世界がそのメンバー間のグローバルな伝達手段を必要とする状況のなかで、ある言語が押しつけられたのではなく、ほかの言語が脱落していったプロセスであるように思われる。かならずしも生き残った言語である英語が、科学の国際語としてもっともふさわしいというわけではない。英語をその地位から追いやるような出来事がまだ起きていないということにすぎない。

英語の普及がもたらした結果のひとつは、今日世界じゅうで話され書かれている英語の大部分は、それを母語としない人たちに用いられており、この言語の使用者のなかで「英語話者《イングリッシュ・スピーカー》」は少数派となっているということである。ほかの言語を母語とする自然科学者や社会科学者によって今日書かれている英語の多くは、自分はネイティヴ・スピーカーだから英語で書かれたものは何でもわかるはずだと思い込んでいる専門外の読者にとって、ほとんどチンプンカンプンである。国際的に使用されている科学英語は、あまりにもぎこちなく「常軌を逸している」ので、ノンネイティヴですら機知に富んでいれば、それっぽい英語を創作して楽しむことができる。

Recent observations by Unsofort & Tchetera pointing out that '*the more you throw tomatoes on Sopranoes, the more they yell*' and comparative studies dealing with the gasp-reaction (Otis & Pifre, 1964), hiccup (Carpentier & Fialip, 1964), cat purring (Remmers & Gautier, 1972), HM reflex (Vincent *et al*., 1976), ventriloquy (McCulloch *et al*., 1964), shriek, scream, shrill and other hysterical reactions (Sturm & Drang, 1973) provoked by tomato as well as cabbages, apples, cream tarts, shoes, buts and anvil throwing (Harvar & Mercy, 1973) have led to the steady assumption of a positive feedback organization of the **YR** based upon a semilinear quadristable multi-switching inter-digitation of neuronal sub-networks functioning en desordre (Beulott *et al*., 1974).

アンソフォートとチェテラによる最近の研究は、「ソプラノにトマトを投げつければ投げつけるほど、ソプラノは大声でわめく」と指摘している。トマトの他に、キャベツ、リンゴ、クリームタルト、靴、異議、そして鉄床投げによってももちろん引き起こされる（ハーヴァー&マーシー、一九七三）あえぎ反応（オーティス&ピフル、一九六四）、しゃっくり発作（カルパンティエ&フィアリップ、一九六四）、ネコのゴロゴロ喉鳴らし（レマース&ゴーティエ、一九七二）、ウーン音反射（ヴィンセント他、一九七六）、腹話術（マッキャラック他、一九六四）、悲鳴、絶叫、金切り声、その他のヒステリー性反応（スターム&ドランク、一九七三）を扱う比較研究は、無秩序《アン・デゾルドル》に機能している神経単位サブネットワークの多変換する半線形的かつ四分割可能な交互篏合に基づくプラスのフィードバックをおこなうＹＲの組織を確固として前提することに他ならないのである（ビューロット他、一九七四）[7]。

このようなパスティーシュ〔スタイルの模倣〕やパロディの標的にされたりするにもかかわらず、国際的な科学英語は、重要な役目を果たしている――もしそれが使用目的に十分かなっていないとしたら、ほとんど存在すらしていないだろう。それはある意味、翻訳を回避する一手段なのである（よくあることに、それがすでに著者の母語からの翻訳だったとしてもそうなのだ）。今日、もし自然科学や社会科学の分野で、いかに不体裁なものであろうと、ひとつの世界語が成り立ちうるのだとしたら、人間の行うほかのすべての接触や交換の場においても、同じ程度の言語の統一が実現してもいいのではないだろうか？　前世紀の中頃、文芸批評家で改革論者のI・A・リチャーズは、大いなる情熱をもって、もし中国が'BASIC English'（ベーシック・イングリッシュ）と名づけられた国際補助語〔C・K・オグデン考案の基本英語〕――'BASIC' は 'British – American – Scientific – International – Commercial'（イギリスの－アメリカの－科学の－国際的な－商業の）の頭字語――を受け入れれば、諸国家間の協調の一翼を担うことになるはずだと信じていた。（その名のとおり、この言語は簡略化した英文法と限られた語彙で成り立ち、語彙は工業技術や商業の分野での使用に適したものである。）リチャーズは人生の後半、「東洋」と「西洋」のあいだの架け橋となる夢を託されたこの言語の改良、普及、教育、宣伝に多くの精力を傾けた。ある点で彼は、ビャウィストク（現ポーランド領）出身のユダヤ系知識人、ルドヴィコ・ザメンホフと同じ道を歩んでいた。ザメンホフも希望の言語を考案した。それがエスペラント語で、彼はそれが多数の言語によって引き起こされる混乱や惨事を世の中から一掃してくれるものと信じていた。十九世紀のヨーロッパでは、言語を基礎にもつ国家独立運動の高まりに比例して、実際、たくさんの国際語が考案された。これらはすべて事実上、エスペラントをのぞいて姿を消してしまった。エスペラントは教養としての言語として、地球上に散在する、ひょっとすると数十万にものぼる人たちに使用されつづけている――この言語が使われるいちばん大きな理由はというと、それは科学のためでもビジネスのためでもなく、世界のあちこちに住むエスペラント語読者のために、自国語で書かれた詩、戯曲、小説を翻訳するためなのである。

　現代のヨーロッパ人は、中世およびその後の時代にラテン語が果たした役割について集団が共有する記憶に取りつかれているように思える。しかし、ラテン語それ自体は、「使用者人口の少ない《スモール》」ヨーロッパ諸語の話者たちにとって、国際的な伝達手段として細々ながらも役立つ言語でありつづけてきた。ソ連軍、ついで一九四一年のナチス軍によって侵攻される以前のリトアニア最後の大統領であったアンターナス・スメトナは、ラテン語を用いて連合国の援助を求める最後の、だが不首尾に終わった懇請を行った。[8] バルト海の向こう側のヘルシンキからは、今日でさえ、毎日インターネットラジオでラテン語のニュース番組が流されている。

もし言語の統一がなされるとすれば、それはおそらく、ラテン語、エスペラント語、ヴォラピュク語〔ドイツ人J・M・シュライヤー考案の人工言語〕、あるいはいまだ考案されざる何らかの「接触媒体《コンタクト・ヴィークル》」ではなく、すでにもう大きなアドバンティージをもつ言語のうちのどれかによって実現されるだろう。それはおそらく、ネイティヴ・スピーカーがいちばん多い言語（現在のところ標準中国語の北京官話）ではなく、ノンネイティヴの使用者がいちばん多い言語であろう。現時点で、それは英語である。この予想には、種々さまざまな理由から多くの人が恐れや不安を抱く。しかし、異文化間コミュニケーションがある単一の言語で行われる世界が実現されたとしても、それで人間が用いる言語の多様性が減じられるわけではない。たんにその国際語のネイティヴ・スピーカーが、ノンネイティヴの人たちほど洗練された言葉の使い手ではなくなるということにすぎない。なぜなら彼らのみが、考えるさいに用いる言語をたったひとつしかもたなくなるからである。

　母語に比べると、第二言語や媒介言語は手早く学べるし、また簡単に忘れられてしまう。過去五十年間、英語はヨーロッパ大陸に住む数えきれないほど多くの人たちに多少なりとも習得されてきたし、たとえばベルギーやキプロスのような多言語国家の市民にとっていまや唯一の共通語となっている。他方、ロシア語はソヴィエト連邦の影響力のおよぶ範囲全体、すなわちバルト海からバルカン半島、ベルリンから外モンゴルにいたるまでの教養階級によって、一九八九年まで理解され使われていたが、急速に忘れられてきている。いまのところ、すっかり忘れられたわけでないのは、たいていの場合、外国人と接触するときのために頭の片隅に取っておかれるからである。もし言語の統一が二十一世紀にさらに進むとすれば、その方向は、統一語あるいはそれに取って代わられる言語の本質や特性によって決まるのではないだろう。それは世界の歴史が今後どうなるかにかかっているだろう。

　多言語使用と言語統一以外にも翻訳＝通訳を回避する第三の道があって、それはほかの文化の言うことは無視して、自文化にしがみつくというものである。多くの社会にとって孤立は夢であったし、それを達成しかけた社会もある。江戸時代（一六〇三―一八六八）、日本は外国人との接触を制限していた。関係をもったのは、長崎港内に築かれた島に交易所をもつことを許された一握りの進取の気性に富むオランダ人、および中国人そのほかとだけであった。ヨーロッパでは、イギリスがしばしば「栄光ある孤立」を謳歌していたように思われる——一九五七年十月二十二日付のタイムズ紙が「イギリス海峡に濃霧、大陸孤立せり」という見出しを掲げたのは有名な話だ——が、この政策はむしろポーズであった。アルバニアという小国の場合は、そうではなかった。エンヴェル・ホッジャは共産主義者で、一九四四年から一九八五年までこの国の支配者であったが、まず一九四八年にもっとも近い隣国のユーゴスラヴィアと、また一九六〇年にソヴィエト連邦と、さらに一九七六年には毛沢東の中国と国交を断絶した。その後、アルバニアは長いあいだ完全な孤立状態をつづけ、一九八〇年初期のある時点で、外国人は国全体で（外交官も含めて）わずか十二人ほどしかいなかった。[9] テレビは国外からの放送が受信できないよう調整されていた。本は世界のなかでアルバニアが取っている立場を肯定してくれるものしか翻訳されなかった（そういう本はあまり多くない）。外国の本はまったく輸入されなかった。言語を介した異文化間交流と同様、外国との交易は制限され、対外債務はぜんぜん生じなかった。ヨーロッパのまさに玄関口であり、コルフ島の観光地やイタリア側のアドリア海を望む洒落たリゾート地から短距離旅行で行けるアルバニアが、半世紀にもわたって自発的に孤立を守った。これは比較的大きな集団の人たちが異文化間交流で得られるはずのあらゆる恩恵をあえて顧みようとしないことが時としてあることを示している。

孤立したいという願望は、さまざまな形をとって現れるが、現代文明から隔絶した場所に住む文字文化をもたない社会について文化人類学者が語ってきた多くの物語の上に、それは繰り返し影を落としている。ジョルジュ・ペレックは『人生 使用法』第二十五章のなかで、この種の科学的な著作の露骨なパスティーシュを試みながら、マルセル・アペンツェルの人生を語っている。アペンツェルは、実在の人物マルセル・モース〔一八七二—一九五〇。フランスの社会学者、人類学者〕の架空の弟子で、クブという種族の人たちと接触しようとスマトラのジャングルのなかに分け入った。熱帯林のなかをさまよい、くたくたになりながらも、とうとうクブ族と遭遇する。彼らは一言も発しない。アペンツェルは、自分では慣習にしたがった贈り物のつもりの品を彼らのかたわらに置き、眠りについた。目が覚めると、クブ族の人たちは姿を消している。贈り物には手をつけず、小屋はうち捨て、立ち去っていた。アペンツェルは彼らの跡を追ってジャングルを歩き回り、やっと追いつく。そして、ふたたび贈り物を彼らのかたわらに置いた。それがこうしたいわゆる「外部の文化と接触する以前の《プレコンタクト》」人たちとコミュニケーションを打ち立てる正しい方法だと信じていたからだ。しかし、結果は同じだった。彼らは立ち去っていた。そして、来る週も来る週も同じ腹立たしいことがつづき、とうとうこの民族誌学者は、クブ族の人たちが彼と、いや彼ばかりではない、だれともコミュニケーションをとりたくないのだと気づく。実際、それは彼らの権利であった。交流ではなく自足を選ぶ種族や国民がいるかもしれないのだ。それが間違っているなどとだれに言えよう？

しかしながら、この物語のペレックの語りのなかで、クブ族は誇りと自足ばかりでなく、文化的、言語的な劣化をも体現する存在となっている。彼らは自分たちではもう製作することのできない金属製の道具をいくつかもっているが、これは彼らが文明の進んだ社会からドロップアウトした人たちであることを示唆している。彼らの言語も、語彙の大半が削減されてしまったように思えるのである。

> そうした事態の結果のひとつは、一語がさし示す事物の数がだんだん増えてゆくことだった。たとえばマレー語 *pekee* は一様に、狩りをする、歩く、運ぶ、槍、ガゼル、レイヨウ、黒豚を意味したし、肉料理の献立にふんだんに使われるとびきり辛いスパイスのひとつ *my'am* は森、翌日、夜明け、等々を意味した。同様にアペンツェルがマレー語の *usi* バナナと、*nuya* ココナッツに準《なぞら》えた *Sinuya* は食べる、食事、スープ、瓢箪、へら、莫蓙、晩、家、壺、火、火打石（クブ族は二つの火打ち石を擦りあわせて火をおこした）、フィブラ〔装飾入りの衣服の留め金〕、櫛、髪、*hoia*、（さまざまな土と植物の混ぜられたココナッツ・ミルクをもとにして作られる洗髪剤）等々を意味した。[10]

もちろん読者によっては、この語彙の劣化についての描写から、ただちに孤立はよくないというほとんど道徳的な信念に飛びつくかもしれない。というのも、孤立は（この物語が示すように）、言語とそれが支える文化の貧困と死、そして究極的には一種族、一国民全体の消滅を招きかねないからである。しかしペレックは、そのような感傷をもつ人に不意打ちを食らわす。

> クブ族の生活のあらゆる特徴のなかで、これら言語上の特性が一番良く知られているのも、アペンツェルがスェーデンの文献学者ハンボ・タスケルシェンに書いた長い手紙のなかで、それらを詳細にわたって記述し

たからである。（……）ついでに大変詳しい名称の道具――罫引き、溝かんな、くりがたかんな、長かんな、えぼしたがね、荒かんな、しゃくりかんな、等々――を用いるが、見習いの徒弟たちには単に「そいつを取ってくれ」と言って頼む西洋の指物師にも、これらの特徴がそのまま当てはまるであろうとかれは指摘していた。

ここでペレックが言及する口数の少ない指物師は、（たとえば）今どきのティーンエイジャーや学生が言語使用の能力を失っていると声高に嘆く人に対して警告の役目を果たすかもしれない。指物師の指物師としての能力は、仕事に取りかかるときどんな口のきき方をするかということに左右されない。なぜなら、言語の劣化とほかの大部分の種類の文化的豊かさとのあいだには、何の因果関係もないからだ。ボキャブラリーの貧困化やそれほど文化的でなくてもこれに類する事態が、人のなしうることに広範な影響をあたえることはけっしてないのである。

孤立ゆえに言語が活力を失い、死滅すると考えるのも、同様に賢明なことではないだろう。実のところ、孤立はものの言い表し方を多様にし、豊かにするもっとも肥沃な土壌かもしれないのだ――その好例が、どの文化圏にも存在する排他的なティーンエイジャーがつくる数えきれないほどの特徴的な若者言葉である。

さらに言えば、他者と、それも異なる言語の話者を含めた他者と、言葉をまったく必要としない接触をする際に行うことにも、それを行った価値の十分あるものが多いのである。

かつてわたしの父は、ポルトガル旅行をしたことがある。旅行カバンの中身を出していると、寝室用スリッパを忘れたことに気づいた。父は外に出て、靴屋を見つけ、必要な履物を探し出し、店員にぴったりしたサイズ（39E）を見つけてもらい、そのスリッパの代金を払い、おつりを確認し、身振りで謝意を表し、別れの挨拶をして、ホテルに戻った――何語であれ、この間ずっと一言も発しなかった。人間の用いる言葉の使用者ならだれしも、同じような非言語の異文化間コミュニケーションを行ったことがあるか、それに近い体験をしたことがあるにちがいない。なるほどわれわれは言語を使ってコミュニケーションするし、われわれの用いる言語は、何について、だれと、いかにコミュニケーションするかということと確かにかなり関連している。しかしそれは、コミュニケーションというもの全体の一部にしかすぎない。コミュニケーションを書き言葉やあるいは話し言葉にすら限定して理解するのは不自然であろう。それは、ミシュランガイドで取り上げられるレストランの料理に対象をしぼってヒトの摂取する栄養物を研究するようなものである。

3 われわれはなぜそれを「翻訳」と呼ぶのか？

話すこととコミュニケーションのように、言葉とものは、正確に対応しているのではない。しかし、もっと悪いことがある。すべての言葉が、ものと意味をなす関係をもつわけではけっしてないのだ。

奇人として知られる『意味の意味』の共著者、C・K・オグデン〔一八八九―一九五七。英国の言語学者、ベーシック・イングリッシュの考案者。『意味の意味』のもう一人の著者は前出のI・A・リチャーズ〕の信じるところによれば、世の中の揉め事の多くは、ものはそれを表す言葉があるから存在するという幻想によって引き起こされる。彼はこの現象を「言葉のマジック」と名づけた。こうしたレッテルが貼られそうなものといえば、たとえば「空中浮揚」、「実在する社会主義」、「安全な投資」がある。これらはまったくの虚構とはいえないが、ある種の語彙によってつくられ、存在を許された幻想である。オグデンの見方からすると、言葉のマジックのせいで、われわれは怠惰となる。言葉に隠されている想定を疑うのをやめ、思考を言葉に操られてしまうからだ。このような意味合いから、われわれとしては、こう問う必要がある。「翻訳」は存在するのか？　すなわち、「翻訳」とはわれわれがそれと認め、定義し、研究し、理解できる現実のものなのか？――それとも、たんなる言葉にすぎないのか？

　英語およびほかの多くの言語では、翻訳という語は双頭の曲者だ。‘a translation’（冠詞付きの翻訳）は生産物――つまり、ほかの何らかの言語から翻訳されたもの――を指す。これに対し、‘translation’（冠詞なしの翻訳）はプロセス――つまり、訳文ができあがる過程――を指す。この種の意味の二重性は、（ほとんどの西欧の言語がそうであるように）あるプロセスとそのプロセスの成果の両方を指し示す、使用頻度の高い一群の語をもつ言語の話者にとって、厄介なものではない。英語やフランス語などの話者は、このような二重性にすっかり慣れており、‘walk the walk’（ちゃんと実行する）や‘talk the talk’（言うべきことを言う）という成句に見られるように、それを利用して言語遊戯も行えるほどである。具体的に言えば、ラテン語に由来し、英語では語尾に‘*-tion*’をもつ語は、ほとんどつねにあるプロセスとそのプロセスの成果を意味している。たとえば、‘abstraction’（何かを抽象する過程）と‘an abstraction’（抽象物）、また‘construction’（建物を建設する業務）と‘a construction’（建設された建物）がそうだ。これに関連した言葉の使い方では、ル・コルドン・ブルーの料理講習担当の講師が、フランス語の‘*cuisine*’（キュイジーヌ）という語は、食べ物が調理される場所（キッチン）とそこでなされる調理の成果（高級料理《オート・キュイジーヌ》、簡素で滋養のある料理《キュイジーヌ・ブルジョワーズ》等々）を指すということを生徒に説明する必要はまずない。同じく、‘translation’と‘a translation’というふたつの異なる意味も、ここで取り上げるべき真の問題とはならない。それでもやはり、われわれはこのふたつは同じものではないことを心に留め、一方を他方と取り違えないようつねに用心しなければならない。

　‘Translation’という語の難しさは、これとは異なる。多種多様なタイプのテクストが習慣的に‘a translation’のカテゴリーに入れられている。ほんの一部を例にあげると書籍、不動産関係契約書、自動車整備のマニュアル、詩、戯曲、法律文書、哲学書、ＣＤのライナーノート、またウェブページがそうだ。どのような共通の特性があって、それらすべてが‘a translation’と呼ばれる同一物の例だと信じられているのだろうか？　多くの言葉の専門家は、メーカー作成のカタログを翻訳するのは、詩を翻訳するのとまったく違うことだと言うにちがいない。なぜそれら異なる行為をそれぞれ意味する語がないのだろうか？　英語ならすべて‘a translation’という名称で通ってしまう多くのものを、それぞれ別に表す単語に不自由しない言語もある。日本語には、それら訳文について語るのに用いられる主要な言葉として、たとえば次のようなものがある。

> 当該の訳文が、原文全体を翻訳したものなら、それは全訳あるいは完訳と呼ばれる。初めて訳されたものなら、初訳という。再度翻訳されたものなら、それは以前の訳文、つまり旧訳に取って代わる新訳である。訳文をべつの言語に翻訳したものは重訳と呼ばれる。今後べつの訳に取って代えられる可能性の少ない、評価の定まったものは定訳、同様に今後べつの訳に取って代わられそうもない、高い評価を受けている訳文は名訳という。高名な翻訳家が自分の訳文に言及するとき、それを自らけなして拙訳、すなわち「へたな訳文」と呼ぶことがある。これは「自分の訳」という意味で、本当にできの悪い訳文をくさしていう駄訳とか悪訳とかと混同してはならない。ふたり以上の人が共同で翻訳したものを共訳、あるいは合訳という。草稿段階の訳文、つまり下訳は、監修者による翻訳、つまり監訳によって磨きをかけられることもあり、その場合は共訳とか合訳とはいわない。翻訳は、原文に対してどのようなアプローチをとるかによって、異なる名が付けられている。それは直訳（文字どおりには「直接的な翻訳」）、逐語訳（「一語一語に忠実な翻訳」）、意訳（「全体の意味を汲みとる翻訳」）、対訳（「見開きのページに原文と対置される翻訳」）となることがあるし、あるいはシドニー・シェルダン、ダニエル・スティール、ジョン・グリシャムそのほかポピュラーなアメリカ作家の翻訳の場合、超訳（「原作より優れている翻訳」、アカデミー出版考案の翻訳法で同社の登録商標）と呼ばれている。[1]

英語にはさまざまな種類の花を表す名称が幅広く存在す

る。たとえば「チューリップ」と「花」の関係を示すひとつの方法は、「花」を上位語、そして「チューリップ」を「バラ」や「アジサイ」や「ツバキ」などとともに「花」という語の下位語と呼ぶことである。「上位語」と「下位語」は、ひとつの言語内における語同士の関係を示すものであり、その語が指すもの同士の（植物学上あるいはそのほかの）関係を示すわけではない。したがって、日本語にはさまざまな翻訳用語を総称する上位語が不在である一方、英語には上位語はあるが、だれでもすぐ使える下位語のグループがないと言うことができるだろう。しかし、そのような議論には、まさにその論旨の組み立て方ゆえに危険が潜んでいる。その考え方では、英語が「標準」ないしは「思考に適した言語」に祭り上げられてしまっているのだ。というのも、英語の方だけが総称〔‘translation’のこと〕を有し、日本語の翻訳用語がそれぞれもつ意味を表す新造語——‘uptranslate’（上訳する）、‘downtranslate’（下訳する）、‘newtranslate’（新訳する）、‘retranslate’（改訳する）、‘cotranslate’（共訳する）等々——をつくるのは容易だとされているからである。一方、‘translation’という総称的で抽象的な概念をどう日本語に翻訳できるのかはさほど明らかでなく、われわれはこの言語を英語より豊かであるというまさにその点で欠陥があると考えてしまいがちなのだ。

実際には、日本語には英語の‘translation’の訳語がちゃんと存在する。翻訳（*hon'yaku*）という語が、英語で書かれた比較文学や翻訳理論関係の著作の日本語訳で、また出版界や国際的な書籍販売の業界でも、その目的のために使われている。しかしこの言葉は、それがもつ意味範囲のせいで、‘translation’という語の対応語としては不十分である。翻訳は、外国語（つまり日本語でない言語）——ときにはもっと狭く欧米語——から日本語へ（あるいはその逆）の翻訳を指すが、それ以外の‘translation’の意味を表すために使用されることはほとんどないのだ。マイケル・エメリックによれば、「わたしのように‘translation’を翻訳という語で翻訳しようと試みる人たちは……微妙ながらも、日本語では『誤訳』として知られるタイプの翻訳、すなわち‘mistranslation’（間違った翻訳）を行おうとしているのである」。日本語の翻訳はむしろ芸術用語に近いが、これに対し、英語の‘translation’という語は、われわれにとって自明な現実として受け取られる何か一般的なものを指しているのである。

あるカテゴリーを指す語がもたらす言葉のマジックの効果によって、不注意な人たちは、こうして名指されたカテゴリーが現実に存在すると信じてしまう。この点を確かめるひとつの方法は、もののカテゴリーや集合体――どんなカテゴリーや集合体であれ――は、言語内にそのようなカテゴリーを名指す語がもし存在するならば、心的実在として実際に存在すると口に出してみることである。これは、世の事象について語るとき、そのように言葉によってつくられたカテゴリーが、信頼できて役に立ち、適切で真に有意義だと主張することとはまったく異なる。カテゴリーを指す語がない場合、さまざまな語によってそれぞれが区別される一群の存在物が共通してもつのは何かと考えることは、明らかに難しい（とはいえ、かならずしも不可能ではない）。われわれの関心事であるケースでいうと、英語には翻訳を指し示す、単一のきわめて一般的な語が存在するのに対し、日本語にはその各側面を表す語がたくさんある。だからといって、日本語では翻訳一般を考えることができないわけではない。ところが、「翻訳の本質」についてのヨーロッパ的な問いは、日本語に翻訳されると、ヨーロッパ文化の一様相（‘*hon'yaku*’、つまり日本語で翻訳と呼ばれるもの）について問うことになりやすい。われわれにとっての真の問い――「‘translation’ それ自体」の本質についての問い――ではなくなってしまいがちなのである。

それを言い表す言葉がなければ、それについて語るのは容易ではない。だから、どんな知的研究でも、その特定の専門分野内で存在するもの、あるいは存在すると仮定される必要のあるものを名指す専門用語を考え出さなければならない。ところが、‘translation’ は「水素」、「メガバイト」、「キアロスクーロ（明暗法）」のように新たにつくられたり、借用されたりした専門用語ではない。それは広く使われる普通名詞であり、人目を引くことのない日常語なのだ。正確には、それは何を指しているのだろうか？

この種の問題に取り組む場合、語源つまりその言葉自体の歴史に頼るのが、伝統的なやり方である。‘Translate’（翻訳する）はラテン語のふたつの語、「向こう側に」を意味する ‘*trans*’ と「運ぶ」の意味の動詞 ‘*ferre*’ の過去形 ‘*latum*’ に由来する。この由来を見れば、‘translate’ という語には、「向こう側に運ぶ」や「連れてくる」の意味があることがわかる。ヨーロッパの言語には、翻訳を意味するドイツ語の ‘*übersetzen*’（～の向こうへ渡す）やロシア語の ‘**переводить**’（向こう側に連れて行く）のように、似たような語源をもつ、似たような語のあるものがいくつも存在する。教科書や百科事典等でよく見かけるほとんど定型化した翻訳の定義は、これらの語の語源を元としているのである。たとえば、お馴染みの次の定義――

'Translation is the transfer of meaning from one language to another.'

「翻訳とは、ある言語からべつの言語へ意味を移すことである。[2]」

これは当たり前すぎて、論評するほどのこともないように思える。しかし、ある単語の由来がわかったからといって、その語の現在の意味をよく知ったことにはならない。たとえば、'divorce'（離婚）の語源がラテン語の'*divortium*'（分岐点、分かれ道）だと知っても、いまこの語が何を意味するかはわからない。語源を知ると、われわれの言葉の使い方についての基本的な真実が見えにくくなってしまう。そして、それらの真実には翻訳についての真実も含まれているのだ。だから、はっきりと見よう。翻訳者はたんに「（何らかの障害物の）向こう側に」「（何かを）持っていく」ものとされる。なぜなら、翻訳者の仕事を指し示すために使われる語が、古代語では「向こう側に運ぶ」を意味したからというのだ。しかし、「向こう側にもっていく」はメタファーにすぎない。そして、このメタファーが翻訳についての真実ともつ関係は、自明ではなく確証すべきものだ。英語も含めて多くの言語には、ほかにも利用できるメタファーがいくつもあり、それらも、AからBへと何かを運ぶフェリー乗組員やトラック運転手の根拠なきうぬぼれと同程度にわれわれの注意を引く権利があるのだ。

もしわれわれが歴史的に異なるルーツをもつ単語を使っていたら、どうなっていただろう？　もしその語の歴史の痕跡がすべて失われてしまったら、どうなっていただろう？　きっと翻訳者は翻訳をつづけているだろうし、彼らの職業の問題点やパラドックスも、ぜんぜん変わっていないだろう。だが、もしわれわれが翻訳を語るのに用いる語を変えるとしたら、翻訳という事象に関する現代の議論の大部分は意味を失い、役に立たないものとなってしまうだろう。

古代バビロンの言語であったシュメール語では、「翻訳者」に相当する語は、くさび形文字で書かれると、次のようになる。

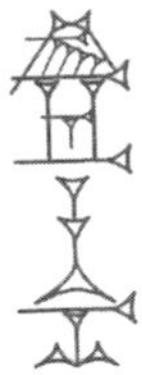

これは‘*eme-bal*’（イーム・バル）と発音され、「言語を変える者」を意味する。古典ラテン語でもまた、翻訳者の行うことは‘*vertere*’、すなわち（ギリシャ語による）表現をローマの言葉に「変えること《ターン》」であった。英語ではいまなお同じメタファーが使われている。たとえば、事務弁護士に契約書の細字印刷の部分を理解できるように言い換えて《ターン》くれと頼むとき、あるいは教師が学生にある文をドイツ語に訳しなさい《ターン》と言うときがそうだ。パプアニューギニアで使われる混成語、トク・ピシンでも、「翻訳」に相当する語である‘*tanimtok*’（タニムトク）は、同じ要素、‘*tanim*’（変える）と‘*tok*’（話）でつくられている[3]。もちろん、「変えること」は、「向こう側にもっていくこと」とほとんど同じくらいつかみどころがない。しかしまた人は、ミルクをバターに、カエルを王子に、卑金属を黄金に変えることができるわけだから、もし翻訳の仕事がつねに「変えること」だと思われていたら、西洋の翻訳の歴史は（翻訳者の地位や報酬はむろんのこと）、ずいぶんと違うものになっていたかもしれないではないか。

フィンランド語には「翻訳する」に相当する動詞がふたつあり、ひとつは（ラテン語におけるように）「変える」を意味するフィンランド語の単語と同系の語、‘*kääntää*’、もうひとつは「フィンランド化する」を意味する‘*suomentaa*’である（この後者はちょうど「ドイツ化する」を意味する‘*verdeutschen*’が、「翻訳する」のドイツ語の言い表し方のひとつであるのと同じだ）。ある機知に富んだフィンランド人作家が、「魚の子守歌」と題された、クリスティアン・モルゲンシュテルン〔一八七一–一九一四。ドイツの詩人〕による、次のようなドイツ語の視覚詩、

Fisches Nachtgesang

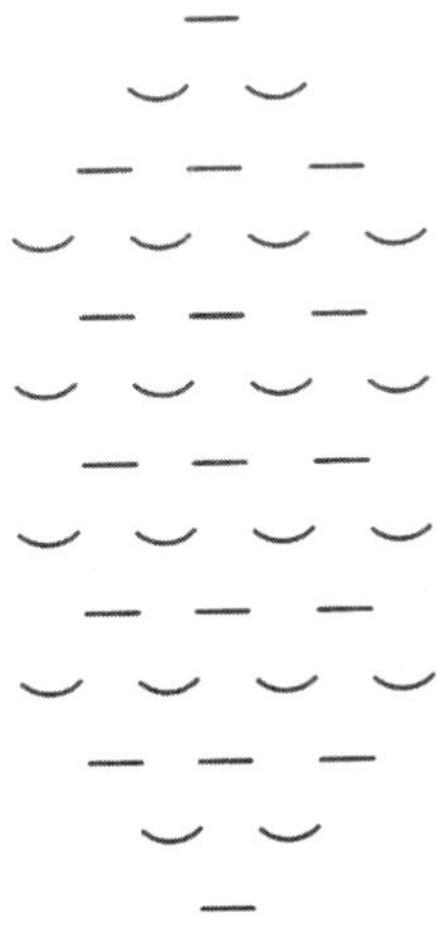

を取り上げ、それを次のようなフィンランド語の詩に「変えた」。

Kalan yölaula

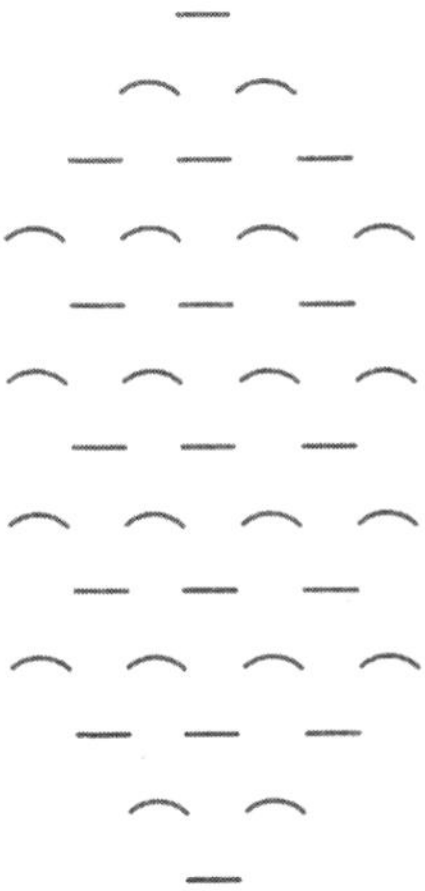

Suom. Reijo Ollinen

ここに見られるジョークのポイントは、この詩が「レイヨ・オリネンによって翻訳された」ことを告げるために最後の行で使われている略語〔*Suom*〕が、'to turn（over）'（変える（逆さまにする））を意味する語ではなく'to Finnishise'（フィンランド化する）を意味する語である点にあり、これはフィンランド語で魚の夢を見るには上下をひっくり返すだけで十分だと暗示しているのである(4)。

一方、古代中国では翻訳＝通訳を業務とする官職についた人が何とよばれたかは、その人が帝国境界外のどの地域との業務を担当するかによって違う。

東方地域を担当する者は *ji*（受託者、伝達者）南方は *xiang*（類似物提供者）、西方は *Didi*（Di 族熟知者）、北方は *yì*（翻訳者／通訳者）と呼ばれていた(5)。

翻訳＝通訳に携わる官吏を担当地域で区分するとは、まるでボルヘスの創作のようだが、今日でも外務省で異なる部局に勤務する人たちは、中国調査分析官《サイノロジスト》、アラブ地域調査分析官《アラビスト》、アフリカ地域調査分析官《アフリカニスト》のように別個の名称で呼ばれており、とりわけ奇妙だというわけではない。しかし、いま引用した資料から見て、古代中国で語学関連業務に携わる人たちの官職にそれぞれ異なった呼び名があったからといって、彼らがそれぞれ違う種類の仕事をしていたと考えられていたわけではないことは、どうやら明らかだと思われる。換言すれば、彼らを名指す集合名詞のようなものができる以前、「北方の者たち」、「南方の者たち」、「東方の者たち」、「西方の者たち」は、すべて同じ職種の業務を行っていると理解されていたのである。

しかし、仏教が翻訳をつうじて中国に浸透するにつれ、*yì* という言葉のもつ概念が、北方の諸言語に対する政府の姿勢と連動しつつ、本来もっていた意味を超えて拡大した。古代中国文明時代のうちの数世紀間、語彙リストや古典文献の注釈のなかで *yì* という文字に与えられてきた説明を以下に年代順に引用する。

1　四方に住む部族の言葉を伝える者たち

2　整然とものを述べ、自国と外国を知悉していること

3　やりとりすること、すなわち相互理解を達成するため、ある言語の言葉をべつの言語に変え、取り替えること。

4　やりとりすること、すなわち自分のもっているものをもっていないものと交換すること。(6)

ここでの話のポイントは、いまでは*'fanyi'*（*yí*の語義拡大形）と発音され、「翻訳する・通訳する」の中国語翻訳として使われているこの記号の歴史と意味について、中国研究者のあいだで進行中の議論に参加することにあるのではない。次の点を指摘しようとしているにすぎない。すなわち、われわれの文明より古い文化では、人びとが何千年ものあいだ、翻訳に関わる実践的、理論的問題に鋭敏さと博識をもって取り組んできた。それにもかかわらず、「翻訳」を「ある言語からべつの言語へ意味を移すこと」と説明した者はひとりもいなかったのである。

かならずしも「変えること」、「伝えること」、「後で話すこと」、「口写しすること」、「やりとりすること」と定義するのが、翻訳というものを理解するうえで、とくに啓発的で正確なやり方だというわけではない。しかしもしわれわれが、異言語間コミュニケーションの行為を名づけるこれらべつのやり方のどれかを語源として受け継いでいたら、翻訳を「ある言語からべつの言語へ意味を移すこと」と定義しようと思いすらしなかったことだろう。英語（そしてフランス語、ドイツ語、ロシア語……）によるこの標準的な定義は、翻訳を指し示す語の構成要素から推定したものにすぎない。これからわかるのは、その言葉の語源的なルーツの意味だけである。

「向こう側に運ぶ」というメタファーは、さまざまな言葉、着想、言い習わし、陳腐な見解を生み出してきた。だがそれらには、翻訳はAからBへ「意味を移す」という考え方と同じようにリアリティーはない。もし翻訳者を指す英語の言葉が、いくぶん「トラック運転手」を連想させるものでなかったら、われわれは一度でも「言葉の壁」というものを考えついたりしただろうか？　もし翻訳者が「変える人」とか「言葉をあやつる人」とか「やりとりする人」とかと呼ばれていたら、われわれは一度でも翻訳者は何を「言葉の壁」の「向こう側に持っていく」のかと問うよう

なことがあっただろうか？　十中八九なかったろう。翻訳研究でよく使われる諸用語は、‘translation’という言葉それ自体の語源の意味を比喩的に敷衍し、精巧につくり上げたメタファーなのだ。

　ところが、われわれは自分自身の世界から逃れることはできない。‘translate’（翻訳＝通訳する）というと、実際われわれは‘transfer’（移す）をイメージしてしまう。「移す」を頭に浮かべるので、この動詞の補語や目的語を見つけなければならなくなる。そして言語に関する西洋思想本流の伝統において、その役目にふさわしいと考えられてきた候補は、たったひとつしかない。「意味」である。

　しかし「意味」は、実践においても理論においても、べつの何かに「変える」ことが可能な発話《アタランス》〔口頭で、または書記によって言葉を発すること、あるいは発された言葉〕の唯一の構成要素ではない。だんじてそんなことはない。発される言葉は、つねに何らかの声のトーン、音の高低パターンを用いて、何らかの現実の状況のなかで、発話に関連した何らかの身体行使（身振り、姿勢、動き）をともなって発されるのだ。書かれる言葉は、つねにある特定のレイアウトで、何らかのフォントあるいは筆跡で、何らかの物理的媒体（ポスター、書籍、バックパネル、新聞等）で提示されるのだ。ところが、発話が必然的にもつ特徴の大部分が、たいてい翻訳者の仕事の対象とはみなされないのである。どこまでが翻訳の領域なのか、その境界線も、ほかの多くの場合のように、できのよい冗談をみれば明らかになるかもしれない。

　『スパングリシュ――太陽の国から来たママのこと』は、ジェームズ・ブルックス監督による感傷的コメディ映画であり、たぶん本書の読者の多くにとってお馴染みの、おそらくは人間社会の歴史それ自体と同じくらい古い言語状況を活写している。ヒロインはメキシコ人のシングルマザーで、裕福なアメリカ人の家庭でメイドとして働いている。彼女は英語を話せない――だが、十歳の娘のほうは話す。ある重要な場面で、母親が雇い主にむかって自分の考え、激しい感情を表明しなければならない事態が生じ、娘に頼んで通訳を務めてもらう[7]。少女はその務めを果たすだけの英語の力が十分あるが、通訳の仕方を律する現行の慣例については何も知らない。彼女は、たんに母親の言っていることの意味を通訳するだけでなく、母親の芝居がかった身振りを、交互に踊る二人舞踏《パ・ド・ドゥ》よろしく生き生きと再現する。完璧な英語をしゃべりながら、腕をふり、足を踏み鳴らし、声を大きくし、調子を変え、母親がスペイン語で演ずる短気な振る舞いを真似するのだ。母親をスケッチしたこの寸劇を見て、われわれは心から笑ってしまう。なぜか？　それは、これこそが――われわれにとって――翻訳＝通訳というものであることを、頭はいいが不十分な教育しか受けていない子どものみが思い描くことができたからである。

それはさておき、意味という限定的な概念――そもそも意味だけの翻訳はそうでない場合よりも複雑でなくなるが、面白味はずっと少なくなる――にあてはまらない発話の構成要素の一部をべつの言語で再現する方法がある。たとえば、次の有名な童謡の一節、

Hmpty Dumpty sat on a wall
ハンプティ・ダンプティ、壁に座った《ハンプティダンプティサットンナウォール》

の――言葉の意味ではなく――音声面に着目し、そして――意味ではなく――その音声をフランス語で再現してみよう。言うまでもなく、フランス語の発音は英語とは違うので、正確に再現することはできない。しかし、発声される英語音にもっとも近いフランス語音を使って再‐発声することはできるし、それらのおおよそ類似している音声に適合するフランス語の単語があれば、それらをフランス語で書き表すことができるのだ。

Un petit d'un petit
S'étonne aux Halles
小さい男の小さい子《アンプティダンプティ》
中央市場で驚いた《セットンノオアール》[8]

これは翻訳だろうか？　もし翻訳でなく、「口写しすること」とか「後で話すこと」という名称で呼ばれていたら、まあそうかもしれない。これは音写（同音翻訳ともいう）の一例であり、このタイプの訳は、現在では実用に供されることはあまりないかもしれないが、歴史的には英語の語彙が増える主要なファクターのひとつであった。英語を母語とする人びとは、何世紀にもわたってさまざまな異文化の人たちと接触をもち、彼らの話す言葉に耳をかたむけ、今度はそれらの言葉を英語風な発音で自分でも口にしてみた。こうして、「バンガロー」、「ココア」、「トマト」、「ポテト」……そのほかの新しい言葉を創り出したのである。同様に、他言語を母語とし、英語圏の国民と実りある商業

的、文化的関係をもつ人びとが、現今ではあらゆる種類の英単語を音写し、英語の母語話者には不十分にしか理解できない、あるいはまったくわからない新語を生み出している。そのような新語として、たとえば中国語の「酷《クー》」（いきな〔cool の音写〕）、フランス語の ‘le footing’（ジョギング）、日本語の「スマート」（すらりとした）、ドイツ語の ‘Handy’（携帯電話）などがあげられる。

借用語（また、もっと一般的に言えば、互いに接触のある人たちがそれぞれ用いる異なる言語のあいだで起こる語彙、シンタックス、音声の漏出）は、かならずしも翻訳研究に関係があると考えられているわけではない。いやそれどころか、従来どおりの見方からすれば、正確には理解できないものを近似的に模して復唱するという、おそらく普遍的なやり方は、翻訳とは正反対のものだ――それはちゃんと理解していることではなく、何かべつなことを言う行為だからである。しかし、互いに接触のある文化のあいだでの言葉の借用は、異文化間コミュニケーションの基本的な事実だ――そして異文化間コミュニケーションは、まさに翻訳の領域なのである。

現実には、プロの翻訳家はたびたび音写を用いている。はじめてソ連の強制収容所の体験がリアルに描かれた衝撃作、ソルジェニーツィン作『イワン＝デニソビッチの一日』の翻訳者は、収容所の囚人たち、つまり ‘зеки’ と呼ばれ、自らもそう呼ぶ人たち（単数形は зек で、‘заключенный’（閉じ込められた）という語に由来）の訳語をどうするか決定する必要に迫られた。彼は ‘*zeks*’ とすることに決めた。これはロシア語にはありそうもない語である。‘*Zeks*’ は、ロシア語の語幹の音写で、それに英語複数形の語尾を付けたものだ。もし翻訳がたんにある言語からべつの言語へ意味を移すことであるならば、‘*zeks*’ は翻訳ではぜんぜんないし、また英語でもない。ところが、明らかにそうとは言えないのだ。翻訳には、この語の通常の定義にはあてはまらない多くのことが含まれている。辞書に載っていないという理由でソルジェニーツィンの翻訳者の仕事をはねつけるのは、風呂の水のかわりに、赤ん坊のほうを流してしまうようなもので、それよりも翻訳についてわれわれの理解を広げるほうが、はるかに興味深いことであろう。

4　翻訳について人が言うこと

翻訳が原作の代わりにはならないことは、よく知られた事実である。

これが間違っていることも、完全に明らかだ。訳文はまさに原典テクストの代わりである。われわれは、簡単には読むことのできない言語で書かれた作品の代わりに翻訳を読むのだ。

翻訳は原作に代わるものでないという主張は、真実ではない世人の知恵のひとつだが、真実でない世人の知恵はこれだけではない。人は満足気に「犯罪は引き合わない」とか「降れば土砂降り」とか「真実はいつか現れる」といったことわざを口にするが、これらは現実に反する。ロシアのマフィアたちはフランスのリヴィエラで日光浴をしているし、イギリスでは霧雨しか降らないし、家族の秘密はけっして漏れない。この種のことわざは、効果を発揮するためになにも真実である必要はない。概して、特殊な事情をもつ人たちに警告や慰めや励ましを与えるためのものであって、正義の理論や天気予報の方式や犯罪学を打ち立てようとするものではないのである。それゆえ、翻訳は原作の代わりとはならないという言い方を誤解するのは、それを周知の事実だと思う人だけなのだ。そのワナにいかに多くの人が陥ってしまうか、まことに驚くべきものがある。

市場の露店でDVDを万引きして捕まったティーンエイジャーに「犯罪は引き合わない」と諭すとき、それを本当だと信じているかどうかは重要ではない。その若者を指導して第八戒〔「汝、盗むなかれ」というモーセの十戒のひとつ〕を受け入れさせるという道徳的な目的のために、紋切り型の警句を使っているのだ。

同様に、予習として『異邦人』を原語のフランス語で読むように言われていた学生たちが、英語でこのカミュの小説を読んでいた場合、それを見つけた教師はたぶん、権威にみちた口調で「翻訳は原作の代わりとはならない！」と言って彼らを訓戒するかもしれない。学生はこれが真実でないことがわかっている。なぜなら、自分たちがまさに原作の代わりに翻訳を読んでいるところを見つかったばかりだからだ。しかし彼らはまた、教師が世人の知恵を利用して、何かほかのこと、実際には真実であることを言おうとしていたのだということも理解している――つまり、フランス語を読むことによってのみ、仏語力がアップするということを。教師は彼らにハッパをかけて、もっと真面目になるよう指導しようとしたのであって、翻訳について真実を伝えようとしたのではないのである。

いずれ学生は卒業し、職を得る。そのうち書評を書きはじめるものもいる。このような状況で、英訳された外国文学の作品について書かねばならないが、何を言ったらいいかわからないとき、学校ではじめて聞かされた訓戒の言葉をオウムのように繰り返すかもしれない。しかし、人が言ったり書いたりするほかのすべてのことと同様、発話のコンテクストが変わると、「翻訳は原文の代わりにはならない」という警句の力は、まったくべつなものとなる。

新しいコンテクストでは、この警句は書評の書き手が原作について翻訳はその代わりにはならないと判断できるほどの理解をもっているということを意味する。実際に書評家が原作を読んでいるかどうかに関係なく、翻訳はその原作の代わりとはならないと断言することによって、書評家はこの断言に対し責任を負うことになるのだ。

当の警句をこのように使えば、明らかに「代わり」という言葉の意味はその影響を受ける。もしわたしが、たとえば「インスタントコーヒーは挽きたての豆でつくったエスプレッソの代わりにはならない」と言ったとする。インスタントコーヒーの目的が飲み物を淹れるもっと面倒な方法の代わりをする点にあることを鑑みれば、この発言は間違っている。しかしまた、「代わり」という言葉が「同じ」とか「同じくらいおいしい」とか「同等だ」とかを意味すると理解されるかぎりでは、わたしの発言は正しい。インスタントコーヒーは、明らかにエスプレッソと同じではない。多くの人がエスプレッソほどおいしくないと感じているのだ。そして、コーヒーの好みは個人の嗜好の問題なので、粉末コーヒーをエスプレッソと同等でないとみなすのは、不合理なことではない。コーヒーについては、人はちょくちょくこうしたことをもっとはっきりと言う。しかし問題が翻訳となると、ことはそう簡単にはいかない。

翻訳は原作の代わりにはならないと言明する人は、自分は本物、つまり翻訳と対立するものとしての原作を識別し、そのよさを認める手段をもっていると暗に言っているのである。この能力がなければ、とてもそんなふうに主張することはできないのだ。二種類のコーヒーの違いがわかる能力がなければ、そのふたつを比較することは不可能である。同様に、「訳文」と「原文」の違いを見分ける能力をもつことが、その一方は他方と同じではない、同等ではない、あるいはそれほど質がよくないと主張したい人にとって、例外なく基本条件となる。

実際には、書籍のタイトルページ、裏表紙の宣伝文、奥付、あるいは記事なら末尾にある著者名の行を見れば、自分が読んでいるのは翻訳かどうかがわかる。しかし、そのような手がかりがない場合、自分の言語的、文学的表現の鑑賞力によって、読者はテクストが「原文」か「訳文」か本当に識別することができるだろうか？　絶対にできないのだ。実に多くの作家が、原作を翻訳として、また翻訳を原作として発表し、何週間も、何カ月も、何年も、ときには何世紀にもわたって、まんまとそれで押し通してきたのである。

『フィンガル、六巻中の一古代叙事詩』は、一七六二年に出版され、拍手喝采をもって迎えられた。長年のあいだ、それはヨーロッパ北西周辺地域の先住民の古代文化に貴重な洞察をもたらすものと考えられていた。ナポレオンのような偉人たち、ドイツの哲学者ヘルダーのような教養人たちが、その真正とされた「ゲールの吟遊詩人」作の民衆詩にすっかり魅了されたのだった。しかし、彼らは間違っていた。このオシアン物語詩〔オシアンは三世紀頃のケルト系ゲール族の伝説的英雄・詩人〕は、ケルトの吟遊詩人たちの作ではまったくなかったのだ。ジェームズ・マクファーソンという名のイギリスの二流詩人によって書かれたものだったのである。

ホレス・ウォルポールの場合、偽装がつづいた期間はずっと短い。彼は『オトラント城奇譚』初版の序文で、この小説は一五二九年にはじめて出版されたイタリアの作品の翻訳にすぎないと主張し、好評だったら原作を公表すると請け合った。それは好評だった――それどころか、ベストセラーとなり、「ゴシックホラー」と呼ばれる小説ジャンルの元祖となった。再版の必要に迫られ、著者は偽りを認め、謝罪を余儀なくされた。イタリア語の原作を出版できなかったのである。そんなものはなかったのだ。彼もまた、英語で「翻訳」を書いたのだった。

さらに華々しいまでの欺瞞が多くの国の文学史に点在している。初版が一六六九年に出された『ポルトガル尼僧の手紙』は、原作が一度も出版されたことはないにもかかわらず、翻訳とされていた。この精妙で霊的なテクストは、三世紀にわたって読者を魅了し、フランス語からほかの多くの言語に翻訳された——そのひとつが詩人ライナー・マリア・リルケによるドイツ語訳である。彼はまんまと一杯食ったとは夢想だにしなかった。実のところ、その手紙なるものは、ジャン・ラシーヌの友人、ギュラーグ伯〔一六二九—八七。フランスのジャーナリスト、外交官、著作家〕によってフランス語で書かれたものだった。この悪ふざけの真相は、一九五四年になってはじめて明らかにされた。[1]

もっと最近のフランスでは、ニセ翻訳の例としてアンドレイ・マキーヌ〔一九五七—。ソ連出身のフランス人小説家〕の作品があげられる。一九九〇年から一九九五年までに出版された彼の最初の三つの小説は、フランソワーズ・ブルという架空の人物によるロシア語原作からの翻訳という体裁をとっていた。一九九五年に『ル・モンド』紙が、これらはフランス語原作であることを暴き、こうしてマキーヌの四番目の小説『フランスの遺言書』がゴンクール賞を受賞する道を開くことになった。これはフランスの作家だけに与えられる賞なのである。

いったん翻訳として通ってしまうと、ニセ翻訳を抹殺するのは難しい。旧ソ連の詩人エマニュエル・リフシッツは、自分がほかのだれかとして——実在しない英国人ジェームズ・クリフォードとして——ものを書くと、よりよく自己表現ができると感じていた。英語からの翻訳と称された二十三篇の詩が、最初『バトゥーミの労働者』に収録され、ついでモスクワで詩人の短い伝記を付されて再刊された。その伝記では、次のように末尾で秘密が洩らされていた。「以上がこのイギリス詩人のこうもありえたであろうと思われる伝記である。彼はわたしの想像力のなかで成長し、詩のなかで現実の存在となったのだが、わたしは読者にそれら一群の詩の一考を請うものである。[2]」しかし、これほど大きなヒントがあっても、自分は原文と訳文の違いがわかると本当に信じたがっている読者は、見すごしてしまう。リフシッツは、自分の名で書いた詩を集めた出版物にクリフォード名義の作品を収めなかったが、ひょっとしたらそのせいで、ジェームズ・クリフォードは文学界の人たちの記憶に有名な英国詩人として長年にわたって残ったのかもしれない。リフシッツとの対談で、エフゲニー・エフトゥシェンコ〔一九三三—二〇一七。旧ソ連・ロシアの詩人〕は、自分がどんなにこのメランコリックな英国詩人のことをよく覚えているかと懐かしんでいる。[3]

以上とは逆に、翻訳を原作と称して人をだますやり方も、おそらく同じくらい多い。多言語作家・外交官のロマン・ギャリ〔一九一四—八〇。帝政ロシア生まれ〕の三つの小説は、フランス語で書かれたとされていたが（『レディーL』、一九六三、『スターを食い物にする者ども』、一九六六、『さようなら、ゲーリー・クーパー』、一九六九）、実際には英語で書かれて刊行され（『レディーL』、一九五八、『タレント・スカウト』、一九六一、『スキー狂』、一九六五）、それからギャリのフランスの出版社の編集主任によって秘密裏に翻訳されていたのだった。いったい、いくつの翻訳が原作と偽り伝えられ、そのままになってしまっているだろうか？　この種の欺瞞は、すでにすべてが暴かれているということはありえないはずである。

著者たちが原作を翻訳、翻訳を原作と偽って通したがる背景には、さまざまな理由がある。検閲を切り抜けるためのこともあれば、新しい自分を試そうとすることもある。それは自分の国や言語の由緒正しさに関する個人的または集団的な空想を正当化してくれることもあれば、たんに異国の風物への世間の好みに迎合するためになされることもある。このような欺瞞すべてがはっきり示しているのは、読むだけでは、作品はもともといま読まれている言語で書かれたのかどうかわからないということだ。翻訳と原作の違いは、粉末のコーヒーとパーコレーターで淹れたコーヒーの違いとは種類が異なる。それはたんなる直観以上のものなのだ。だが、それを説明するのはけっして容易ではない。

翻訳は原作の代わりとはならないという見解は、以上とはべつの批判を受けねばならない。もしこの警句が真実だとしたら、翻訳を読む人たちは、それによって何を吸収するのだろうか？　本物でないことは明白だ。しかし彼らはまた、本物の代わり——文学の世界で粉末コーヒーに相当するもの——ですら手に入れることはできないだろう。文学の原典は代替のきかないものだと主張することは、その原典が書かれた言語を読めない人たちが飲むのは、ネスカフェどころか、汚れ水であると決めつけるようなものなのだ。作品を原作で読んだ人の意見をのぞいて、そのほかの見解はどれも取るに足りないものになってしまうのである。

しかし、セルバンテス（『ドン・キホーテ』はアラビア語からの翻訳と主張されていた）、ウォルポール、マクファーソン、ギャリ、ギュラーグ伯、マキーヌ、クリフォードそのほか無数の作家の例が証明しているように、だれも自分が読んだのは原作だと確信することはできないはずだ。

自伝小説『石の年代記』でイスマイル・カダレ〔一九三六—。アルバニアの小説家〕は、あるエピソードを語ることによって、べつの観点から原作と翻訳は区別ができないことを示している。十歳のとき、彼は伯父さんにもらった本の魅力のとりことなった。それは幽霊、城、殺人、裏切りにみちた物語で、彼の好みにまさにぴったりだったし、とくにジロカストラという要塞都市〔アルバニア南部のカダレの出身地〕で戦争や内戦前の数年間に彼の周囲で進行していた出来事の経緯を多少とも明らかにしてくれるように思えたこともある。その本の題名は『マクベス』で、ウィリアム・シェイクスピア作であった。子どものイスマイルは、マクベス夫人が通りにいる姿を、バルコニーで両手を握りしめている姿を、家で起こった恐ろしいことの痕跡を洗い流している姿を、まざまざと見ているかのような思いを味わった。彼はその戯曲がもともと英語で書かれていることはまったく知らなかった。いかにも子どもらしい熱中ぶりでテクストを何回も読み直し、とうとうカダレは、翻訳とは一度も疑ってみたことがないまま、その本をそっくり筆写してしまった。ちかごろでは、最初に書いた本は何かとインタビューで尋ねられると、わずかに笑みを浮かべ、『マクベス』と答えるのをつねとしている。今日にいたるまでカダレは英語を学んでいないが、『マクベス』の読書を自分の文学生活の基礎となった経験だと考えている。彼をこれほど鼓舞した翻訳の質はどうであれ、それは明らかに汚れ水を飲んだときのような効果をもたらしてはいない。むしろ酒の効果に近いのだ。

　ではなぜ人びとは、翻訳は原作の代わりにはならないとなおも言い張るのだろうか？　もしかするとこの警句は、意識して翻訳では何も読もうとしない人たちの役に立っているのかもしれない。というのも、それがそういう人たちの態度を正当化し、かつ説明してくれるからである。ところが、内的な基準によるだけでは、翻訳を原作から見分ける確実な方法はまったくないので、そのような純粋主義者は、自説を固守することにけっして自信をもつことはできない。たとえ僥倖にめぐりあって、原作以外の読書はどれもうまく避けることができたとしても、彼らは決定的に特異な世界観をもつ羽目になるにちがいない——英語の読者だったら、聖書、トルストイ、あるいは『猿の惑星』〔フランスの小説家ピエール・ブール作のSF小説。同名のアメリカ映画の原作〕についても何も知らないことになってしまうのだ。その警句が真に行っているのは、翻訳は二流品であるという見解にもっともらしい見せかけを添えてやることだけだ。これこそ、翻訳は原作の代わりにはならないと決めつけるとき、人が本当に言おうとしていることである。

5　異質性という虚構
——「異言語らしさ」のパラドックス

前世紀の大半、批評家も素人の文学愛好家も、翻訳作品をほめちぎるとき、「まるで英語で書かれたかのようだ」と言ったものである。これは空疎な賛辞だ。というのも、批評家や文学愛好家と同じ英語圏の人たちは、多くの場合、翻訳と称される作品がいつ英語で書かれたのかわからなかったからだ。それでも、「目標言語」、つまり「訳文の言語」の自然さや流暢さを高く評価することは、今日の英語圏世界における翻訳文化の大きな特徴である。しかし、その逆をいく意見もある。もしパリが舞台の探偵小説のなかで、登場人物たちが——サン＝ジェルマン大通りを重い足で歩いたり、ペルノー〔フランス原産のリキュール酒〕を飲んだり、豚の脛肉とレンズマメの煮込み《ジャレ・ド・ポール・オー・ランティーユ》をがつがつ食べたりしているときも——まったく流暢な英語でしゃべり、考えているとしたら、これはどこかおかしいと感じるはずだ。もしフランスらしさが感じられないとすれば、フランスの探偵小説を就寝前に読む楽しみはどこにあるというのか？　フランスの探偵小説はやはりフランス風な感じがしてほしいと、われわれは思っていないか？　訳文のスタイルを自国風にしようとして、フランスのチンピラのフランス人っぽさまで消去してしまうことは、「自民族中心主義的な暴力」だとして非難する批評家もいる[1]。この種の批評家によると、職業倫理として翻訳者は、異言語から翻訳される作品がもつ異質性を抹殺するようなことがあってはならないのである。

とすれば、外国のものがもつ異質性を訳文の言語でもっともよく表現するにはどうしたらいいのか？　数学者、哲学者にして、ディドロとともに『百科全書』の編集者であったジャン・ダランベールは、一七六三年、次のような素晴らしい解答を提案した。

外国人の（フランス語の）話し方が、よい翻訳のモデルを提供してくれる。創意のある外国人は、われわれが母語を使用するときの迷信的なまでに不合理な慎重さではなく、一方の言語の特徴を借用して他方の言語を装飾することを辞さない堂々たる自由闊達さをもって、われわれの言語を話すはずである。翻訳がこのようになされれば、おそらく訳文は自らを称賛に値するものとするあらゆる特質――原語の特質によって特徴づけられ、そのうえ異国風に染まった自国語の風味が加えられた、自然でなだらかな様式――を備えることになるだろう。[2]

このアプローチがもつ危険性は、さまざまな社会的、歴史的な状況のなかで、訳文のなかの異国風のもの――たとえばフランス語（または英語またはドイツ語……）を話す本物の外国人のいささか不自然な言い回し――が、ぎこちないとか偽物とかあるいはもっとひどい言い方で拒絶されるかもしれないことにある。

だが実は、訳文に外国らしい味わいを加えるいちばん明白な方法は、そこに原文の語句をそのまま残しておくことである。これは、ロマン主義時代のイギリスでは伝統的手法であった。たとえば、英語では現在‘*Dangerous Liaisons*’というタイトルで知られる小説、『危険な関係』〔ショデルロ・ド・ラクロ作、一七八二年出版〕の初訳では、全編英語であるのに、登場人物は（‘*monsieur le vicomte*’（子爵殿）、‘*madame la présidente*’（女性会長殿）のような）フランス語の正式称号で言及され、かつそう互いに呼び合い、また‘*Allez!*’（ほら）、‘*parbleu!*’（もちろん）、‘*ma foi!*’（確かに）のような日常表現を用いている。[3] 同様に、フレット・ヴァルガス〔一九五七―。フランスの女流探偵小説家、考古学者〕の最近の小説の翻訳でも、フランス語の階級名はそのまま保持され、主人公のジャン＝バティスト・アダムスベルグは、‘*commissaire*’（警視）で、‘*brigadiers*’（巡査部長たち）を率いているが、しかし彼らとは英語で話す。[4] 同じパターンで異言語を選択的に導入する例をあげれば、ほとんどのハリウッド製第二次大戦映画では、ドイツ軍将校は自然な英語を話すのに、一定の間をおいて‘*jawohl*’（了解）、‘*Gott im Himmel*’（ああ大変だ）、‘*Heil Hitler*’（ヒトラー万歳）などのドイツ語を口にする。

こうした修辞的表現は、古典はもちろんポピュラー作品でも大胆に使われている。ミュージカル映画『雨に歌えば』のイタリア語吹き替え版は、機知に富んだ早口のセリフ回しの訳を用いて見事なアテレコがなされているが、タイトルソングは英語オリジナル版のサウンドトラックがそのまま用いられている。ある有名な、中国語による現代風『リア王』の公演では、コーネリアはシェイクスピアが書いたセリフを話す――彼女は自分のセリフの元のままの言語で父親に真実を語るのである。[5]

しかし一般に、翻訳は異言語作品のいかにも異言語らしい感じを装うだけである。実際のところ、英語以外の言語の話者に英語のように感じられるものを書く試みは、まったく英語を書かなくても達成できるのだ。

英語は世界じゅうで、ポピュラーソングやテレビ番組そのほかを通して歌詞、コマーシャルソング、ニュースの言葉を理解できない何百万という人たちにも耳にされている。その結果、英語の語彙や文法はぜんぜん知らなくても、英語の音韻――この言語で用いられる音の種類――を識別できる人はたくさんいる。四十年ほど前、イタリアのさるロックスターが、音楽パフォーマンスを披露した。彼は英語の先生の役を演じ、生徒たちに向かって、英語の発音がどんなものかを知るには英語の単語をひとつも理解する必要はないことを明らかにしたのである。ノリのいい曲に合わせてアドリアーノ・チェレンターノ〔一九三八―。「イタリアのキング・オブ・ロック」〕が歌う「プリゼンコーリネンシナインチューゾル・オール・ライト（*Prisencolinensinainciusol ol rait*）」は、――英語ではぜんぜんないのに――英語がどんなふうに聞こえるかを実演した、ウィットに富む、驚くべきシミュレーションである。とはいえ、その「英語風チンプンカンプン言葉」を筆写してテクスト形式に直しても、それはイタリア語のテクストを声を出して読むときの標準的ルールにしたがって（声を出すか頭のなかで）発声するときにのみ、英語の発音らしさが表現されるのだ。「プリゼンコーリネンシナインチューゾル・オール・ライト」は、現在多くのウェブサイトで視聴が可能で、なかにはその可能な文字転写のうちのどれかが付されているものもある。それを見ればわかるように、この歌はまぎれもなく、異言語らしさをテーマとしたイタリア語製のフィクションなのである。

同様に、英語話者の耳には異言語に聞こえるチンプンカンプン言葉を創作することも可能である。有名な例には、『モダン・タイムス』（一九三六）でチャーリー・チャップリンが歌った歌がある。歌い手兼給仕として仕事を得た不運な男が、そのレストランのダンスフロアに立ち、バンドはフランスのミュージックホールの流行歌、「ティティーヌを探して」《ジュ・シエルシュ・アプレ・ティティーヌ》をにぎやかに演奏している――ところが、彼は歌詞を知らない。チャップリンは踊りやパントマイムをしながら、困惑しているようだ。舞台の袖にいるポーレット・ゴダード〔一九一〇—九〇。アメリカの女優〕が、「歌って！」と言っているかのように口を動かす。「歌って！歌詞は気にしないで！」というインタータイトル〔印字された文章のコマ〕が挿入されるので、われわれの読唇術は正しかったことが確認される。

それでチャップリンは、典型的な移民ロマンス調の流行歌を歌いだす。その歌詞は、英語を話す人びとにとってのみ次のように表記できるものである。

Se bella giu satore　セベラ ギュ サトーレ
Je notre so cafore　ジュ ノトル ソ カフォーレ
Je notre si cavore　ジュ ノトル シ カヴォーレ
Je la tu la ti la toi　ジュ ラ チュ ラ ティ ラ トア

La spinash o la bouchon　ラ スピナッシュ オ ラ ブション
Cigaretto Portabello　シガレット ポルタベロ
Si rakish spaghaletto　シ ラキッシュ スパガレット
Ti la tu la tri la toi　ティ ラ チュ ラ ティラ トア

Senora pilasina　セノーラ ピラシーナ
Voulez-vous le taximeter?　ヴーレ-ヴー ル タクシミーター
Le zionta su la sita　ル シオンタ スラ シタ
Tu la tu la tu la oi　チュ ラ チュ ラ チュ ラ オア

Sa montia si n'amura　サ モンティア シ ナムラ
La sontia so gravora　ラ ソンティア ソ グラヴォラ
La zontcha con sora　ラ ゾンシャ コン ソーラ
Je la posa ti la toit　ジュ ラ ポッサ ティ ラ トア

Je notre so lamina　ジュ ノトル ソ ラミーナ
Je notre so consina　ジュ ノトル ソ コンシーナ
Je le se tro savita　ジュ ル セ トロ サヴィータ
Je la tossa vi la toit　ジュ ラ トッサ ウィ ラ トア

Se motra so la sonta　セ モントラ ソラ ソンタ
Chi vossa L&otra volta　シ ヴォッサ ロトラ ヴォルタ
Li zoscha si catonta　リ ゾシャ シ カトンタ
Tra la la la la la　トラ ララララ

これはフランス語——またはイタリア語またはことによるとスペイン語——に聞こえる。それらの言語についてぜんぜん知識がなく、フランス語（またはイタリア語またはスペイン語）の発音がどんなものかしか知らない英語の話者にとってはそう聞こえるのだ。この歌詞には意味はなく、現実に存在するフランス語（イタリア語、スペイン語）の語もわずかしかない。ここでの話のポイントは、外国語のように聞こえるものをつくろうとするなら、それがまったく意味をなさないものでもかまわないという点にある。古代ギリシャ人にとって異言語は、‘*va-va-va-*’（ヴァ、ヴァ、ヴァ）と不明瞭に発音される騒々しいおしゃべりの音声でしかなかった。そのため彼らは、非ギリシャ語の話者すべてを‘*varvaros*’（ヴァルヴァロス）、すなわち‘barbarians’（くだらぬ馬鹿げたおしゃべりをする連中）と呼んだ。外国語のように聞こえるということは、わけのわからぬことを言うこと、頭が鈍いこと、口のきけないことなのである。ロシア語では‘German’（ドイツ人・ドイツ語）に相当する語は、‘немец’であり、これは‘немой’、すなわち「口がきけない、無言の」に由来する。そしてこの語は、古いロシア語では非ロシア語の話者すべてを指した。

ところが一九八〇年代以来、多くの近代ヨーロッパ文学の古典が英語やフランス語に再翻訳されたが、その翻訳者たちの公然たる野心は、『罪と罰』や『変身』のようなよく知られた古典をもっと異言語で書かれたものらしくしようということにあった——異言語といっても、もちろん口がきけない感じにしようとしたわけでないのは確かだ。

十九世紀の翻訳者たちは、頻繁に原作のなかのだれでも知っているような語や句をそのまま残しておいたが（ただし、たいていは原作がフランス語のときだけ）、現代の翻訳者たちは、英訳するときどれほど異言語的な感じを強調しようとしているにしても、この手法はめったに用いない。グレゴール・ザムザはある朝目が覚め、自分が一夜にして虫になっているのを発見したとき、現代の英訳のどの版でも‘*Ach Gott!*’（ああ大変だ！）と叫んだりしない。また、どの入手可能な版の『カラマーゾフの兄弟』でも、イワン・ヒョードロビッチは‘*Это вот как*’（そうか）と叫んだりしない。もしこれらの小説がフランス語で書かれ、一八二〇年代の伝統的な手法で英訳されていたとすれば、まずグレゴール・ザムザは、‘*Oh mon Dieu!*’（おお大変だ！）と、またイワン・ヒョードロビッチは、‘*Alors, voilà*’（おやそうか）と言ったにちがいないのである。

事態は変わってきた。それもフランス語やドイツ語やロシア語ではなく、英語のほうが変わってきたのだ。今日の言語文化では、「ああ大変だ！」とか「おやそうか」のような会話体の間投詞が、ドイツ語やロシア語で記された場合、英語読者がそれと認識できるとは考えられていない。一方、ヴィクトリア時代やエドワード七世時代のイギリスの言語文化では、教養ある読者はその種のフランス語の言い回しをよく知っていたのである。

訳文に原文の一部をそのまま残すという手法は、真の教育的、社会的な目的にかなっているかもしれない。それによって、読者は学校で習わなかったことを習得できるし、あるいは半ば忘れた授業の記憶を新たにできるからである。挨拶や感嘆の言葉を発するときのような、文脈がはっきりと限定され、状況が自ずとわかる場面で原文の表現が残されていれば、たぶん読者は、翻訳書を読んで得たいと思っていたものをつかむことができるだろう。すなわち、わずかながらも、フランス語で小説を読んだという感じを味わうことができるのだ。フランス語を読むことが文化的な卓越を意味した時代には、これは確かに気分のいいものだったにちがいない。

原語をところどころ残して訳文に「花を添える」やり方は、確固たる関係をもつ言語同士のあいだの翻訳でしか使えない。何世紀にもわたって、英語圏でフランス語は高等教育には必須であり、したがって少々のフランス語は、教養のある英語話者のもつ言語的知識全体の一部をなしていた。もし訳文に時おり異言語の断片が混じっていたとすれば、それが意味するのはたんに「これはフランス語だ！」ということであり、それは当然の結果として読者に「自分は多少フランス語を知っている！」という喜ばしい自覚をもたらしたのである。たとえ*'parbleu'*（むろん）や*'ma foi'*（確かに）のような語句の正確な意味は忘れていたとしても、読者の自尊心にもたらす効果は、ほとんど損なわれなかっただろう。フランス語の習得が教養ある階級であることの証だった時代に、そこまで完璧な教育を受けていない人たちにとって、翻訳でフランスの小説を読む目的のひとつは、エリートたちがすでに所有している文化財を自分でも手に入れることにあった。フランス語作品の翻訳の場合、そこにフランス語が残されていればいるほど、読者のニーズや欲求に応えることができたのである。

ロシア語やドイツ語となると、もうこのやり方は通用しない。今日、これらの言語はごく少数の学生しか学んでいない。ドイツ語かロシア語、もしくはその両方を習得していてすら、英語圏の世界では文化的ヒエラルキーに何の影響ももたらさない――ただたんにその人が、ある種の語学マニアか、もしかすると宇宙飛行士か自動車エンジニアであることを示唆するのみである。

英語で書かれる作品のなかで、どのようにして「ロシア語らしさ」や「ドイツ語らしさ」が生み出せるだろうか？　この難問への従来の解答は——歴史的な接触、移民のパターン、『博士の異常な愛情』〔スタンリー・キューブリック監督の一九六四年公開英米合作映画〕のような冷戦期の人気エンターテインメントによって英語の言語圏内に確立された文化的約慣例以上のものではない。しかし、もし先のダランベールの提案を指針とするなら、われわれはカフカやドストエフスキーがいかにも外国人らしく——ふたりは確かにそうなのだ——語っているようなスタイルにするため……あたかも彼らが非英語的な特徴で「装飾」した英語で書いているかのように訳そうとするだろう。

もちろんドイツ語やロシア語では、カフカとドストエフスキーは、表現の仕方がどれだけユニークであろうと、それぞれの言語を母語とする読者には、異言語で語っているようには感じられない。翻訳における異言語らしさは、必然的に原作へ付加されるものなのだ。古典文学の再翻訳と同様、チャップリンのチンプンカンプン言葉においても、異言語性は必然的に受け手側の言語の内部で生成される。その結果、読者に原作のありのままの質感を少しでも味わってもらおうとする翻訳の「異言語らしさ」は、受け手側の文化がすでに想像する異言語性を再生し、強化することしかできないのである。

十九世紀の著名な哲学者で、プラトンのドイツ語翻訳者でもあるフリードリヒ・シュライアーマハーは、よく引用される論文「翻訳のさまざまな方法について」で、この基本的パラドックスをめぐって逡巡している。彼は「作者自身がもともと訳文の言語で書いていたかのように訳すという狙いは、達成できないばかりか、それ自体空疎で無益である」と述べているが[6]、これは通常、彼が滑らかで目立たない「標準化した」翻訳とは距離を置いた見方をしたものと理解されている。しかし、この有名な主張は、また逆な理解、すなわちカフカが「舞台に登場するドイツ人」よろしく英語を話しているように訳すのは、グレゴール・ザムザがまるでハイ・バーネット〔ロンドン北部の地〕の家の寝室でゴキブリになってしまうのと同じくらい、不自然だという理解も可能なのである。

しかし、いずれにせよ、なぜわれわれは、カフカをドイツ語風にしたがるのか、あるいはそうする必要があるのか？　ドイツ語で読めば、カフカは「ドイツ語的」な感じはしない——カフカ的な感じがするだけだ。しかし、ドイツ語は学んだことはあるが、完璧な自然さで話すまでには至らなかった英語話者にとって、カフカの書いたものはすべて、ある程度「ドイツ語的」だと感じられるはずである。なぜなら、まさにドイツ語は、その読者が完全に自分のものとした言語ではないからだ。英語でカフカの作品をドイツ語らしく感じられるように訳すのは、もしかすると、翻訳者が原作を読んだ自分自身の経験を読者に伝えるための最善の方法かもしれないのである。

　実際、シュライアーマハーによれば、「いくつもの言語がどれも同じひとつのものに感じられるような驚異的な偉才」をのぞいて、だれしも自分のものとなっていない言語で書かれた作品を読めば異質性を感じるものであり、翻訳者の務めは、「この異質性の感覚を読者に伝えること」にある。しかし、もし原典テクストの母胎となっている言語文化と結びついた特定の「異質なもの」を表現するために目標言語がすでにもっている約束事を用いることができなければ、これは格別に困難で、かなりパラドクシカルなことである。

　したがって翻訳者にとって、異言語らしさを保持するのは、受け入れ先の言語と文化が関係を築いている言語を訳すときにのみ取りうる現実的なオプションである。英語圏では一般に、その種の関係をいちばん長く広範囲につづけてきたのは、フランス語である。最近アメリカでは、スペイン語が若い読者の大多数にとって、もっとも馴染みのある外国語となってきた。したがって、英語にはフランス語らしさを表現する多くのやり方があるし、またアメリカ英語には現在、スペイン語らしさを表現する数々の方策がある。これらほどではないが、ドイツ語らしさも表現できるし、さらに限られてはいるが、イタリア語らしさも同様である。しかし、ヨルバ語〔西アフリカの黒人種族の言語〕となるとどうか？　マラーティー語〔インド、マハラシュトラ州の言語〕は？　チュヴァシ語〔アルタイ語族チュルク諸語のひとつ〕は？　ほかに世界に七千ほどある言語のどれでもいい、そのうちのひとつはどうか？　英語作家の利用できる方策のどれかが、「ヨルバ語らしさを表現すること」であったり、チュヴァシ語で書いたらどんな感じになるかを正確に再現したりすることであったりしなければならない特別な理由はない。われわれは、ヨルバ語やチュヴァシ語がどんなものか、まったく知らないのだ。作品の「真正な異言語的特性」の何らかの跡を目につく形で保ちながら翻訳するという企ては、原文があまりにも異質ではないときにのみ本当に実行可能となるのである。

　他方、興味をもち向学心のある読者は、翻訳されたテクストを通して、原作の音、感触、そして統語的な特質まで何かしらを学ぶことができる。原文が英語の作品であっても、それは可能だ——アチェベ〔一九三〇—二〇一三。ナイジェリア出身の小説家〕の『崩れゆく絆』は、アフリカの諸言語の基本を紹介しているし、チャタジー〔一九五九—。インド出身の小説家〕の『イングリシュ、オーガスト』は、ヒンディー語やベンガル語について上手に手ほどきしてくれる。しかし、異言語がテーマとなっていないとき——つまり、物語で明示的に主題として取り上げられていないとき——は、異言語らしさの効果が生じるためには、原典の言語について多少の事前知識が不可欠である。ドイツ語に倣って書いたこの文が、異言語的特性を保持する翻訳であることに気づくためですら、ドイツ語の従属節では動詞が最後に置かれることを知っていなければならないのだ（'In order to even notice that this sentence from German a foreignizing translation is have you to know that in German subordinate clauses at the end their verbs put.'）。もしそれに気づかなければ、この文は滑稽で、不器用で、ナンセンス云々であり——ちっとも「ドイツ語風」ではないのである。

『モダン・タイムス』とアドリアーノ・チェレンターノは、歌やおしゃべりの言語音で文字どおりの異言語らしさを模造するという愉快な遊び芸を披露している。『変身』の最近の翻訳ではもちろん、ノンネイティヴの音韻を用いたドイツ語風の音声を読者の頭のなかに響かせることもできるだろう。とすれば、次の直接話法でのグレゴール・ザムザの最初の言葉、

'Oh God,' he thought, 'what a grueling job I've picked! Day in, day out – on the road.'

「ああ」と彼は思った、「なんて疲れる仕事を選んじまったんだ！　くる日もくる日も——出張ばかりじゃないか」。

は、次の認識されやすい形で書き取られた音声をちゃんとした文章表現に書き直したものと考えられることになろう。

'Och Gott,' e saut, 'vot a knuling tschop aif picked! Tay in, tay out – on ze rote.'

確かに、これは馬鹿げている。自分の翻訳作品を舞台上の外国人っぽい発声スタイルにしようとする翻訳者はひとり

もいない。それでもやはり、われわれはここで真の問いを発せざるをえなくなる。もしそれが異言語テクストの異言語らしさの意味するものでないとしたら、異言語らしさとはつまり何なのか？　ジャック・デリダの著作から翻訳された以下の文章は、何らかのフランス語的特性の跡をそのまま残しているのか、それともたんにおそろしく理解しにくいだけなのか、何をもってわれわれは判断することができるのだろうか？

The positive and the classical sciences of writing are obliged to repress this sort of question. Up to a certain point, such repression is even necessary to the progress of positive investigation. Beside the fact that it would still be held within a philosophizing logic, the ontophenomenological question of essence, that is to say of the origin of writing, could by itself, only paralyse or sterilise the typological or historical research of *facts*.

My intention, therefore, is not to weigh that prejudicial question, that dry, necessary and somewhat facile question of right, against the power and efficacy of the positive researches which we may witness today. The genesis and system of scripts had never led to such profound, extended and assured explorations. It is not really a matter of weighing the question against the importance of the discovery; since the question are imponderable, they cannot be weighed. If the issue is not quite that, it is perhaps because its repression has real consequences in the very content of the researches that, in the present case and in a privileged way, are always arranged around problems of definition and beginning.

エクリチュールの古典的・実証的な科学は、この種の問いを圧殺せざるをえない。そのような圧殺は、実証的探究の進歩にある程度まで必要でさえある。本質つまりエクリチュールの起源の存在論的、現象学的な問いは、いぜんとして哲学的論理にとどまる上に、諸事実の類型学的、歴史的研究をおのずから無効、あるいは不毛にすることしかできないだろう。

したがって、わたしの狙いは、この先決問題、単調かつ必然的で、容易ともいえる権利問題と、今日われわれが目にしている実証的研究（positive researches）の効力とを天秤にかけることではない。文字の誕生と体系が、これほど深く、広く、確実な探求につながったことはかつて一度もなかった。実のところ、この問いと発見の重要性を天秤にかけることはまったく重要ではない。それらの問いは測定不能なので、天秤にかけようがないのだ。もし事態がそうでないとしたら、たぶんその圧殺が研究の内容そのものに現実的な結果を有しているからであり、その研究が目下のケースでつねに特権的な形で定義と起源の問題をめぐって設定されているからである。(7)

われわれは、以上の理解困難な引用箇所の内容は、この文章が英語の「ように思える」かどうかとは関係のないことを知っている——すでにチェレンターノの歌が示しているように、もし音声面だけの英語らしさを表現したいのなら、完全に無意味な音の繋がりを完璧な英語のように発声することができるのだ。とはいえ、この引用をいかにもフランス語からの翻訳らしくしているひとつの細部は、複数形の‘research’（研究）という語の変則的な用いられ方である。これはよく似たフランス語の単語、‘*recherches*’（研究）の通例の用法と一致しているのだ。明らかにこれは英語と同じくらいフランス語のできる読者にしかわからないことであって、‘researches’という形の異言語っぽさは、英語のみの話者には自明ではなく、たぶんこのことが納得できるまったくべつの仮説をたてるか、さもなければとくにこの哲学者が用いる特殊用語か専門用語として受け取るだろう。しかし、もし英仏語バイリンガルの読者が、さらにフランス哲学の専門用語にもいくらか通じているとすれば、‘researches’のすぐ前の語‘positive’（明確な、積極的な、実証的な）が合点のいくものとなる。英仏語バイリンガルの読者は、‘positive researches’が原典の‘*recherches positives*’の訳語であることが簡単にわかるはずだ。このフランス語が何を意味するかはまたべつの問題であるが、要するにこれは‘empirical investigation’（経験主義的研究）の標準的仏語訳なのである。

われわれは、‘positive researches’について、翻訳者が何かべつのものと取り違えたと思われる標準フランス語の句のお粗末な訳と言うこともできるし、また原文の真正な外国語的特性の跡と見なすこともできる。実際のところ、ある英語の語句が感知できるほど変則的でなかったら、われわれはそれを非英語の言語の痕跡を含むものとして見ることはまったくできないだろう。しかし同様に、もしぜんぜんフランス語を知らなかったら、その語句の真正のフランス語的特性に気づくことができないのも明らかだろう。

異言語的特徴をもつ句'positive researches'をほかのいくつかの言語、とりわけ現代ギリシャ語へ逆翻訳〔訳文を原文の言語へ訳し直してみること、ここでは原文以外の言語への訳し直し〕してみると、同じ結果となり、その意味が'empirical investigation'だと特定されるだろう。当該作品は言語Aから翻訳されたという情報がなければ、その作品が異言語的特性を保持する翻訳スタイルを取っていても、読者はそれによってAがどの異言語であるかを知ることはできないのである。

異言語的特性を保持しようとする翻訳スタイルでは、語順や文構造のような、起点言語、つまり原文の言語のある限定された面が訳文に反映するように英語を加工する。しかしこのスタイルでは、その異言語的特性が効力をもつには、当該異言語のおおよその形態や発音に関する読者の事前知識が必須となる——先ほど引用したガヤトリ・スピヴァックによるデリダの翻訳でいえば、異言語の語彙内の特定の要素がそうである。

ヒンディー語のような言語から翻訳された小説を考えてみよう。この言語では、「あなた」の言い表し方には'*tu*'、'*tum*'、'*ap*'の三つがあり、それぞれ相手との関係が親密か、友好的か、フォーマルかに対応している。これら三つの呼称間の交替は、われわれが仮想する小説の登場人物たちがどのような関係にあり、それがどう変化しているかを示す重要な役目をもつ。翻訳者は、この「あなた」の三分割に対応する変則的な言語要素を英語内につくり出すことができるだろか？　むろんできるだろう。しかしわれわれは、それがヒンディー語の特性の痕跡だということがわかるだろうか？　翻訳者が脚注でも付けてくれないかぎり無理だ——なぜならわれわれは、ヒンディー語をまったく知らないからである。

翻訳の大半は、文化的、経済的、政治的に関係の深い国々で話される言語間でなされるので、原典からの形式や語彙に関する借用は、外国から移入されたテクストの異言語らしさ——とプレスティージ——を表すためにしばしば使われてきた。たとえば十六世紀には、ちょうど多くのイタリア人職人がフランスじゅうの宮殿や城を美しく飾り立てるために送り込まれたのと同様、多くの文学・哲学作品がイタリア語からフランス語へ翻訳された。当時の翻訳者は、イタリア語の単語や言い回しを豊富に取り入れてフランス語の訳文を仕上げた。というのも彼らは、自分たちが輸入する語や表現を、読者は知っているか、実際に知るべきだと感じていたからだ。いやそれだけではない。もうちょっとイタリア語化すれば、フランス語は絶対にもっとよくなると考えていたのである。そして実際、フランス語をもっとイタリア語のようにしようとする動きは、今日に至るまでずっとつづいている。クロゼットに収納している*'caban'*（ピージャケット）や*'caleçon'*（ズボン下）、そしてもし運がよければ冷蔵庫に保存している*'cantaloup'*（カンタループ、メロンの一種）や*'caviar'*（キャビア）、さらにほかの日常的な、学術的な、優雅な、美味な実に多くのものが、すべてイタリア語の語を取り入れて命名されており、しかもそれらの語の大部分は、翻訳者によって最初に用いられたのである。(8)

　これと似た語彙の豊富化は、ドイツ語を母語とする諸国民が、だんだん統一され、独自の国民になろうとした十九世紀に起きた〔十八世紀には約三百の独立国家群が分立していたが、一八一五年になるとドイツ連邦成立、一八七一年にドイツ帝国が成立〕。ドイツ語の翻訳者は、意識的にギリシャ語、フランス語、英語からたくさんの語を取り入れたが、それはヨーロッパの古典をドイツ語の話者に理解できるようにするためばかりでなく、語彙の範囲を広げてドイツ語を改善しようとしたからだ。彼らが見ていた問題の核心はこうだった。フランス語と英語は、影響力のある国家の国語であることを背景にして、すでに国際的な言語となっている。だからこそ、ノンネイティヴの話者たちは、フランス語（これほどではないが英語）を学ぶのだ。もしノンネイティヴがドイツ語を学んで読むことができるようにならなければ、どうしてこの言語が影響力のある国家の伝達手段となれようか？　もしドイツ語が、ヨーロッパ文明の豊かさの代表と考えられている国家横断的な文化から生まれる意味を容易に伝えることができる言語でないとしたら、ノンネイティヴはなぜこれを学ぶ必要があるというのか？

　今日の世界では、「話者の少ない《スモール》」言語への翻訳に携わる人たちもまた、自分たちの務めを自身の言語を守るか、もしくは改善すること――あるいは同時にその両方――と見なしていることが多い。つい先日、タルトゥ〔エストニア中東部の都市〕に住むある翻訳者からわたしが受け取った手紙をここに引用する。

> わたしの母語、エストニア語は、およそ百万人の人に話されています。それでもやはり、『人生 使用法』はわたしの言語に訳される価値があり、わたしの言語は『人生 使用法』を訳す価値があると、わたしは確信しています。ペレックを翻訳することによって、エストニア語にはこの種の作品がもたらす困難に十分立ち迎

えるだけの豊かさと柔軟性があることを、わたしは証明したいのです。

翻訳は明らかに国家の目的に寄与することができる――しかしまた、その反対に国際主義の大義にも寄与できる。アントワーヌ・ヴォロディーヌというペンネームを用いるフランスの現代作家は、なぜ自分が母語を異言語であるかのように使いたいと思うのか、印象的な言葉で明確に述べている。ヴォロディーヌにとって、フランス語はラシーヌやヴォルテールの言語であるばかりではない。フランス語への翻訳はきわめて長い期間にわたってなされており、そのためプーシキン、シャラーモフ〔一九〇七―八二。ソ連の小説家〕、李白、ガルシア＝マルケスの言語でもあるのだ。フランス語は、国家のアイデンティティ、歴史、文化の特権的な媒体であるどころか、反対に「フランス社会あるいはフランス語圏世界のもつ傾向とは何の関係もない文化、哲学、関心事を伝える言語なのである」(9)。これはフランス語が本質的あるいは宿命的に国際言語であるからではない。それどころか、フランス語への翻訳の実践によってのみ、この言語は現代世界における国際主義の道具となっているのだ。さまざまな異言語からの翻訳を長く積み重ねてきた歴史があってこそ、いまやフランス語は、ヴォロディーヌが率先してそれとは完全に異質と考える文学――想像上にのみ存在し、いつまでも心に残る文学――の伝達手段となる可能性をもつ言語となったのである。

したがって、英語、フランス語、ドイツ語、イタリア語、これに加え古代の起点言語、ラテン語やギリシャ語の言葉や言い回し、さらにまた（ヴォロディーヌの著作では）ロシア語、中国語の漸進的相互浸透を、今日グローバリゼーションと呼ばれるもののただひとつの産物と見るのは、まったく間違っているだろう。いずれにせよ、英語だけがグローバリゼーションによってほかの言語や文化に広められているのではない。ピザやパスタ関連のボキャブラリーが世界じゅうの街角の売店やファーストフード店に広がっていることも、グローバリゼーションの例として挙げられるだろう。それはまた、自国の言語を国際的なステータスまで高めようとしてきた翻訳者たちの長年の努力の結晶でもあるのだ。かならずしも彼らは、訳文のなかに本物の異言語性を留めておこうとしたわけではない。いや実は、もしそれが彼らの本当にやろうとしたことであっても、その試みの跡はそれが成功したこと自体によって掻き消えてしまったはずだ。なぜなら、彼らが導入したり模造したりした言葉は、いまはもう異言語とはぜんぜん感じられないくらい受け入れ先の言語の一部と化しているからである。

どの英語大辞典を見ても、その全見出し語のうち少なくとも四〇パーセントを、ほかの言語からの借用語が占めている。原文そのものの感触を伝えようとする翻訳者によって、腹立たしいほどすばらしく順応性のあるわれわれの言語に持ち込まれる異言語っぽさは、単語であれ、言い回しであれ、文法構造であれ、その運命はすでに決められている。不器用で下手で不完全な翻訳芸として無視されるか、それとも取り入れられ、再利用され、統合され、まったく異言語らしくなくなるかのどちらかなのである。

しかしながら、英語への訳文に本物の異言語性を留めておこうとする現代の取り組みは、厳密にいうと、ドイツ語をもっと英語化しよう、フランス語をもっとイタリア語化しよう、シリア語をもっとギリシャ語化しよう等々という過去何世紀にもわたる翻訳者たちの運動と同種のものではない。異言語的特性を保持する最近の英訳者たちは、英語を国際語にしようと努力しているのではない。なぜなら英語は、現在すでに国際語になっているからである。ある程度まで彼らは、隔たった言語からもたらされる言語的資源によって英語を豊かにしようとしているのだ。「わたしが翻訳者として仕事をはじめた動機のひとつは、潜在意識的だったにしろ、英語をもっと活気あるものにしようということにあった」と、リチャード・ペヴィアー〔一九四三―。ロシア、フランス、イタリア文学等の英訳者〕は『ニューヨーカー』誌で述べている[10]。この創造的、作家的な志向はまた、ペヴィアーがロシア小説を読んだときの印象をいくらかでも読者と共有したいという願いに支えられている。また彼がよく言うことだが、自らはロシア語は流暢でないので、パートナー〔ラリッサ・ヴォロコンスキー（一九四五―）のこと。ソ連出身。ペヴィアーの配偶者・共訳者〕に基本的な直訳を任せ、それを彼が文学的なヴァージョンに仕上げるそうだ[11]。類似したことが、異言語らしさを保持するぎこちない翻訳スタイルのほかの賛同者たちについても当てはまるかもしれない。原文への「自民族中心主義的な暴力」を最小限にとどめる翻訳を行おうとする企ては、かくて解体して何かべつなもの――外国人のおかしな話し方の再現――になる危険を冒すことになるのだ。

異言語のテクストの異質性を伝える自然な方法は、全体あるいは一部を原文のままにしておくことだ。このやり方はすべての言語で利用できるし、あらゆる言語でつねにある程度使用されてきたのである[12]。

異言語の異質性を本気で表現するのは容易なことではな

い。チャップリンやチェレンターノの機知をもたずに滑稽な効果を求めてそうしても、人の感情を害するだけである。

翻訳が第一にやることは、外国語テクストの意味を伝えることだ。後に見るように、それだけでもう十分に大変なのである。

6 ネイティヴの運用力
——あなたの言語は本当にあなたのものですか?

翻訳者はいまも昔も、異言語を自らのいわゆる母語に翻訳するのが、ほとんど鉄則となっている。翻訳研究の専門用語では、これはL1翻訳と呼ばれ、学習によって習得した、つまり母語でない言語への訳出であるL2翻訳と対立するものとして定義されている。しかし、母語とは正確には何なのか?

人はみな母親から生まれるし、最初に言葉を覚えるのは母親の腕のなかであるのは明白だと思われる。母親が話しかけてきた言葉が、われわれが「生まれ合わせた」言語環境であり、「母語」の代わりに「ネイティヴ言語」という語を用いるとき、言わんとしているのはそのことだけである。

ネイティヴ・スピーカーであるとは、ある言語を完全に自らのものとしていることを意味するのは、言語研究では自明の理とされる。逆に言えば、ある言語を完全に自らのものにするとは、通常ネイティヴ・スピーカーがその言語についてもっている知識を身につけることとまったく同じことと説明される。同じ言語の話者たちがその言語を無限に変化に富んだやり方で用い、使用域、表現形式、用語選択そのほかのレベルでしばしばまったく異なる語彙や言語習慣を身につけているという明白な事実があるのに、それでもわれわれは、（たとえば）英語のネイティヴ・スピーカーのみが英語を完璧に理解しており、英語のネイティヴ・スピーカーのみがだれかほかの話者がこの言語を「ネイティヴとして」使っているかどうかを判断できるという前提のもとに事を進めている。

われわれはまた、他人や自己を観察した経験から、ネイティヴ・スピーカーが文法的、語彙的な間違いを犯したり、言葉に詰まったりすることも一度や二度でないことを知っている。言語使用について今日伝統的となっている見方によれば、ネイティヴ・スピーカーがスピーチでとちったり言い損なったりすること自体、ネイティヴとしてその言語を自らのものとしていれば当然起こることなのだ。学習者が犯す間違いとネイティヴの発言に特徴的な間違いを見分けることにかけては、語学教師は熟練している。さらに、どの言語であれネイティヴ・スピーカーにとって、たんに間違っているばかりでなく、ネイティヴにはありえないと思える他人の犯す誤りが幾種類かあるのだ。しかし、こうした「ネイティヴ」と「ノンネイティヴ」の区別の実用的で有効な使い方は脇においておこう。ほかにはるかに難しい問題があるのだ。それは、われわれが自らのものと呼ぶ言語に多かれ少なかれ熟達していることを示すのに「母」や「ネイティヴ」のような用語を使用していることに関係する。

人は母親から母語を習得しなければならないわけではない。兄弟姉妹からでも同じくらい効果的に学べるし、オペア〔主として英語習得を目的に住み込みで家事育児を手伝う外国人〕からも、隣の家の子どもからも習うことはできる。人間の正常な発達にとって重要なのは、幼児期の環境において身近に接することのできる言語があるということである。というのも、いかなる子どもであっても、外からのインプットなしに独力で言語をつくり出すことはできないからだ。人は自らの第一言語を、何であれ幼児期の環境のなかで利用できる情報源から習得するのだ。ほかの子より早く習得できる子もいるし、ほかの子より豊富なボキャブラリーを身につける子もいるが、ふつうすべての子どもが一歳から三歳までの比較的短い期間内に伝達能力を獲得する。ところが、こうして発達の早期段階で習得された言語は、おとなになったとき、自分にとっていちばんうまく話せると感じられる言葉になることもあるし、ならないこともある。世界じゅうで実にたくさんの人が幼児期の環境で覚えた言語のとくに熟練した使用者になっているわけではないのだ。さまざまな事情から、学校教育を受けるとき、幼児期の言語は、おとなになったときコミュニケーションの有効な手段として使われることになる言語と取り替えられるのである。

話し言葉としてのラテン語が消滅した六、七世紀ごろから、デカルト、ニュートン、ライプニッツの時代まで、ラテン語で子どもに話しかける母親はひとりもいなかったし、ラテン語を話す家庭に生まれてくる子どももひとりとしていなかった。それでもラテン語は、キリスト教化されたヨーロッパ全土で千年以上にわたって、上層社会階級の若い男性に習得された。そのように長い期間にわたってラテン語は、すべての教養あるヨーロッパ人が、外交、哲学、数学、科学、宗教などさまざまな目的のために、思考、公式スピーチ、執筆のときに用いる言語であった。それは書き言葉を通して教えられ、また——学校、僧院、教会、大法官庁、法廷で——書き言葉の口頭表現として話された。当時、主要なコミュニケーション手段としてラテン語を使っていた人たちはみな、ほかに少なくともひとつ母語をもっていたが、それらの土地言葉は、精緻な思考や表現のツールとして用いられることはなかった。しかし、母親から学んだ言語と、西暦七〇〇年から一七〇〇年のあいだ西ヨーロッパの名門出身男性にもっとも効果的に働く言語を明確に区別できるとすれば、「母語」や「ネイティヴ言語」という概念そのものを再検討する必要があるのだ。

「最初に習得した言語」と「効果的に働く言語」の相違を示す例は、ほとんどあらゆるところで見出すことができる。わたし自身の家族にも、そういう例がいくつかある。九十年ほど前、父はイディッシュ語〔西ゲルマン語系の言語で、欧米のユダヤ人に用いられる〕を覚えた。これは父の母親の言語であり、父が育ったロンドンのイースト・エンド〔もとは下層民の住む東部地域〕で用いられる言語であった。学校に行きはじめると、英語を習得した。すぐに父が母語でなく英語を用いれば、これまでよりもはるかに多くのことができるようになったことに疑いの余地はない。同様に、わたしの子どもたちの母親は、幼児のときハンガリー語を話していたが、五歳のときフランスに移住してフランス語を習得した。どちらも、自分の母語を忘れることはなかった。ニュートン、デカルト、ライプニッツにしても、日常生活では自分たちの「ネイティヴ言語」、それぞれ英語、フランス語、ドイツ語の話者でありつづけた。

現代では、母語が高度なレベルの活動を行うために習得される言語に取って代わられると、たんなる「母親の言語」にとどまり、もっぱら旧世代との付き合いに使用されるケースが多い。イディッシュ語とハンガリー語は、わたしのふたりの身内にとって、おとなになってからも自分の母親と会話するときの手段であり、それ以外の目的に役立つことはほとんどない。これはフランスやイギリスやアメリカのような国に外国人移民の子として生まれた最初の世代にはかなりよく見られることで、彼らの母語の運用力は、多くの場合、五歳くらいのときに到達したレベルにとどまっている。しかし、これは確かにデカルトやニュートンには当てはまらない。それぞれフランス語や英語でも執筆したからだ。たぶんこのふたりのケースは、今日世界じゅう何百万人もいるほかのバイリンガルには当てはまらないだろう。

われわれは、歌、童謡、遊び、保育園や家庭でのしきたりをはじめて覚えたときの言語に対して、生涯のあいだずっと多かれ少なかれ強い感情をもつものだ。これらは基本的経験であり、それを経験したときの言語は、われわれのもっとも初期の思い出の温かい輝きにいつまでも包まれることとなるにちがいない。しかしだからといって、もっとも初期の記憶の言語が、われわれが将来なりそうなもの、あるいは自分のアイデンティティだと思うものにとって、特別に重要な言語となるとはかぎらない。

最初に覚えた言語に学校で学んだ言語が上乗せされたとき、前者は個人の発育の最前部から押し出される。二番目の、だがしだいに第一言語化してゆく言葉で学習されるのは、読み書き、計算の基本的技術、またもちろんクリケットやホッケーの規則のような最重要のシステム、歌詞、さらに家庭外での社会との接触というつらい経験だ。当然、以前とは質の急変するこの種の学びはすべて、最初の言語へと訳されて把握し直されることがある。とくに類似した状況で子どもの成長を支えた経験が家族にあり、両親や兄弟姉妹が時間を割いて、これら新しい学習内容すべてを家族で使われる言語でどう表現するのか子どもに教えてくれる場合がそうである。しかし、そのような支えがないと、こうした明らかに無意味なことをわざわざするような子どもはほとんどいない（無意味というのは、新たに獲得したスキルの社会的、個人的な使用とは無関係だからだ）。

おとながいちばん熟達している言語を「母語」という表現で呼ぶことの問題点のひとつは、個人の言語スキル習得の歴史と、言語を「自らのものにしている」とは何を意味するのかという謎が混同されてしまっていることだ。しかしそれはまた、油断のならない表現でもある。「母語」という言い方は、われわれが優先する言語は、母親から話しかけられた言語であるばかりでなく、ほとんど神秘的な意味で、わたしたちの自我の母——つまり現在のわれわれを形成した言語であるということを暗示するのだ。それは価値中立的な用語ではない。この用語は言語と自我との関係に関する一連の複雑な観念という重荷を負わされており、われわれがそれを自らの言語の故郷を指し示す自然で問題のない名称だと見なすかぎり、その重荷をわれわれにゆだねることになるのだ。

人はみな、言語を習得する潜在能力とその必要性——一部の言語学者が人間の脳に組み込まれた「言語獲得装置」と呼ぶもの——をもって生まれるのかもしれない。しかし実際には、人はけっしてある特定の言語を話すよう生まれつくのではない。すべての赤ん坊は、言葉をもたずに人生をスタートさせるのだ。それでもわれわれは、あたかもその逆が真であるかのように——幼児環境から自然な、だがかなり大変な努力によって習得された言語形式があたかも生得権による賜りものであり、相続財産であり、またわれわれの言語的アイデンティティの決定的で変更不可能な所在であるかのように——「ネイティヴ・スピーカー」という言葉を使う。しかし、フランス語、英語、あるいはタガログ語の習熟は生得権によるものではないし、ましてや相続財産でもない。それは個人的に獲得したものなのだ。ある言語に関する「ネイティヴの」言語運用力について語ることは、「母語」をもつことについて語るのとちょうど同じくらいに大雑把で、いささか誤解を招きやすいことなのである。

これらの言語学用語がもつ奇妙なイデオロギーは、イギリスやアメリカの大学が語学教師を募集するとき、もっと明確になる。慣例的に、大学は教える異言語について「ネイティヴか準ネイティヴの言語能力」が必要と公示する。いったい「準ネイティヴ」とは何を意味するのか？　実際問題として、これは「たいへん、たいへん上手《ベリー、ベリー・グッド》」を意味する。暗黙には、たとえ生得によるものでなくても、フランス語またはロシア語またはアラビア語がたいへん上手だということを意味する。この決まり文句のもっとも明白な含意は、第一に所与の言語が使われる環境に「生まれ合わせた」者とそうでない者とは区別できるということ、第二に当該の言語のハイレベルな教育目的にとってその区別はすこしも重要ではないということである。しかし、ここに奇妙な問題が生じる。もし後者が実情に当てはまっているとすれば、どうして前者は真だと言えようか？

言語学者は、「ネイティヴ・スピーカー」の直観による判断に基づいて、文法的、語彙的に「容認可能な」文と「容認不能な」文とを区別する。「ネイティヴ・スピーカーの能力」は、ある言語の文法が何を説明しなければならないかを決定するとき、もっともよく引き合いに出される基準である。さて、'Jill loves Jack.' は英語の文であり、'Jill Jack loves.' はそうでなく、英語の文法はなぜ前者は容認可能であり、後者はそうでないかを説明しなければならないのは明白であるように思えるかもしれない。しかし、ネイティヴ・スピーカーの判断のみに基づき、何が英語であり何がそうでないか境界を設けるとすれば、文法書を書くという企て全体にいくぶんショッキングな循環性が生じることになる。そもそも、ある個人によって話される英語が「ネイティヴのもの」かどうかをどうやって判断するのか？　文法に照らし合わせることによってのみだが、それ自体が「ネイティヴ・スピーカーたち」自身の判断を参照して作成されるのだ。ところが、どんな言語にせよネイティヴとノンネイティヴを明確に区別する一定の方法などない。ほとんどの場合、ちゃんとした検査を行うことすらせず、人の言葉をそのまま信じるだけだ。その結果、われわれはよく間違いをしでかすのである。

言い換えれば、英語の話者は、同じ言語を話すべつな人がそれを揺りかごで覚えたのか、それとも学校で習ったのか、それとも何かほかの方法で習得したのか、確実に確かめることはできないのだ。文章表現となると、「ネイティヴ」と「その他」を区別するのはさらに難しい。フランス語をしゃべると、わたしはフランス人に間違えられることがある。しかし、わたしは一般に認められている意味で、「ネイティヴ・スピーカー」ではない。学校で、ミスター・スミスと呼ばれていた温和な先生に習ったのだ。フランス人が、「いやあ、あなたのことをフランス人だと思っていましたよ」と驚きの声をあげるたびに、わたしはいまも、いい子だった学校時代のように誇らしさで顔が赤らむ。しかし、そのようなお世辞を言う人たちが本当に言おうとしているのは、わたしが「ネイティヴのフランス語」を話すということではなく、彼らはわたしの話しぶりがある特定の国籍を示していると思ったということである。国籍はもちろん、ほとんどの人が出生によって——両親の国籍（*'jus sanguinis'*（血統主義））ゆえか、あるいは生まれた場所（*'jus soli'*（出生地主義））ゆえかで——獲得できる数少ないもののひとつである。(1) 言語の均一性に基づくヨーロッパの国民国家の歴史は比較的短いため、結果として言語と国籍の、また「ネイティヴ・スピーカーの能力」と出生国のかなり深刻な混同が生じているのである。

自分の所持するパスポートは、翻訳者としての能力とは何の関係もないし、幼児環境のなかで覚えた言語とも関係がないのだ。重要なのは、自分の訳文の言語を自家薬籠中のものとしているか、そう感じているかどうかだ。それを「ネイティヴ言語」と呼んでも無益だし、さらに「母語」にしか翻訳できないと主張するのはもっと無益である。話者がある言語を自家薬籠中のものにしていると感じるようになる経路はとても多様なので、その話者の能力をたったふたつの枠組み（「ネイティヴ」と「ノンネイティヴ」）に押し込めることは、いくらこれらの枠組みに広く柔軟な定義を与えてもできることではない。

ふたつの言語にきわめて精通していることが、一般に翻訳を行うための必須条件と考えられているが、実際にはそうでない分野も多い。たとえば、詩、戯曲、映画字幕の翻訳では、共同翻訳がふつうだ。一方の共訳者が「起点テクストの言語」、L1のネイティヴで、他方の共訳者が「目標言語」、L2のネイティヴというパターンである。どちらも互いに共有できる言語の能力がなければならないが、通常かならずしもそれがL2である必要はない。さらに、目標言語の翻訳者は——劇作家として、詩人として、字幕というごく限られたフォーマットのなかに意味を凝縮する熟練した職人として等々——原文のジャンルの言葉遣いを専門的に駆使できる力をもっているか、もっていると信じていなければならない。散文小説の翻訳にすら、たとえばリチャード・ペヴィアーとラリッサ・ヴォロコンスキーのような有名な翻訳チームがおり——ふたりは共同してロシア文学の古典作品の新しい英訳ヴァージョンを多く世に送り出している。これとは違ったパターンの共同翻訳が、イスマイル・カダレの小説を訳したわたし自身の仕事でもなされている。カダレはアルバニア語で書くが、わたしはこの言語について常用会話集レベルの知識しかもたない。わたしはヴァイオリン奏者のテディ・パパヴラミ〔一九七一—。アルバニア出身〕の手になるフランス語版を翻訳し、それからフランス語を通してパパヴラミとカダレ本人の両方に質問を行った。カダレは、自分の小説のアリュージョンや引用やスタイルの問題そのほかについて論議できるほどフランス語に堪能だった。

　西ヨーロッパ以外の文化では、ネイティヴでない言語への翻訳に対する偏見はそれほど深刻ではなく、一部の地域ではこの偏見は徹底的に排除されている。何十年ものあいだソヴィエト連邦は、自国の国連代表団メンバーのスピーチに関して、ロシア語以外の公用語のネイティヴ・スピーカーではなく、スペイン語、フランス語、英語、アラビア語、中国語への専門的な通訳者や翻訳者であるロシア語話者が通訳を担当することを要求した。モスクワ通訳者・翻訳者養成学校は、政治的動機に基づくこの要求を正当化するため、ある理論——あるいはつじつま合わせの理屈——を展開したが、それによると通訳者にとってもっとも重要なのは、原語を完全に理解できるスキルであるという[2]。たいていの専門家は、これとは意見を異にする。専門家たちは、迷いなく目標言語を操ることのできる流暢さこそ、同時通訳というほとんど想像を絶するほど頭脳に負担のかかる作業をやりおおすための真の鍵と考えているのだ——ところが、四十年以上ものあいだ、ソ連はほぼまったくと言っていいほどいわゆる「L2通訳者」のみに頼ったわけだが、これらの通訳者は見事に対処してのけたのである[3]。

　L2翻訳——「ネイティヴ」でない言語への翻訳——もまた、学校で相互の言語を教える伝統が確立し、長年にわたって相互に翻訳を行う関係をもつ西洋の言語の小グループに属していないさまざまな言語にかなり広まっている。英語、フランス語、スペイン語またはドイツ語が母語の作家で、タミル語、タガログ語、ペルシャ語またはウォロフ語〔ニジェール＝コンゴ語族の一言語〕をすらすら読める人はほとんどおらず、そのなかで翻訳に時間を割こうと思う人はさらに少ない。これらの言語およびほかに世界に存在するほとんどの言語のいずれかで執筆する作家にとって、国際的に読まれる機会を獲得する方法といえば、学校で、あるいは移住や旅行を通じて学んだ世界語に作品を翻訳することしかない。努力しても、これは裏目に出ることが多い。今日、中国やアルバニアから出されているL2翻訳は、実にひどい出来で有名なのだ。広告資料や観光案内標識に見られるお粗末な翻訳ミスの例の多くは、明らかにL2翻訳によってなされたものだ。しかし、翻訳はL1であるべしという鉄則を世界じゅうすべての異文化間の関係に適用することをいくら主張しても、当然それに伴って次のことも主張しなければ、むなしい結果に終わるだけだろう。つまり、世界にある八十の媒介言語のいずれかを母語とするすべての地域の教育機関は、それぞれたっぷり予算を注ぎ込み、学生たちを訓練して七十九のグループで構成されるＬ１翻訳者を養成すべしという主張である。それでもやはりまだ非現実的なこの解決策に代わる選択肢としては、自分の訳文の意味が理解されるよう懸命に努力しているＬ２翻訳者によって英語、フランス語、ドイツ語そのほかにもち込まれてくる異様な表現に対し、目標言語の話者たちが寛容な態度をとり、温かく受け入れるようになるしかないのである。

7 意味は単純なものじゃない

訳者がＬ１〔目標言語が母語〕の話者であろうと、Ｌ２〔目標言語が非母語〕の話者であろうと、翻訳の必要条件は、異言語でなされた発話の意味を伝えることだ。

これはわりと簡単に思える。そして、現代の翻訳者や通訳者が提供すると主張するサービスにぴったりと一致している。しかしそう考えてみても、翻訳とは何であるか十分に理解することはできない。なぜなら、発話の意味はひとつではないからだ。われわれが何を言ったり書いたりしようと、それは同時にいろいろなことを意味する。実際、発話にはさまざまなレベルでさまざまな種類の「意味」があるのだ。意味の意味というのは、やっかいなテーマだが、これを無視しては翻訳を本当に研究したことにはならない。複雑で解決困難な哲学的問題が絡んでいるかもしれない――しかし、それは現実にすべての翻訳が解決している問題なのである。

明らかに意味というものは、語だけがもつものではない。そのことを示す簡単なストーリーを紹介しよう。ジムは友人たちとハイキングに出かける。彼はグループからはぐれ、こんもりとした森のなかにいる。完全に道に迷ってしまった。そのとき、コーヒーの匂いがしてくる。これは何を意味するのか？　キャンプが遠くないないということだ。ジムにとって、それこそ切実で重要な意味である――ところが、それは言葉とは何の関係もないのだ。

事物がそれ自体で自ずともつ種類の意味は、徴候的意味《シンプトマチック・ミーニング》と呼ばれる。匂い、物音、身体的感覚、あれやこれやの自然物あるいは製造品には、つねにこの徴候的意味がある。日常生活でわれわれは毎日、この種の意味に繋がる手がかりを無数に感受しているのだが、自分にとって必要な意味を与えてくれるものしか意識しない。同様に、何であれ言われたことは、言われたという単純な事実そのものによって、徴候的な意味をもつ。わたしがコーヒーショップに入って、エスプレッソを頼んだとしたら、これは何を意味するだろうか？　ひとつの徴候として、それはわたしが英語を話すこと、そしてバリスタもそうだ、等々を意味する。これは明白である。たいていの場合、発話の徴候的意味はあまりにも明白なので、それと意識されない。しかし、つねにそうとはかぎらないのだ。

ジョン・スタージェス監督の一九六三年公開映画『大脱走』では、ドイツの捕虜収容所からの大規模集団脱走をテーマとする、ほぼ実話に基づいたストーリーが語られている。脱出計画のリーダーで英空軍少佐のバートレットは、フランス語とドイツ語にとても堪能で、英語しか話せないマクドナルド〔彼もドイツ語・フランス語を口にしており、著者の記憶違いか〕とチームを組み、掘ったトンネルの出口から逃げ出したあと、イギリス海峡に向かう。ふたりはフランス人ビジネスマンに変装し、目的地に近づくためバスに乗る列に並ぶ。保安検査が行われるが、バートレットはフランス語で口先たくみにうまくごまかして切り抜ける。彼がもうバスのなかに入ったとき、利口な警察官がふたりに「グッドラック」と声をかける――英語で。バスのステップにいたマクドナルドは、本能的に振り返り、微笑みながら「サンキュー！」と口を滑らせてしまう――こうして彼らの大脱走は終わりを告げた。脱走者と見破られる鍵となったのは、警察官の呼びかけやマクドナルドの返答を構成する語の意味ではなく、使われた言語の徴候的意味だったのだ。

　映画で使用された言語以外の言語を用いて、ここに見られる言語使用の徴候的意味を再び生み出すことはできない。たとえばフィンランド語を使って「ドイツの捕虜収容所から逃走しているとき英語を話してしまう」場面の効果を再現することは不可能である。この映画のフランス語吹き替え版では、「グッドラック」と「サンキュー」は英語がそのまま使われている――フランス人の観客は、英語の音声を認識し、戦時中のドイツで英語を使うことがもつ徴候的意味を理解していると期待されていたのだ。しかし、口頭の英語やフランス語やドイツ語は、「平均的な西ヨーロッパの言葉」にしか聞こえない観客向けの吹き替え版では、問題のシークエンス全体の意味は、口にされたセリフを（フランス語版のように）訳さないことによっても、また訳すことによっても（英語以外の言語を使用することになり、要点が失われてしまうので）保持できない。字幕や上部字幕《スーパー・タイトル》のような、ほかの何かしらの手段や経路によるコミュニケーションを付加する必要がある。補足の字幕テクストとしては、「ドイツ人の警察官が英語を話している」や「官憲は脱走者の母語を使い、脱走者は愚かにもやはり同じ言語で答える」のような問題のセリフ場面へのメタ言語的な説明を流せばよい。これは翻訳のうちに入るだろうか？　きっと入るにちがいない。というのも、翻訳の目的とその実際の効果は、異言語作品の意味への迅速な接近手段を提供することにあるからだ。しかし、これは本章の冒頭に記した翻訳の簡単な定義とは一致しない。その字幕テクストは、異言語で口にされたセリフの意味を伝えていないのだ。実際に何が言われているかではなく、そう言ったことで何が起こっているかを理解するために必要な情報を提供しているだけなのだ。

　何かを理解するには、言われていること（マクドナルドの「サンキュー」）をそれが言われたことの意味に関連づけることがつねに必要となる。それがあらゆるコミュニケーション行為の基本的な枠組みだ。困ったことに、言われたこととそれを言ったことの意味との関係は不安定であり、またしばしば極度に曖昧である。そもそもイギリス人の脱走者がドイツ人官憲の「グッドラック！」という言葉にどう返答しようと、もしそれが英語であったら、まさに同じように正体を見破られたであろう。その明確なコンテクストでは、「ありがとう!」も、「うせろ!」も、「あなたは本物の紳士ですね」も同じ意味であると言うことができるし、中国語吹き替え版では先の字幕を入れなければならなくなることを示して、この乱暴な主張を裏づけることもできるだろう。

森の中で迷子になったジムの話に戻ろう、そして仲間のジェーンも彼といっしょだったとしよう。このペアの一方が近くでコーヒーを淹れる喜ばしい芳香を嗅ぐと、「ああ!コーヒーの匂いがする!」あるいは「あたしの嗅いでいる匂いをあなたも嗅げる?」あるいは「きみもコーヒーの香りがする?」と言うかもしれない。これらは異なる発言で、言語学者が異なる文の意味と呼ぶものを有しているが、そのコンテクストではみな同じ意味をもっている——すなわち、キャンプ場は近い、ふたりはもう迷子ではない、ふたりは喜んでいる等々ということだ。翻訳では、これらの文の意味の違いはほとんど重要ではない。ここで重要なのは発話の意味を保存することであり、べつの言語でそれができるようにすることが、翻訳者の主要な技能となる。会話での礼儀正しさのレベルや、森のなかで迷子になったときの男性と女性の振る舞い方に関する習慣や規範は、言語や言語が奉仕する文化によってかなり大きく異なる。ジムとジェーンの物語では、翻訳者の務めは、こうした特定の状況での発話の意味を、目標言語とその文化に適した形で表現することにある。選ばれた語の形態が、ジムが口にした文の意味に一致しているかどうかは、重要なことではないのだ。

もちろんジムは、ある特定の匂いを嗅いだことに与えた意味を、単語ではなく、微笑むことでも、小鼻をひくひくさせることでも、手を振ることでも伝えることができただろう。このような状況のもとでは、多くの場合、非言語コミュニケーションは発話とほとんど同じ意味を表すことができる。これは翻訳研究にとって嬉しくない事実だが、実のところ、意味は語だけに含まれているわけではないのだ。あるものが何を意味し、どのような意味が受け取られたかを理解する段になると、言語と非言語コミュニケーションとのあいだ——ジムとジェーンの物語で言えば、微笑むこと、小鼻をひくひくさせること、手を振ることと、話すことのあいだ——に明確な境界線を引くことはできない。言語使用とほかのあらゆることのあいだには、明確な分割点はなく、でこぼこの変動する境目があるだけなのだ。

徴候、および言語表現の非言語補完物は、翻訳という分野の縁に接しているか、すぐその上にあるのだが、この分野では言語形態をもつ発話のみを対象とする――ところが、発話にはつねに言語形態以上のものがある。だから、ある様式、またはタイプ、またはレベルの意味がどこで終わり、どこでべつの様式がはじまるのかを明確に言うことができない。『大脱走』のバスでワナにかけられる場面のサウンドトラックをオフにすると、画面ではオーバーを着た男がふたりの私服姿の男性に別れを告げ、そのうちのひとりが挨拶を返したと思うと、不可解にも逃げ出そうとする。これでは何も理解できないだろう。しかし、もしサウンドトラックを聞くだけで、だれかがわずかながらドイツ語のアクセントが入った発音で「グッドラック」と言う場面のコンテクストを見なかったら、おそらくもっとわからないだろう。コンテクストだけでは、発話も聞くことができなければ、その発話が何を意味しているのかわからない。逆に言えば、発話だけでは、コンテクストを再構築できるほど十分な情報をもっているというにはほど遠い。両方が必要なのだ。

映画は、意味が発生する多種多様な仕方を調べるには有益なツールである。われわれがショットまたはシークエンスから理解することは、いろいろな技術的手段によって利用可能になったさまざまな種類の情報によって形成されている。カメラアングルと被写界深度、舞台装置、登場人物の衣類、顔の感情表現と身体動作、装飾品のディスプレイ、音響効果、ＢＧＭが重ね合わされ、それらすべてが、われわれがシークエンスやショットから引きだす意味に影響を与える。完成の極にある映画では、いかなる要素もほかのすべての要素と切り離すことはできない。それらは共に作用し、それぞれが作用するタイミングは、そうして築き上げられる意味に不可欠である。意味の各要素はコンテクストの一部をなし、そのコンテクストはほかのすべての要素に意味する力を与え、必然的にそれらがもつ特定の意味に影響を及ぼす。

映画から合理的に明らかになることは、人間のコミュニケーション一般に、発話される文のなかでいちばん平板で単純なものも含めて当てはまる。翻訳にとって、そしてわれわれすべてにとって、意味はコンテクストなのである。

「持ち帰りのカフェ・マキアート〔エスプレッソにミルクフォームを少々加えた飲料〕をダブルで一杯」という表現――たいてい朝八時頃わたしが口にする表現――は、コーヒーショップで客がバリスタに発話するときの意味を意味する。状況（コーヒーショップ）と参加者（客とバリスタ）が、この発話の不可欠かつ不可分の部分をなしている。同じ言葉が午前二時にベッドのなかで配偶者に口にされたと想像してみよう。あるいはサハラ砂漠横断サイクリング狂の自転車乗りがやっとトゥアレグ族の野営地にたどり着いたとたんそう言ったと想像してみよう。言葉は同じだが、それが口に出されたことのもつ意味はまったく違うはずだ。徴候的に言って、寝ていた人は悪夢を見ていたのかもしれないし、自転車乗りは脱水状態で錯乱していたのかもしれないのだ。どんな言語行動でも、コーヒーを一杯注文するという単純なことですら、その発話のコンテクストが変わると、異なる意味をもつのである。

この点は、繰り返し指摘しておくだけの価値がある。発話がその発話者およびその発話の聞き手にとって何を意味するかは、発話される単語の意味だけに依存するのではない。発話がどのように意味を伝えるのか（またそれが実際に伝える意味）を決定する重要な要因のふたつは、次のものだ。ひとつは、発話がなされる状況（時間、場所、およびそのような時間や場所にいる人たちが通常行っていることに関する知識）であり、もうひとつは、参加者のアイデンティティ〔例えば客、バリスタ〕、およびその参加者たちの関係である。口に出される語の言語的意味は、重要でないわけではない（ダブルのカフェ・マキアートは低カロリーのクリーミーなカプチーノ《スキニー・ウエット・カプ》と同じ飲み物ではない）が、しかしそれは、何かが発話されたときに進行しているあらゆることの一小部分でしかない。翻訳可能と見られる唯一の部分かもしれないが、言われたことの全体を構成するにはほど遠いのだ。

言語研究に寄与した名著〔『言語と行為』一九六二年〕のなかで、哲学者のJ・L・オースティンは、英語には行為を描写するのではなく、発話されるという事実だけで行為の遂行となる動詞が幾種類も存在すると指摘した。「崖の端に近づかないようにわたしはあなたに警告する」は、話者が「わたしはあなたに警告する」と言っているので、ひとつの警告である。英語にはこうした遂行動詞《パフォーマティヴ・ヴァーブ》がかなりたくさんある。もっとも、すべてがまったく同じように機能するわけではない。実際、約束する、警告する、忠告する、脅迫する、結婚する、洗礼をほどこす、命名する、判決を下す、等々をひとつの特別な種類の動詞として扱おうとすると、多くの困難が生じる。ひとつには、それらの動詞のほとんどが、さまざまな非言語的条件が満たされないと、自らが名指す行為とはならないということがある。「当船舶をロイヤル・ダフォディルと命名する」という発話が、適切な力をもつ（すなわち、実際の船舶に名前を本当に付与する）のは、現実の進水式で、これに伴う儀式——シャンパンボトルが船首に派手にぶつけて割られ、甲板や埠頭の錨鎖止めが取り外される等々——が執り行われ、当の船舶を進水させる権限をもつ人物がそう発話する場合のみである。これがべつの状況下で、たとえばサウスエンド埠頭〔イングランド南東部の世界最長のレジャー埠頭〕のデッキチェアに座っている男に言われたとしたら、その発話は船舶を命名する行為にはまったくならない。オースティンは、遂行動詞の行為が首尾よくなされるために必要な付随的状況を「適切性条件」と呼んでいる。もちろん、必要な適切性条件に不当な変更を加え、「行為遂行」を妨害したり、悪用したりするやり方はいくらもある。だからといって、発話の意味は、その構成要素のように見える語の意味だけで決まるものではないというオースティンの指摘の重要性は変わらない。言語表現の非言語的な支えとなる人物や環境——この人が、あの人の前で、この時、あの場所で話した、等々のこと——が、言語使用者が言葉で何かをすることを可能にしているのである。

　多くの行為は、その行為を「遂行する」とされている動詞をいっさい使わずに、言葉で遂行できる。わたしは懇願されて、「いいとも、そうしよう」と答え、だれかと結婚の約束をすることができるが、それは「約束するよ」と言うのと同じくらいわたしを拘束するものとなる。命令の形——たとえば「崖に近づくな」——で人に警告することもできるし、ある特定の声のトーンで外に出るよう人に頼むことで、実際は脅すこともできる。発話の意味は、その発話で使われた語の意味にのみ関連しているのではない。多くの場合、言語的証拠だけでは、語の意味が間違いなく発話の意味に関連していることを示すのは難しいのである。

　発話の基本的なコンテクスト上の特徴をひとつ、あるいはふたつ以上意図的に変更すると、意味をもった表現がたいてい何らかの類いのナンセンスに変わってしまう。しかし、逆もありうる。ナンセンスな表現にも何か新しいコンテクストを工夫してあげれば、それに意味をもたせることができるのだ。ノーム・チョムスキーはそのエポックメーキングな著作『統辞構造論』（一九五七年）の最初のところで、意味をもつ文と文法的に正しい文の根本的相違について自身の見解を説明するため、ナンセンスな文を考え出している。'Colorless green ideas sleep furiously'（無色の緑色の考えは猛烈に眠る）が、完璧に文法にはかなっているが、ぜんぜん意味をなさない文として示されたのである。数カ月のうちに、機知に富んだ学生たちが、チョムスキーが間違っていることを証明する方法を見つけ、時を移さずスタンフォード大学で作文コンテストを開催した。その作文では、「無色の緑色の考えは猛烈に眠る」が、文法的に正しい文であるだけでなく、意味をなす表現となるよう求められていた。

以下に受賞作品のひとつを引用しよう。

来るべき新緑を思うだけで、秋には鳶色の薄皮に覆われた休眠状態の白い球根を買い、愛情をこめて植え育てようという気になる。皮の下で球根たちが人知れず猛スピードで成長をつづけ、春になると突然すばらしく美しい開花を見せてくれるのは、わたしにとってひとつの驚異だ。冬が君臨するあいだ大地は憩うが、これらの無色の緑色の考えは猛烈に眠るのである。(1)

今日であれば、「無色の緑色の考え」は、ことによると二〇〇九年十二月のコペンハーゲン気候サミットでの交渉を話題にしているということもありうる。それが「猛烈に眠る」というのは、会議の貧弱な結果のことを指しているにすぎないのかもしれない。以上の話のポイントは、人は言葉で遊び、しばしば言葉についての権威ある一般化にツッコミを入れるということだけではない。つまり、こういうことだ。いかなる言語の文法的に正しい文も、それが意味をなすコンテクストをもつことができないように組み立てることはできない。このことはまた、言ったり書いたりできることはすべて——それがナンセンスであっても——翻訳は(遅かれ早かれ)可能だということを意味する。たとえばイタリア語ではこうだ。*'Verdi idee senza colore dormono furiosamente.'*(無色の緑色の考えは猛烈に眠る)

発話されたという事実によって慣習的な行為——たとえば、挨拶、注文、命令等々——を遂行する発話を翻訳するには、目標言語が言葉でできることに関して同じような慣習を備えている必要がある。ところが、文化や言語によって、人が言葉でどう物事を行うかに関して大きな違いがあるのだ。約束は世界じゅうどこへ行っても約束だろうが、約束をするのに適した言い回しはもちろん、適切性条件も、たとえば日本とアメリカではたぶん大きく異なっているかもしれない。「約束するよ。神に誓って。ウソだったら死んでもいい」という文章を翻訳する場合、目的が目標言語で同じような約束をすることにあるならば、訳出する必要があるのはその文章の言語的な意味ではない。繰り返しになるが、つねにそうであるように、発話の意味が問題となるとき、発話された表現(口頭であれ筆記であれ)は翻訳の唯一の対象ではなく、また最重要の対象ですらないのだ。

以上の考察は、オースティンが遂行的と呼んだ一群の動詞だけに関わるものではない。人が言葉でできることの範囲は、この哲学者の注意を引いた約束、警告、ナイト爵位授与、命名などをはるかに超えており、これらのさほど特別ではない英語の動詞は、言語使用のより一般的な側面を理解するひとつの足掛かりを提供してくれるものとしてしか見ないほうが適当だろう。わたしがたまたま知人と出会って「お元気ですか?」と言ったとすれば、それは挨拶と習慣的に結びついた発話を用いて、挨拶という社会的な約束事を遂行しているのである。遂行動詞を使ったとしても(「サラーム〔イスラム教徒の挨拶の言葉〕、殿下、わたしはあなたにもっとも卑しき者としてご挨拶申し上げます」)、使わなかったとしても(例えば、「ハイ!」)、挨拶という行為を構成する表現は、その表現でわたしが遂行している行為によってのみ意味をもつ。「あいさつ」は、言語使用の一種の使用域《レジスター》〔特定のコンテクストに応じて用いられる言葉遣い〕、つまりジャンル〔レジスターの別名。次頁参照〕として考えられよう。'How are you?' をどの言語にしろ翻訳するのは、挨拶という約束事を翻訳するのであって、'how'、'are'、'you' という個々の語を訳出するのではないと理解するのは難しいことではない。外国旅行者常用会話集にかならず含まれるような言語使用に適していると広く理解されているものは、ほかの多くの翻訳のコンテクストでも同様に適切である。目標言語の編み物模様の約束事に従わない編み物模様は、まったく役に立たないのだ。それは、天罰が下るぞという脅しの翻訳が目標言語の文化での脅しの慣例に従っていなければ、脅しでもなく、翻訳でもないのと同様である。

二〇〇八年の夏、『ウォール・ストリート・ジャーナル』紙は次の見出しで最新ニュース記事を掲載した。

GOP VEEP PICK ROILS DEMS

共和党副大統領候補者に民主党動揺

これを理解するには、二〇〇八年大統領選の運動期間中に起きたアメリカの一連の政治的イベントに精通し、またこの国の二大政党の伝統的な愛称を知っており、さらにマンハッタンの夜番デスクの編集者がアルファベットを使って行う言葉遊びにも馴染んでいる必要がある。大急ぎでこの記事の要点を伝えなければならなかった世界じゅうの気の毒な翻訳者に同情すべきだろうか? あまりしなくていいのだ。この見出しを構成する単語の意味は重要ではない。重要なのは、それが見出しとしての役目を果たすことだ。どの英字新聞の見出しもそうだが、'GOP VEEP PICK ROILS DEMS'は、それにつづく本文のなかでそれほど圧縮されない言葉で説明される。翻訳者の仕事としては――もし本当にこの職務を果たすのが、編集者でなく翻訳者だとするなら――まず記事を理解し、そのあとはじめて目標文化で支配的な見出し特有の言葉遣いに基づいて適切な見出しを案出すればいいのである。たとえば、'*Le choix de Madame Palin comme candidate républicaine à la vice-présidente des États-Unis choque le parti démocrate*'(マダム・ペイリン、米副大統領共和党候補者に選出、民主党に激震)は、フランスの見出し文のスタイルにかなりよく適合しており、『ウォール・ストリート・ジャーナル』紙の簡潔な皮肉への巧みな対応物となっている。原文と訳文は、それぞれの文化における見出しの書き方の一般的約束事に従わなければならない。なぜなら見出しの作成は、約束、洗礼、脅迫等々と同じようにひとつのジャンル――つまり、特定のコンテクストに限定された特定の種類の言語使用――だからである。

ジャンルはいくつあるだろうか? 数えきれないほどたくさんある。所与の書かれた文がどんなジャンルなのかをどのように知るのだろうか? それは明示されておらず、そこが重要なポイントだ。いかなる文も、翻訳に必要な情報がすべて含まれているわけではない。文法的に適正で、語彙的に容認可能な単語の列と明快に解釈される文につねに欠けている重要なレベルの情報のひとつは、その文のジャンルは何かということである。これは発話のコンテクストからのみ捉えることができるのだ。もちろん、話された文の場合、何のジャンルかはわかる――現場、つまりそのコンテクストにいて、その文が口に出されるのを聞くからだ。書かれたテクストの場合も、通常かなりの頻度でわかる。翻訳者はふつう、テクストが鉄道の時刻表なのか詩なのか、国連での演説なのか小説の断片なのかをあらかじめ教えてもらわないうちに、仕事をはじめるのを承知することはない(また、母語のテクストであっても、表紙やカバーやほかの周辺資料で自分がどのようなものを読むのか知らないうちに、読みはじめる人もほとんどいない)。自分の職務を遂行するにあたって、翻訳者は自分がどんな仕事をするのか心得ておく必要があるのだ。

「ぶっつけ本番で」、「即席に」、「いきなり」何かを翻訳すること、つまり一部の文芸学者が言うように、「テクストをその本質においてそれ自体のために訳すこと」は、技術的には不可能ではない。何といっても、一部の大学の最終試験では、学生はまさにその種の翻訳をやるよう求められるのだから。だが、それはまともな設問とはならない。それに回答するのは、発話のコンテクストやジャンルが何であるか推測することによってのみ可能となる。たとえ正しく推測したとしても、その正しい推測がたぶん博識と優れた知性の証だとしても、学生はなおもそのような推測はしていないという振りをしなければならないのである。

　大多数の言語や文化で、多くのジャンルは見てそれとわかる形式を備えている。料理のレシピ、市場での大仰な売り込み、人への挨拶、哀悼表現、結婚宣言、訴訟手続き、サッカーのルール、値段交渉などは、地球上のほとんどどこでも見られるものだ。これらのジャンルの機能を果たす言葉遣いにはいくぶん違いがあり、場合によっては大きな違いがあるが、翻訳者が自分の訳そうとするテクストがどんなジャンルか知っており、目標言語でのそのジャンルの言語形式を熟知しているかぎり、ジャンルの翻訳はとくに問題とはならない。問題が起こるのは、たいてい翻訳の利用者が、適切な翻訳をするために必要となる言語形態の変化に異議を唱えるときである。翻訳者は、中国語の料理レシピを「英語に」翻訳するのではない。翻訳者であるならば、料理レシピに翻訳するのだ。同様に、映画のタイトルを翻訳する必要がある場合、試験の解答ではなく、映画のタイトルになるよう翻訳しなければならないのである。

　『それは複雑だ』〔*It's complicated* 邦題『恋するベーカリー』。二〇〇九年公開アメリカ映画〕は、アレック・ボールドウィンとメリル・ストリープ主演のロマンチックコメディで、ふたりは数年前に離婚したにもかかわらず、陽光降り注ぐサンタ・バーバラで不倫関係に陥ってしまう元夫婦を演じている。タイトルにも示されているように、ボールドウィンのセクシーで怪しげな若妻、驚くほど耳の鋭い彼女の五歳の息子、また新たにお互いを見出した恋人たちが以前結婚していたときの子どもで、いまや十八歳から二十五歳になっている三人も絡んで、状況はひどく込み入っている。この元夫婦は本当に元のさやにおさまることができるのだろうか？　前庭のブランコの腰掛に座ったセンチメンタルなシーンで、ボールドウィンが最後のセリフで言うように、「それは複雑だ」。どのような発話のコンテクストから抜き出された文であったとしても、「それは複雑だ」はフランス語では‘*C'est compliqué*’で十分に言い表すことができる。学校の小テストなら満点だろう。

この映画で見られるコンテクストでは、ボールドウィンの諦観的で、どっちつかずの要領を得ない「それは複雑だ」は、フランス語では同じ意味の文 *'C'est compliqué'* でやはり適正に言い表すことができる。ところが、フランスでの封切りで、この映画は *'C'est compliqué'* というタイトルではなかった。配給業者は、*'Pas si simple!'*（それほど単純じゃない）のほうを選んだのである。

これは意味が大きく異なるというわけではない。発話のコンテクストだけで意味が変わるからでもない。映画のタイトルは、タイトルであること自体によって、ある意味でコンテクストがまったくないのだ。新作のタイトルは、作品の意味が解釈されるコンテクストを予告し、構成する。言い換えれば、タイトルづくりとは、ある特定の言語使用――ジャンル――なのである。ほかのどのジャンルでもそうだが、翻訳タイトルは、しかるべき機能を果たす場合、つまり目標言語内で支配的なタイトルづくりの約束事にかなったタイトルとして機能する場合にのみ、翻訳とみなされる。これは、称賛を翻訳するときもっとも重要なことは、称賛と呼ばれる類いの言語行動の機能を果たすことであると言うのとまったく変わりはない。

フランス語と英語のように近い言語やその社会では、ふたつの言語で同じ形態と似たような言葉の内容をもつ文が、同じジャンル機能を果たしていることがよくある。しかし、いつもというわけではない。翻訳者の職務は、いつその線を越えるべきかを見て取ることである。

現代フランス語の話し言葉では、*'compliqué'* という語には英語の 'complicated' にはない含意がある。コンテクストしだいで、その意味は「気難しい」とか「ひねくれた」とかに近くなるのだ。決断を保留し、責任逃れをし、人生のややこしさを嘆く男が口にしそうなセリフは、「それほど単純じゃない」のほうなのである。もちろん、英語でも適切なコンテクストでならそう言ってもかまわない。だが、映画のタイトルとしてはどうか？「それほど単純じゃない」が、同じような効果をあげることはほぼないし、だから疑いなく映画のオリジナル版のプロデューサーは、それを採用しなかったのだ。フランス語だと、それはけっこううまくいくし、*'C'est compliqué'* の語感を悪くする、「ひねくれた」という望ましくない余計な連想を回避できる。このような判断には、翻訳者に「ネイティヴ・スピーカーの能力」が必要であるばかりではない。ジャンルに深く精通していることも求められるのである。

結局のところ、こういうことだ。どんな言語でも、文章表現や口頭表現は、そのまま自立してそれ自体で意味をもつのではない。翻訳は発話がもつ意味を表すものであり、その意味で、翻訳はそのなかで使われている表現が何を意味しているのかを知るにはかなりいいやり方だ。実際、ある発話がそもそも意味をもっているかどうかを確かめる唯一の方法は、だれかにそれを翻訳してもらうことなのである。

8 単語はさらに厄介だ

ロシア語には、‘голубой’と‘синий’という‘blue’（青い）を意味するふたつの単語があるが、同じ意味ではない。前者は明るく淡い青色、後者はもっと濃い色合いで、ネイビーブルーや群青色を指す。したがって両方とも、関係する青さの質を明示する語を付け加えていいという条件でなら、英語に翻訳することが可能だ。しかし、平易な英語の‘blue’をロシア語に訳すことはできない。なぜなら、何を言おうと——つまり、ふたつの形容詞のうちどちらを使おうと——英語で言った以上のことを言うのは避けられないからだ。出版業者や一般の人たちのあいだで常識となっている慣例のため、翻訳者は起点テクストにないものを加えることは許されない。だから、こうした職業上の条件を受け入れれば、非の打ちどころのない論理によって、翻訳は完全に不可能という結論にたちまちたどり着くことができるわけだ。

　この種の観察は、多くの著名な学者によって、翻訳を真面目に考察すべき対象から外すために利用されてきた。言語学史に残る大立者のひとり、ロマーン・ヤーコブソン〔一八九六―一九八二。ロシア出身〕は、「チーズ」に相当するロシア語、‘сыр’は、カッテージチーズを指すのに用いることはできないと指摘した。カッテージチーズには‘творога’というロシア語のべつな語があるからだ。彼の言うように、「英語の『チーズ』という語は、そのロシア語の異語源同意語《ヘテロニム》と完全には同一と見なすことはできない」のだ。[1] 結果として、「チーズ」のように見たところは単純そうな語をそれと完全に一致する語に訳すことはできないことになる。

　各言語が有している語のそれぞれの総体が、世界の特徴をわずかに、時には根本的に異なるやり方で分割しているということは、言語に関する議論の余地のない事実だ。色の名前はけっして一致せず、そのためフランス語の話者は、英語を話す人に‘brown shoes’（茶色の靴）と言われると、きまって何を指しているのかわからないという問題をかかえる。というのも、そういう色の履物は、‘*marron*’（栗色）、‘*bordeaux*’（赤紫色）、それとも‘*rouge foncé*’（濃赤色）ですらありえるからだ。魚や鳥の名前は迷路のように複雑で、しばしば一致しない。同様に、手紙を締めくくる決まり文句の類が、礼儀正しさや恭順の度合いで段階的にレベル分けされている文化があるが、そういったものが存在しない文化では、これが通用する可能性はまったくない。

　以上は「不完全な一致」、つまり言語間で語の意味範囲が異なる事実を示すよく知られた例だが、こうした実例があるからといって、実のところ、翻訳は不可能という結論にはならない。翻訳者が、青いと呼ばれている空を見ることができるなら――それが実際の空だろうと、たとえば絵に描かれた空だろうと――ロシア語でどちらの色の名前が適切かは完全に明らかである。同様に、お店で買ったチーズがカッテージチーズでなければ、ロシア語でどちらの語を選ぶべきかなど問題にならない。他方、もし翻訳しているのが小説中の文だとすれば、読者の心のなかのイメージにしか存在しないドレスを修飾するのに、どちらのロシア語の青を使うかは、まったく重要ではない。もしストーリーのある部分や段階で特定の色調が重要になってきたら、翻訳者はいつだって前に戻って、後の展開に合うように色の名前を調整することができる。言語間に正確に一致する語がないということは、多くの人が考えるほど大きな問題にはならないのだ。

ポケット型小辞典は使用頻度の高い一般的な単語で構成され、大きな辞書は使用頻度の少ない語も収録しているので厚くなっている。これらの付加された語の大部分は、ʻpolyesterʼ（ポリエステル）、ʻrecitativeʼ（レチタティーボ〔叙唱〕）、またはʻcranksetʼ（クランクセット〔クランクとチェーンリングがセットになった自転車部品〕）のような、比較的正確な意味を持つ名詞であり、ときに意味がほとんど知られていない名詞だ。この種の語を、合成繊維、イタリアのオペラ、自転車のメンテナンスが話題となることのある社会集団の言語ならそのどれにも翻訳するのは、ほとんど努力を要しないほど簡単なことである。だから、権威ある大辞典を見ていると、一言語内の単語のほとんどは、それぞれ一致する語をその辞典から抜き出すことで自動的に翻訳できるという奇妙な錯覚が生じてくる。しかし、辞書の見出し語のほとんどは、その言語のもっとも使用頻度の高いグループの語ではまずないのだ。実際、たった二千から三千の項目が、どの言語でもあらゆる発話で生起する単語の圧倒的多数を占めている——そして、それは「クランクセット」、「レチタティーボ」、「ポリエステル」のような語ではけっしてないのだ。[2]

もし翻訳が原語に一致する語を並べる程度のことであるならば、話題になることがかなりまれな、ひじょうに広範にわたる具体的で物質的なこと以外、われわれが述べることのほとんどすべては明らかに翻訳できないことになる。逆に言えば、翻訳は不可能という、誤った「自明の理」を口にする多くの人たちは、すべての語がそのようであってほしいと、きっと願っているにちがいない。単語とは基本的にものの名前だと信じたいという願望のために（それに反する証拠がたくさんあるにもかかわらず）、翻訳者の任務がまさに不可能であるように思えるのである。

言語とは存在するものの名称の目録であるという考え方は、古代のヘブライ人やギリシャ人から、多くの著名人を経て今日の市井の人に至るまで、西洋思想に一貫して流れている。言語学の教授で、アメリカで二十五年以上にわたって斯界に影響力をふるったレナード・ブルームフィールドは、次のようなやり方で書いた教科書で、意味の問題に取り組んだ。ʻSaltʼ（塩）という語を例にとってみよう。これは何を意味するのか？　ブルームフィールドの本では、

'salt' という語は、塩化ナトリウム、より正確には（あるいは少なくともより科学的には）NaCL という記号で示される物質のラベルであると述べられている。しかしブルームフィールドは、このような単純な分析を施すことのできる語はあまり多くないことに明らかに気づいていた。同じような仕方では、'love'（愛）とか 'anguish'（苦悶）のような語の意味を把握することはできない。そこで彼は次のように断定する。

言語のあらゆる形態に科学的に正確な定義を与えるため、われわれは話者の世界を構成するあらゆるものについて科学的に正確な知識をもたなければならない……（しかし、それが欠けているので）意味についての所説は、言語研究における弱点となっているのである。(3)

彼のような方法で研究に取り組むならば、なるほどその通りである。

わたしはブルームフィールドほどの博識と知性の人が、なぜ「NaCL」や「塩化ナトリウム」が塩という語の意味を構成すると考えたのかと思うと、いまだに困惑する。これらが何かは明白で、「塩」をべつの言語使用域《レジスター》へと翻訳したものだ。こんなふうにブルームフィールド流の素朴さをフォローしても、われわれはなおも、語はものの名称であるという考え方のワナに捕らえられたままである（語を何にせよ自分の好むほかの使用域や言語に翻訳しても同じなのだ）。

周知のように、これほど多くの人が語はものの名前だと信じている理由のひとつは、『旧約聖書』でそう教えられているからである。

主なる神は、野のあらゆる獣、空のあらゆる鳥を土で形づくり、人のところへ持って来て、人がそれぞれをどう呼ぶか見ておられた。人が呼ぶと、それはすべて、生き物の名となった。（創世記第二章十九節）

この短い節は、西洋諸文化の言語の考え方に長くつづく影響を与えてきた。ここでは言語は第一に単語の目録であったし、原理的にいまもそうであり、また語はものの名称（とくに生き物の名前）であるとされているのである。さらに、言語は神が創造されたものではなく、神の同意によって承認された人間の自由裁量による発明品であると、きわめて簡潔に述べられてもいるのだ。

　かくして、言語命名論《ノウメンクラチュラリズム》——語は基本的に名称であるという考え方——には、長い歴史がある。いまなおそれは、言語間の翻訳の本質をめぐる言説の多くにこっそりと忍び込んでいる。諸言語には、異なるものを「名指す」語や、同じものを異なるやり方で名指す語があるというわけである。問題は実は翻訳ではなく、言語命名論それ自体にある。というのも、それは言語がどのように機能するのか、きわめて不十分な説明しか提供できないからだ。たとえば‘head’という語は、いかなる特定のものの「名称」とも見なすことはできない。それはさまざまな表現に生起する。岩の多い岬（英国サセックス州の‘Beachy Head’〔ビーチー岬〕）、泡の層（‘a nice head of beer’〔ビールの表面に浮くゴキゲンな泡〕）、または官僚組織的な職階制におけるある特定の役割（‘head of department’〔部門の長〕）を指すのに使用することができる。何がこれらまったく異なるものを結び付けているのか？ これらの異なるコンテクストのなかで‘head’がどの意味をもつことになるのか、われわれはどうやって知るのか？ ‘Head’という単語の意味を知っているとは、実のところ、どういう意味なのか？ この語が意味するさまざまなことをすべて知っているということか？ それとも、その本当の意味を知っているが、何かほかのものを意味したときも、うまく対処できるということか？

　単語と意味の難問への解決策のひとつは、ある語が自らの指示するすべてのことをどうして意味するようになったのか、その物語を語ることである。たとえば、多くの辞書で語られている‘head’のストーリーは次の通りである。昔々、それは主として、または基本的に、または初めに、首のてっぺんに位置する人体の部分を指していた。その後、その意味が拡張され、何かべつのもののてっぺんに位置するほかの種類のもの——ビールの表面の泡、部門の長——にも適用され、その拡張の範囲にあるものを表すことになった。しかし、足が二本でなく四本ある家畜の頭は、解剖学的に上ではなく前に位置しているので、‘head’はそちらの方向に拡張され、突き出たもの（ビーチー岬や行列の先頭）も意味するようになった。

　このようなストーリーのなかには、同一の言語の初期の状態を留める文書に基づく歴史的証拠によって立証できるものもある。単語が実際にどのように意味を変えたり拡張したりしたのか、あるいはそうしたと思わなければならないのかを研究する分野が、歴史的意味論である。しかし、ストーリーをどんなに精巧につくり上げても、語り手がどんなに巧妙に話しても、証拠文書がどんなに豊富であっても、歴史的意味論は、どうして通常の英語使用者が、（a）‘head’が単語であること、（b）‘head’が意味するものすべてを知っているのか、けっして説明することができないのだ。

以上のことから、‘head’という語は、当然ほかのいかなる言語にも語として翻訳できないことになる。ところが、この語が個々に使用されるさいにもつ意味は、そのどれもべつの言語で容易に表すことができるのだ。たとえばフランス語では、「ビーチー岬」を指すのに‘*cap*’、「ビールの表面の泡」を指すのに‘*mousse*’、「部門の長」のことを言うのに‘*chef*’、‘*patron*’または‘*supérieur hiérarchique*’が用いられるだろう。実は、翻訳は単語と意味の難問を解くたいへん手軽な方法なのだ。だれもがフランス語やそのほかの言語でその語が何を意味しているのかがわかると言っているのではない。しかし、翻訳を用いて言えることは、その語は自らが生起するコンテクストのなかで何を意味しているかということだ。これはとても意義深い事実である。それは人間の精神の素晴らしい能力を証明するからだ。翻訳は意味なのである。

それでもなお、言語学者や哲学者たちは、語は語として《クエイ》何を意味するかを説明しなければならないという、自らに課した窮地から脱出するため、フーディーニ〔一八七四—一九二六。ハンガリー生まれ、米国のマジシャン。脱出芸の達人〕そこのけの奇術的方法を考案してきた。‘Head’は、転移された、つまり比喩的な意味をさまざまにもつ単一な単語と考えられ、多義性の一例として用いることができる。しかし、‘light’のような同じく一般的な語は、同形同音異義語《ホモニム》——発音もスペルも同一の異なるふたつの語——のペアで、一方は重さに関連し（「軽《ライト》いスーツケース」のように）、他方は光度に関連するもの（「日の光《ライト》」のように）と見なされている。多義性と同形同音異義語の違いは、言語使用の観点からみると、完全に恣意的である[4]。‘Beat’（打つ）と‘beet’（ビート）のようにスペルは異なるが発音が同じ場合、言語学者は用語を変えて、同音化《ホモフォニー》の例としている。しかし、語がある意味からべつの意味へと拡張する傾向は、さらに細分化することができる。群れに五十頭いるという言い方のように、部分が全体を表すことができるし〔頭で動物の身体全体を意味〕、水兵がバーに入るのを艦隊の到着と形容するときのように、全体は部分を表すことができる。時には、駐車区画に車を（鼻を突っ込むように）ゆっくり進める（nose your car）と言う場合のように、ある語の中心的な意味とその拡張とのあいだに視覚的類似性があるか、あるとされることがあり、これは隠喩《メタファー》と呼ばれる。また時には、意味の拡張は、仕事を探して方々を当たってみる（'knock on doors'〔ドアをノックする〕）という表現に見られるように、隣接性、つまり物理的なつながりの所産と考えられる場合もあり、これは換喩《メトニミー》と呼ばれる。「比喩的表現」の仕組みは、レトリックという今日もう失われた伝統の一部として何世紀にもわたって教えられ、これで遊ぶのは楽しいものだが、基本的には戯言である。多義性、同形同音異義性、同音化、隠喩、換喩は、語がいかに意味するのかの理解に役立つ用語ではなく、ほかの何かを意味したいという語の抗しがたい欲望を抑制する曖昧な装置にすぎない。エンジンあるいはトランクを覆う車の部分がなぜイギリスではボンネットと呼ばれ、アメリカではフードと呼ばれるのかを満足のゆくように説明するには、本当に想像力に富む言語の専門家が必要だろう。多くの趣味人が熱心に研究に寄与しているものの、語の意味論は知的敗北を免れていない。

それでも、ほとんどの言語は、同じ種類のものを表す語をもっており、その文化にないものや必要のないものを指す語がないからといって困ることはない。諸言語は、基本的な向き（上、下、左、右——これを有していない言語については本書一五七頁を参照）、移動の仕方（走る、歩く、跳ぶ、泳ぐ）、方向性を伴う移動（くる、行く、去る、着く）、家族関係（息子、娘、兄弟の妻その他）、感情や感覚（熱い、冷たい、愛情、憎悪）、人生の大きな出来事（誕生、結婚、死、病気と健康）、衣服、食べ物、動物の種類、地表の物理的特徴、基本的な数字（五、十、十二または十六まで）を示す個別表現を有する傾向があるのだ。ドイツ語の '*anderthalb*'（ひとつと半分）やヒンディー語の '*sawa*'（ひとつと四分の一）のように分数を表す単語をもつ言語もあるが——しかし、二・三五七という数字を意味する単独の語彙項目をもつ言語はありそうもない。車輪付き乗り物がある社会で使用されるすべての言語には、さまざまな種類の車輪付き乗り物を指す単語があるが、わたしの知るかぎりでは、自転車、三輪車、タンデム車、モペット〔原付き自転車〕、オートバイ、乳母車、芝刈り機を総称して、「クロムめっきのハンドルのついた車輪付き乗り物」という意味をもつ単一の語彙項目を備えている言語はひとつもない。フランス語には「物故した水夫の所持品箱の中身全部」(*hardes*)、また「ブドウ栽培に適した砂利土」(*grou*) を表す単独の語があるが、現実問題として、すべての種類の現実のもの、可能なもの、すべての種類の事物、行動、感情が大多数の言語で名称をもっているとはかぎらない。たとえば英語は、いまわたしの書斎の窓から見えるもの、つまりお腹がいっぱいになったリスが庭の塀の上に危ういバランスで置いていった食べ残しのピタパン〔平たい円形の中近東のパン〕を意味する単語をもたないが、このようにわたしの語彙にないからといって、わたしがそれを観察したり、説明したり、言及したりすることができないわけではない。逆に言えば、アラビア語にはヒツジとヤギを区別なく意味する*‘ghanam’*という語があるからといって、必要なときにアラビア語の話者がヒツジとヤギを選り分けられないというわけではない。英語には、フランス語*‘je ne sais quoi’*（何だかわからない）、あるいはドイツ語*‘Zeitgeist’*（時代精神）に対応する語や句がないからといって、わたしがこれらの語句の意味を知ることができないわけではまったくない。言語は、「世界のすべてのもの」にラベルを与えるどころか、自らの語彙目録を究極的には恣意的な範囲の状態や行動に限定し、その一方でまた、話題にのぼることは何でも語ることのできる手段も具備している。人間の言語には、新しい意味を表す方向に向かう独特な柔軟性があり、そのため翻訳が可能となるばかりでなく、言語使用の基本的あり方のひとつとなるのだ。ある語をべつな語の代わりに使用するのは、特別なことではなく、われわれがいつも行っていることである。翻訳者はそれを二言語でやっているにすぎない。

語の意味を確定するという解決不可能な問題を回避する、ひところ流行った方法のひとつが、語を準言語的な知的単位、つまり意味の「特徴」の合成物として捉えようというものである。家、小屋、テントという三つの語を例にあげよう。それらはみな、何らかの種類の住居を表すのに使用できるが、それぞれ異なる種類の住居を指している。弁別的特徴分析の課題は、これら三つの意味的に関連する単語間の意味関係を説明できるような、最小の語義構成要素を見つけることにある。この三つはすべて、［＋住居］という特徴で「有標《マークト》」であるが、「家」だけがまた［＋常設］と［＋煉瓦造り］というふたつの特徴を備えている。「テント」は［－常設］と［－煉瓦造り］のように特徴づけられ、「小屋」は［＋常設］と［－煉瓦造り］で特徴づけられていると言えるだろう。もし言語内のすべての語がこのように意味の原子に分解できるなら、なんと素晴らしいことだろう。そうすれば語の意味は、それを有標化する示差的特徴の目録によって余すところなく明記できるだろう。もし言語内の全単語の意味の違いを、一群の有限な意味特徴の配分によって説明が可能だと示すことができるなら、さらに先に進むことができるだろう。知の偉大なレゴランド〔レゴのテーマパーク〕が建築可能となるのだ。このレゴランドでは、それ以上還元不可能な、二項〔＋と－のこと〕からなる意味の基本構成要素《ビルディング・ブロック》を用いてすべての可能な意味が構築できるのである。

　このような基本的な意味特徴のみを用いて、（言語全体はもちろん）何らかの語彙領域を調査するのは、魅力的な企てに思えるが、しかし根本的な問題に直面する。どのような基準を用いて、基本的な意味特徴自体の目録を確定すればいいのか？　常識に従えば、疑いなく±［有生］と±［雌］は、女性という語に関連する示差的特徴のうちに入り、±［クロムめっき］はそうでない。しかし常識は、言語の迷路を通り抜ける道を見つける人間の能力ばかりでなく、非言語の世界における人間の経験全体にも訴えかけるのだ。弁別的特徴分析が克服し、取って代わろうとしているのが、まさにその種の曖昧模糊とした非公式な知識なのである。二項対立分解法は、ある種の言語記述とか、（はるかに複雑な形で）コンピュータが行うことのできる「自然言語処理」とかでは、有用なツールであるにもかかわらず、語の意味は、どんな原子をもつかを識別するだけではけっして十分に明らかにすることはできない。人は語を使って何かそれとはべつの意味を伝えることにあまりにも熟達しているのである。

　弁別的特徴分析のような数学もどきの「意味」の計算は、さらに基本的な問題でさえ同じように解決できない。それは、意味が明示されることになるはずのまさにその単位をどのように特定するのかという問題である。ある単語の意味を尋ねることは（翻訳者はこの語やあの語の意味は何かと尋ねられることが多い）、自分がどの単語について尋ねているのか知っているということであり、ひいては語とは何かを知っているということにほかならない。なるほど、「語」という語は、われわれが言語を話題とするとき用いる知の道具一式箱のなかの便利で有用なお馴染みのツールである。ところが、これはどういうものかを明らかにするのがひじょうに難しい語なのだ。

　コンピュータは語数を数えるので、答えを知っているはずだ。ところが、これがぜんぜん頼りにはならない。コンピュータが語について知っていることは、そのように教えられたことであって、それによれば結局、語とはスペース、あるいは印刷記号/?!:;.のどれかで区切られたアルファベットの文字列なのである。(5)コンピュータは、こちらがさせたい作業を行うために、各語の意味を知っている必要はないのである。しかし、われわれは知っているのだ！

もし実際には知らなった場合、辞書を引いたり、知人に尋ねたり、ほかの人の話し方を聞いたりして調べる。それでも、多くの種類の問題が残る。

英語のような言語では、単語を特定することは、科学よりも芸術に近い。出版社は社独自の書式《スタイルシート》要項を用意しており、それには夫婦たちは 'break-ups' か、'break ups' か、それとも 'breakups'〔いずれも「破局」の意〕を迎えるのかを規定する諸規則も記されている。しかし、一般の人はまた、'to break up'（別れる）は一語なのか、二語なのか、それとも三語として数えるのかを知りたいところである。ところが、これが実のところだれにもわからないのだ。[6]

前置詞を伴う英語の動詞は、語とは何であるかを確定したいと思う言語の専門家にとって、永遠の悩みの種となっている。前置詞付き動詞は、三つあるいは四つの部分からなるまとまりとして生起する。時にはともに現れ――'Did you remember *to take out* the bins?'（「忘れないでゴミ箱出しておいた？」）――時には、離れて現れることもある――'I promised *to take* my daughter *out* to see a film'（「映画を観に娘を連れ出す約束をしたの」）。これはどういうことなのか？ 'To take out'（連れ出す、搬出する）は一語――または三語――なのか、それとも同じように見えるふたつの異なる語――'to take out' と 'to take ...out'――（または六語）なのか？ アルファベット順の辞書の編集者たちは、実際的な解決策を採用しているが、同じものではなく、根本的な問題――これはどこまでが語なのか？――を未解決のままにしている。第二言語としての英語を教える教師たちは、前置詞付き動詞はいくつの語でできているのかという質問への最善の答えを知っている。つまり、こうだ――もしちゃんと言葉を使えるようになりたかったら、そういうことは訊かないほうがよろしい。

変動しやすい用語の迷路のような複雑さと、完璧に正常な英語表現のなかで語の単位とは何かを確定しようという難題に対する専門家同士の対立する解決策を考えると、英語のような言語のふつうの使用者が言葉の意味を理解するには、語とは何か――あるいはそれは何という語なのか――を知っている必要がないことは、かなり明白であるように思える。語という言語単位は、役に立つことも多い概念だが、意味が明確なものではないのである。

他言語では、単語の単語らしさはいろいろな形で弱められている。ドイツ語では、語が結合されて新語がつくられる。'*Lastkraftwagenfahrer*'（トラック運転手）は、通常の用法ではもちろん一語であるが、たぶんふたつの語が隣り合わせに書かれていると見ることもできるし（‘*Lastkraftwagen* + *Fahrer*’〔トラック＋運転手〕）、あるいは三語が結合していると見ることもできるし（‘*Last* + *Kraftwagen* + *Fahrer*’〔貨物運送＋自動車＋運転手〕）、あるいは四語と見ることもできる（‘*Last* + *Kraft* + *Wagen* + *Fahrer*’〔貨物運送＋動力＋乗り物＋運転手〕）。ハンガリー語もまた、これとは違うが、同様にエレガントなやり方で、われわれが多くの別個の語だと考えるものを併合させる。たとえば、コンピュータなら三語と数えるはずの‘*Annáékkal voltunk moziban*’という表現は、英語に直すと次の十語ほどになる。‘We were ［*voltunk*］ at the cinema ［*moziban*］ with Anna and her folk’「わたしたちはいた［*voltunk*］、映画館に［*moziban*］、アナと彼女の人びとともに。」）（「人びと」は区別なく友人または親族または取り巻き連を表す）。‘Anna’は控え目な接尾辞‘*-ék*’をつけただけで、アナとそのグループという意味になり、それに「くっつけられ」、膠着した接辞‘*-kal*’は、話し手の相手もそのグループのひとりであったことを示している。実はわたしは、二〇〇三年にロンドンで行われた下の娘の結婚式のとき、彼女のハンガリー人の祖父母の代理として、（下準備をしてから）‘*édeslányaméknak*’と乾杯の発声を行ったことがある。こうして、一語で「愛する娘の夫、その親族、友人の皆様に」と音頭を取って乾杯することができたのである。

古典ギリシャ語には「語」を意味する固有の語がない。その上、初期の写本や記念碑でギリシャ語は、単語と単語のあいだにスペースを設けず書かれている。だからといって、ギリシャの思想家たちが、発話より小さい言語単位の概念をもたなかったとはかぎらない。ギリシャ文字ができる以前の古代の表記記号であった線形文字B〔クレタ島およびギリシャ本土で使用〕とキプロス島語〔ギリシャ語の方言〕文字で書かれたギリシャ語には、単語の区切りがあったという証拠があるし、またほかのさまざまな形で「基本単位」という概念は、それと認識される単位としての「単語」をもたないと推定される言語にすら現れているように思われるのだ。[7] ハンガリー人でさえ、「語」には他の語よりも基本的なものがあり、膠着によってほとんど無限に長く合成することができるその形態の下に、意味の基本的な構成要素をなす重要部があることを認識している。‘*Gyerek*’はハンガリー語で「子ども」を意味し、実際の表現ではまずけっしてこの形で生起することはないかもしれないが、それにもかかわらず、英語の語幹－語‘child’（子ども）に相当する「語根」あるいは「語幹」なのである。言語を構成する意味単位という操作概念なくして、どうやって辞書を編纂するのか想像するのも難しい。そして辞書なくして、いったいどうやって異言語を翻訳できるのか、いわんや異言語を学習すればいいのか？

9　辞書を理解する

翻訳者はしじゅう辞書を使用する。わたしは辞書をかなり所持しており、いちばん目立つところに『オックスフォード英語辞典』二巻と『ロジェ類語辞典』を置き、そのそばにフランス語の単言語辞書〔国語辞典など。ここでは仏仏辞典のこと〕や二言語辞書〔仏英辞典など〕や絵入り辞書、ロシア語ことわざ辞典、法律用語集、その他多くを並べている。これらの本はわたしの忠実な友であり、わたしに実に興味深い多くのことを教えてくれる。しかし、わたしが辞書にしょっちゅう助けを求め、そして実際に助けられているからといって、辞書がなければば翻訳は不可能だというわけではない。実のところ、話は逆なのだ。翻訳がなければ、おそらく西洋の辞書は存在していないのである。

最初期の古文書のなかには、重要物を表す語を収めた二言語対照の語彙集が見出される。これらの二言語語彙集は書記が作成しており、二言語間の翻訳の一貫性を維持し、見習いに翻訳技術を早く習得させるためのものだった。この二点は、今日使用されている二言語や多言語の用語辞典でなおも主要な目的でありつづけている。フランスの香水メーカーは、自社の商取引用に関する専有用語データベースを整備し、翻訳者が輸出市場向けの広告資料を作成するのに役立てている。これは旋盤メーカー、医療関連会社、国際商法に関わる業務に携わる法律事務所も同様である。これらの用語データベースは翻訳者を大いに助けてくれるが、しかし、これが翻訳そのものの端緒となっているわけではない。翻訳の実践の確立が先で、それらのツールはその成果であり、翻訳者のスキルを生み出す元となったものではない。

シュメール語〔古代バビロニア南部に住む民族シュメール人によって用いられていた言語〕の二言語辞書は、いくつもの部屋にいっぱいの粘土板から成る。語彙はカテゴリー別――職業、親族関係、法律、木工品、革製品、陶器、革、銅、その他の金属、家畜と野生動物、身体部分、石、植物、鳥や魚、織物、地名、食物と飲料――に分類され、各語がシュメール人を征服したアッカド人〔古代バビロニア北部の民族〕の、系統が異なる言語の対応する語とともに記されていた。[1] それらは領域別に編成されているので、まさに今日の「特殊目的」の辞書、つまり専門用語辞書――『商業フランス語辞典』『石油・ガス産業ロシア語辞典』『ドイツ法用語辞典』等々――に相当する。それらの一部は多言語対照であり、シュメール語の語とそれに対応する他言語の語が記されていた。他言語とはすなわち、つねに平和的ではなかったとしても、アッカド人が商業的な接触をもっていた文明の地の諸言語、アモリ語、フルリ語、エラム語、ウガリット語そのほか〔いずれも中東の古代民族の言語〕である。[2] 古代メソポタミアから西ヨーロッパの中世後期まで、第二言語の訳語が併記された語彙集は、一貫して同一の目的――翻訳の作業を統制し、次世代の翻訳者を育成すること――にかなうものだった。特徴的なことに、それらは征服者の言語と、文化語として残された被征服者の言語のあいだ〔たとえばアッカド語とシュメール語〕の仲立ちをする。同じ言語で単語に定義を与える汎用語彙集は、西洋では印刷本の発明までのどの時点でも登場しなかった。西洋の単言語辞書――「多目的」

の辞書、つまり汎用辞書——は、翻訳者必携の二言語語彙集という古代の伝統の遅咲きの副産物であるが、言語についてのわれわれの考え方への影響は計り知れない。最初の文字通りの汎用辞書は、十七世紀にアカデミーフランセーズによって発行され（第一巻、AからLまで、一六九四年）、はじめてAからZまで完成したのは、サミュエル・ジョンソン〔一七〇九—八四。英国の詩人、批評家〕の『英語辞典』で、一七五五年に出た。

　これらの記念碑的著作は、フランス語と英語が特殊な近代的な意味での言語として発明されたことを示している。いったんこれらの辞典が刊行されると、ほかのすべての言語も自らの汎用辞書をもたなければならなくなった——これがなければ、本物の言語ではないのだ。競争心だけで、あらゆる国が国民的事業として「国語」辞典をつくろうとする大レースに参加したわけではない。一言語内のすべての語にその言語で説明をほどこした目録を編纂しようという要求はまた、言語とはどのようなものかについての新しい考え方を示しており、これは英語やフランス語で起きたことから直接得られた考え方なのである。

　中国の伝統は、これとはまったく異なる。[3] その語彙集の豊かな歴史は、基本的に古代のテクストの注釈作成という伝統と結びついており、外国語を翻訳するという仕事とはまったく関係がない。伝統的な中国文明では、ギリシャ人と同様、翻訳にはほとんど関心をもっていなかったようである。初期の中国語辞書は、意味領域別に編成されており、定義はおおよそ次のように規定されていた。「だれかがわたしを叔父とよぶなら、わたしはその人を甥と呼ぶ」（『爾雅』より、前三世紀）。探している語を『爾雅』で見つけるのは容易ではなく、規定されている定義の多くはあまりにも漠然としており、今日辞書に求められているような形で役に立つものではない。これは、当時よりもっと古いテクストについて知識を深め、話し言葉と書き言葉の洗練を維持するための参考書であった。第二のタイプの古典中国語の語彙集は西暦一世紀に登場し、基本的な字形、つまり「部首」別に編成された文字を列挙していた。これらには単語の発音の仕方について情報はまったくなく、目的は主として、古代のテクストの解釈を助けることにあった。第三のタイプの語彙目録は同韻語辞書であり——韻を踏む能力が帝国の官吏登用試験〔科挙〕で試されるので、どの語がどの語と韻を踏むのかを知る必要がある人たちのためのハンドブックだった。十七世紀になってはじめて、学者の梅膺祚が漢字を簡単に見つけられるように分類する方法を考案したが、これはイエズス会の宣教師たちが最初の西洋式中国語二言語辞典（ラテン語、次にポルトガル語、スペイン語、フランス語）の刊行をはじめる数年前のことだった。伝統的な中国語辞書、語彙集、用語集は、西洋の辞書が目指すような、「自言語内のすべての語」を収録しようという方向にはいかず、文字をリストアップし、意味領域別、字形別、発音別に系統立てて編纂している。これらと西洋の辞典との根本的な違いを見れば、もしかするとわれわれの辞書づくりが、またどれほどヨーロッパの文字の特質から生まれた「地方主義的な」伝統であるかということが、いっそう明確に認識できるかもしれない。

何のために辞書はあるのだろうか？　二言語辞書が役に立つのは明らかだ。しかし、単言語辞書の目的は何か？　汎用辞書は、そこで対象となっている言語の話者が、その言語をあまりよく知らないということを示唆しているように思える。最初の実例をあげると、まるで英語がこの言語の話者たち本人にとってある程度まで異言語であるかのようなのだ。そうでなかったら、なぜ彼らは、自分たちの言語の語をその言語自身に翻訳する辞書が必要だというのか？　『アカデミーフランセーズ辞典』のようにすべてを包含しようとする壮大な辞書を着想すれば、それに伴って、話し言葉を文字に転写したものを外国人ではなくその言語のネイティヴ・スピーカーが学習し習得できるものと見なすことが必要になる。これは奇妙な考え方である。そもそも、単言語辞書が成文化するのは、まさにその辞書の使用者のもつ話す能力に備わる知識だからだ。

汎用辞書が前提とする第二の点は、一言語内のすべての語形の目録づくりは可能ということである。われわれは汎用辞書にすっかり慣れているので、それがまったくなんと途方もない考えであるかということを理解するのに若干時間がかかる。辞書というものはつねにちょっと時代に遅れており、そのなかで最良のものでもわれわれがそこにあると期待する項目がつねにないことは容認していいかもしれない――しかし、われわれはそのような考えをさらに一歩進めるべきである。「一言語内のすべての語」を収録しようとすることは、流れる川のすべての水滴を捕えようとするのと同じ程度に無益なことなのだ。たとえなんとかできたとしても、それはもう流れる川ではない。水槽だろう。

かつて話し言葉としてのラテン語が消滅したとき、ラテン語の写本で使われた語形をすべて収録することが可能となった。このようなことは、ローマの学者たちがホメロスのギリシャ語の語彙集を作成し、仏教の僧侶たちがサンスクリット語聖典テクストにある語をすべて目録化したように、何度も何度も起きている。(4) 近代の単言語辞典では、フランス語、または英語、またはドイツ語を、あたかもラテン語のように扱っており――それが重要な点だった。そのようにして、それら地域語が学者の言語のレベルまで高められたのだ。そのようにして、英語を話すのはラテン語を使用するのと負けず劣らず教養が必要であり、またその教養を示すものだということが証明されたのだった。単言語辞書とはそもそも、一般市民の向上と主張のための、二股の武器だったのである。

「向上」と「主張」は、手をつないで協力しているように見えるかもしれないが、握り合った両者の手は、実際は腕相撲の試合をしている。最初の地域語のアルファベット順語彙集の類いは、従来の言語教育用具を発展させたものであった。一五四四年に初版の出たロベール・エティエンヌ〔一五〇三―五九。フランスの印刷・出版業者〕の『文字順によるフランス語単語、およびラテン語作文・翻訳の誤り』は、フランス語話者の子どもたちが彼らの文化語であるラテン語の初歩を学ぶための手引書だが、付随的に自国語の正しい書き方にも役立つ教本となっていた。(十六世紀のフランス語のスペルはひじょうに変動しやすいものだった。エティエンヌは印刷業者だったので、書き言葉の標準化には無関心でいられなかったのだ。) 次の世紀のあいだ、英語とフランス語の両方が互いに、また古典語から多くの語を取り入れたので、専門的、哲学的な外来語のアルファベット順目録が、かなり人気を得るようになった。一六〇四年、コベントリー〔イングランド中部の工業都市〕の学校教師ロバート・コードリは著作を出版したが、次に引用するその長々しいタイトルがそれ以降の辞書づくりの社会的、文化的な根拠を説明している。『淑女、貴婦人、あるいはそのほか知識不足の方の便宜と援助のために収録した難しい通常英単語のアルファベット順目録、平易な英語の説明付き。本書の使用により、読者は聖書、説教、そのほかで聞いたり読んだりした多くの英語の難語をより良くより簡単に理解し、また自ら同様な難語を使用することが可能とされる。』

このように低学歴層の読み書き能力向上を目指す社会的に有用な辞書づくりから、すべての語を収録した辞書づくりへのステップは、自然に見えるかもしれない。それは識字率の上昇、書籍市場の成長、ますます専門化した語彙集をつくろうとする執念、言葉に関する知識すべてを一カ所にまとめたいという願望によって説明できると思えるかもしれない。しかし、それは現在の視点で過去を振り返ることから生じる錯覚であろう。知的態度として、どんなに広範にわたったとしても、教育水準の低い人たちの一助となるよう「難しい」専門語や外来語の意味を規定する仕事と、所与の言語の話者によって発されるすべての言葉を収録し、目録化する試みとのあいだには、大きな隔たりがある。その隔たりを跳びこえるには、自分の話す言語を有限の存在物として考えるようにならなければならない。「英語」を社会的慣行としてではなく、もの自体として概念化しなければならない。だからこそ、英語辞典の歴史は、今日われわれが理解している意味での「言語」の発明の歴史なのである。

　辞書のみが自然言語の事物化の原因ではないが、辞書類は言語をもつとはどういうことかについての近代特有の見方が明確な形をとったものだ。印刷本の普及もまた、近代の言語研究を支配し、翻訳というものに関する理解に深い影響を与えることになる考え方を生んだ状況やテクノロジーの集中化の主要な要因である。

　サミュエル・ジョンソンの『英語辞典』からウェブスターの『アメリカ英語辞典』まで、『ブロックハウス百科事典』〔ドイツ語〕から『ロベール大辞典』〔フランス語〕までの汎用辞書は、言語の部分をなす単語を収録する。そうすることによって、それらの辞書は同時に、われわれの話す言語は語の目録であるとわれわれに語りかけているのだ。旧約聖書を起源とする、言語とは何かについての言語命名論《ノウメンクラチュラリズム》的理解は、近代のタイポグラフィー的なものの捉え方の出現によって、大いにかつ決定的に後押しされたのである。

　制限分野内の語ではなく、一言語全体の語を対象とする辞書では、どういう語が収録される資格があるのだろうか？　それはまあ、人が使用する言葉だろう。人が口にする単語ぜんぶだろうか？　可能な範囲で、とこの問いに答えることとすら、汎用辞書は向上・改善の道具であるという歴史的な主張を放棄することになる。そこが腕相撲たるゆえんである。コードリの称賛すべき計画のように単語の意味やその最良の使い方を記載する企てと、人が実際に使っている語をすべて集め、各語に人が与えている多様な意味も加えて目録化するという広範にわたる事業は、まったく相容れない。だから、単言語辞典が使い物にならないほど大きくなりすぎたのである。この問題への解決策は、ペレックの小説に登場するある人物の職業を通して鮮明に提示されている。

　シノックはある奇妙な仕事に携わっていた。自ら言うようにかれは「言葉の殺し屋」だったのであり、ラルースの辞書類の改訂増補に努めていたのだ。だが、他の執筆者が新しい語と意味を探究していたのに反して、かれはそれらに場所を空けるために、廃れてしまったあらゆる語と意味を除去するのを務めとしていたのだ。（……）引退したとき、かれは数百、数千の道具、技術、習慣、信仰、俗諺、料理、遊び、あだ名、度量衡を消失せしめていた。（……）数百種の乳牛、鳥類、昆虫や蛇、やや特種な魚類、多様な貝類、まったく同種ではないいくつかの植物、特種なタイプの野菜や果物を無名に帰していた。地理学者、宣教師、昆虫学者、教父、文人、将軍、神々や悪魔たちの一団を歴史の闇のなかに葬り去ってしまっていた[5]。

　いかなる言語の汎用辞書も、とりわけアルファベット文字を使用している汎用辞書は、潜在的にはつねに無限に大きくなりうる。なぜなら、どんな言語であれ時間的にも空間的にも固定された境界線をもちえないからであり、また社会的慣行を有限の数の構成部分へと究極的かつ決定的に分割することもできないからである。特定言語を広範に調査検討するプロジェクトを進めていたとき、ピーター・マーク・ロジェ（一七七九―一八六九。英国の医師）は、このディレンマを回避するため、恣意的なアルファベット順ではなく、世界の自然な秩序を構成原理として用いた『類語辞典《シソーラス》』（*'Thesaurus'*、ギリシャ語で「宝庫」のこと）の方法を編み出した。彼は「実在のもの」を六つの一般的部門に分けたが、それらは物質的な事物ではなく、〈抽象的関係〉〈空間〉〈物質〉〈知的能力〉〈自発的力〉〈感覚と道徳の力〉という概念である。彼はこれらをカテゴリーに分け、次に各カテゴリーを概念のもっと小さなグループに分類し、この時点ではじめて、概念を伝えるために使用される可能性のある単語や表現をすべて列挙している。たとえば〈感覚と道徳の力〉には、「個人的感情」というカテゴリーが含まれており、そのなかのグループのひとつは「特徴的感情」で構成され、そのなかに「立腹」というサブグループがある。そこには「怒り」「憤り」「憤怒」「人の癇にさわる」「いらいらさせる」「人を怒らせる」など多数の単語や成句――すべて立腹の何らかの特性や種類を表す類義語句の長い目録――が収められている。『ロジェ類語辞典』は驚くべき著作である。その構造は、主題カテゴリー別に分類された粘土板のシュメール語の宝庫にいわば立ち返ったものだが、「ポリエステル」「クランクセット」「レチタティーボ」のような語はまずほとんど含まれていないので、言語をものの名称目録として見たい人たちには何の支持も与えない。それどころか、この辞典はわれわれのもつ語彙全体の度外れた冗長性を壮観なまでに誇示しており、多数の語が、ほとんど同じものに微妙にニュアンスの違う意味を付加しているだけなのだ（怒り、憤り、憤怒）。ロジェは、言語がしばしば恣意的である細かな区別——微細な差の識別や弁別を行い、同じことをさまざまに異なったふうに表現する、内容豊富で、非論理的で、込み入ったツールであることを示しているのである。

　彼の類語辞典は、翻訳者向けの参考資料として考案されたものではない。しかし、ふたつのまったく異なるが、同じように重要な点で翻訳に役立っている。ひとつ目は、きわめて実用的なことである。ロジェの準同義語や同語源語の目録は、作家が——これに目を通している時点で、作家もある意味で翻訳者である——最初に心に浮かんだ語よりももっと正確なニュアンスを表す語を特定する助けとなるのだ。一方ふたつ目は、類語辞典というものが、言語を知るということは、同じことを異なる語で言えるようになることだ、と全ページで主張している点にある。これこそ、まさに翻訳者がやろうとしていることなのだ。ロジェの素晴らしい『類語辞典』に親しみながら、翻訳者たちは、二言語間はもちろん一言語においても、すべての単語はほかの単語の翻訳であることに気づかされるのである。

10 直訳の神話

二言語辞書を手にして翻訳をはじめ、『ロジェ類語辞典』に助けられて訳文をうまく仕上げる。そうすれば翻訳者は、ページ上に並ぶ言葉が本当には何を意味するのかを読者にわかってもらうのはあまりに難しいと思い知らされることになるはずがない。ところが実際には、一篇の文章作品の意味の上に黒いヴェールのように覆いかぶさってくるのは、ページ上の言葉なのだ。単語が一語一語訳されると、テクストの力と意味が見えなくなってしまうのである。だから逐語訳は、まずぜったいに良訳とはならない。これは新しい発見ではない。直訳に反対する議論の歴史は、ほとんど文章翻訳そのものと同じくらいに古い[1]。

何年にもわたって翻訳の歴史に没頭したあげく、ジョージ・スタイナーはその歴史の大部分が、この同じ論点について繰り返し行われてきた議論に費やされていることに気づいた。「およそ二千年以上にわたって、議論と教えがなされ、翻訳の本質をめぐって意見や異議が表明されたが、それらはほとんど同じものであった」と、彼は失望を隠さずに述べている[2]。

たとえば、ドン・キホーテの枕頭の書である『アマディス・デ・ガウラ』〔一五〇八年刊の騎士道物語〕のフランス語訳が出版されたとき、翻訳者は後援者に対して、スペイン語の一語一語の意味に拘泥しなかった理由をふたつあげている。

> 信じていただきたいのですが、わたしがこのような翻訳をしたのは、今日の慣習や規範に照らして、多くのことが宮廷社会の人にとって不適切であると思われたからであり、また翻訳者の平素の几帳面さを捨てたほうがよろしかろうという友人たちの助言も取り入れたからです。というのも、まさしくこの本は、そのような細かいことへのこだわりが必要となる題材は扱って

いないからです。[3]

「自由」訳を正当化する、このよく似たふたつの理由——直訳は想定される読者層に適切でないこと、また原書にもふさわしくないこと——は、十六世紀にはよく見られるテーマであったし、それ以前からすでに何世紀にもわたってそうだった。実を言うと、翻訳を論ずる人のなかで、直訳や逐語的なスタイルを擁護する者はほとんどいない。広範な西洋の伝統下にある翻訳者たちは、まさに直訳はしないのだ。しかし、もし直訳はそれほど受け入れられた翻訳法でないとすれば、なぜあれほど多くの翻訳者たちが、直訳を——しかも、しばしばひどく激しい口調で——否定しなければならないと感じるのだろうか？　たとえば、メキシコの詩人・文学者のオクタビオ・パスは、比較的最近次のような標準的見解を述べている。

No digo que la traducción literal sea imposibile, sino que no es una traducción

わたしは、直訳は不可能だと言っているのではない、ただそれは翻訳ではないと言っているだけだ。[4]

このような見解は、どれくらい過去に遡ることができるだろうか？　キケロ（前一〇六—前四三年）やホラティウス（前六五—前八年）の著作には、この問題への言及がある。しかし、聖書をラテン語に翻訳し、その後、翻訳者の守護聖人となった聖ヒエロニムスによって記された長い一文こそ、「直訳」と「意訳」のあいだの、後者が一方的に優勢な論争を、初めて完全に定式化したものと見なすことができる。西暦三四六年、訳業も終わりに近づいたとき、ヒエロニムスは友人パンマキウスに手紙を書き、それまで自分が仕上げた翻訳に対してなされた批判に反論した。彼は自分がどのように作業に取りかかったかについて次のように述べている。

Ego enim non solum fateor, sed libera voce profiteor me in interpretatione Graecorum absque scripturis sanctis ubi et verborum ordo mysterium est non verbum e verbo sed sensum exprimere de sensu.

これを仮に訳してみると、次のような意味の文となるだろう。「かくしてわたしは、語順さえも'*mysterium*'である、ギリシャ語からの聖書の翻訳を除き、語に対して語ではなく、意味に対して意味を表現するのだと、認めるだけでなく、自らの自発的な声で高らかに宣言する。」

　ヒエロニムスの'*verbum e verbo*', 'the word ... from the word'（語から語）という表現は、「文字通りの」訳〔直訳や逐語訳のこと〕と同義だと考えられる。また'*sensum exprimere de sensu*', 'to express the sense from the sense'（意味から意味を表現する）は、「自由」訳という概念に相当する。ヒエロニムスは、「ギリシャ語から聖書」を翻訳する場合を除き、自分は「直訳」はしなかったと明言しているのだ。そのことは明白だと思えるが、ギリシャ語からの翻訳を例外とする表明が、直訳はしなかったという中心となる主張をかなり弱めていることに気づくと、話はちがってくる。というのも、長い生涯のあいだ、ヒエロニムスは聖書の翻訳をしつづけ、そしてその訳業の半分以上は、ギリシャ語からの翻訳だったからだ。

　またヒエロニムスは、ギリシャ語から聖書を翻訳するときだけでなく、さらに特定して'*ubi et verborum ordo mysterium est*', 「語順さえも'*mysterium*'である箇所で」は、「意味から意味」の翻訳はしないとも述べている。'*Mysterium*'という語の意味がはっきりしないので、ヒエロニムスが本当は何を言おうとしていたのかについては、最終的な意見の一致を見ていない。最善の翻訳法に関する西洋の議論の元には、神秘の語がある。これをどう訳すべきか、だれにもはっきりとはわからないのである。

　キリスト教徒によって書かれた後期ラテン語では、ほとんどの場合、'*mysterium*'は聖餐《ホーリー・サクラメント》を意味する。したがってヒエロニムスの文は、ギリシャ語の新約聖書の語順を厳密に守ることを勧めているように思われる。なぜなら、その語順は聖なるものであるからだ。ルイス・ケリーは、ヒエロニムスが次のように述べていると解釈している。

> ギリシャ語から翻訳するとき、語順さえも神の御業である聖書の翻訳を除いて、語に語をあてるのではなく、意味に意味をあてる翻訳をしたと、わたしは認めるばかりでなく、声高くして宣言するものである。[5]

　この解釈は、最初の想定とは異なり、ヒエロニムスが「意味には意味をあてる」翻訳ではなく、実際には「語には語をあてる」翻訳を擁護しているという見解を支持する。しかし、ではなぜヒエロニムスは、ギリシャ語の語順を不可侵なほど神聖と思い、自分がヘブライ語やアラム語から訳した聖書に対しては同じように思わなかったのだろうか？　聖性こそ原典の語順を尊重するいちばんの理由であったとすれば、「ギリシャ語だけ例外」というのは、あまり筋が通らない。

　しかし、そうなると、ヒエロニムスは'*mysterium*'という言葉で何かべつのことを言おうとしていたのかもしれない。すべての翻訳者にいつかは立ちはだかることになる問題、すなわち理解できない表現をどう処理するかという問題への自らのアプローチを説明したかったのかもしれない。これこそ、すべての翻訳者にとって切実な問題である。なぜなら、口頭あるいは文章でなされるすべての発話には、何らかの欠落、曖昧さ、不確かな点があるからだ。

　ふだん話したり、聞いたり、読んだりするとき、われわれはいろいろなやり方でこの意味の空白に折り合いをつける。不可解な表現は、送信エラー——発音ミス、誤植、誤記——と見なす。われわれは苦もなく、このエラーを即座に正しいと推測される形に置き換える。会話ではこれを自動的に行い、聞いたことを訂正していることに気づきすらしない。読んでいるときは、コンテクストを参照して、それに合った意味を割り出す。コンテクストを見てもわからないときは、飛ばして読むだけだ。われわれはいつも飛ばし読みしているのだ！『レ・ミゼラブル』に出てくるフランス語の単語をぜんぶ知っている人はいないが、それでもこのユゴーの小説をだれもが楽しんで読む。ところが、翻訳者には飛ばし読みする権利は与えられていない。これは重大な制約だ。たいていの言語使用の場では、このような制約はほとんど生じない。これは、ほぼ翻訳にしか見られない問題を生み出す数少ない状況のひとつなのだ。

　ヒエロニムスはさまざまな原典から翻訳を行っているが、旧約聖書で主要なテクストとしたのは、『七十人訳ギリシャ語聖書』であった。これは、現在では失われているヘブライ語の原典から当時より数世紀前にギリシャ語へと翻訳されたものである。伝説によれば、この翻訳はギリシャ語を話すエジプトのファラオ、プトレマイオス二世が紀元前二三六年、アレクサンドリアに建てられた彼の新図書館のために命じたものであったという。彼はユダヤに臣下を送り、原典を理解する博学なユダヤ人長老を集め、酒食をふるまい、「灯台の島」、ファロス島〔世界七不思議の一つの大灯台のあった、アレクサンドリア湾内の島〕に落ち着かせ、仕事に取りかからせた。この、翻訳というものの基礎をつくった作業に参加した者は七十人（一説には七十二人）おり、そのため彼らが翻訳した聖書は、セプトゥアギンタ（Septuagint）、——「七十を意味するギリシャ語から（翻訳せず）借用した語」――と呼ばれている。

七十人のユダヤ人たちは、ホメロスやソフォクレスのギリシャ語ではなく、中東に点在するヘレニズムの文化圏で広く用いられた話し言葉であるコイネー〔アッティカ方言を中心に形成された古代ギリシャ語〕で翻訳を行った。彼らはまた、コイネーを一風変わったやり方で用いた。もしかするとそれは、コイネーが彼らにとって媒介言語であり、完全に母語であるわけではなかったからかもしれない。だから七世紀後、ヒエロニムスが『七十人訳聖書』中のかなりの語や句や文に困惑させられたとしても、ほとんど驚くには当たらないだろう。七十人のユダヤ人がギリシャ語に苦労したことは、ユダヤ教の秘儀を指すヘブライ語の諸単語を処理する仕方からもはっきりうかがうことができる。たとえば、彼らはヘブライ語の'כרובים'を'Χερουβίμ'としているが、これは翻訳ではなく、異なる文字体系で元の語と発音が同じとなる語をつくっただけだ。ヒエロニムスはこのスタイルに倣い、ラテン文字を使って、ほぼ同じ発音になるように'*cherubim*'という語をつくった。英語版の聖書翻訳者たちも同じことをした。紀元前三世紀以来、あらゆる翻訳者を悩ませてきた概念に、ヘブライ語の男性名詞の複数形（-im）をあてたのである。一方、三つの文字書記法と四つの言語を経るあいだに移り変わった結果、語の発音は、'*khervim*'から'cherubim'（ケルビム）のように、聞いてもほとんどわからないぐらいに変わってしまった。

翻訳不能な語を翻訳するのではなく、発音を写し取って処理する、このタイプの方法（音写や同音翻訳、本書四〇頁参照）が、文字通りの訳という用語の主要かつ本来の意味であったと考えられる。これは、異言語の語を構成する文字の代わりに、目標言語の文字体系から対応する文字をあてて、その異言語の語を表記するものだ。しかし今日、このやり方は文字通りの訳とは呼ばれない――これは翻字《トランスリテレーション》と呼ばれる。そしておそらく、ヒエロニムスがパンマキウスへの手紙の有名な一節で心に思っていたのは、これではない。

ではヒエロニムスは、'mysterium'という語によって何を言おうとしていたのか？　カンタベリー大聖堂の司祭は、ヒエロニムスの謎の一節をべつなふうに訳している。

というのもわたし自身は、ギリシャ語から翻訳するさい（語順さえもが謎である聖書の場合を除き）、意味に対して意味をあて、語に対して語をあてるのではない、と認めるだけでなく、進んで宣言する。

もっと雑な言い方だとこの文はこうなる。「原文が――その語順さえも――わたしには完全に不可解なとき、語に対して語をあてる訳し方をするだけである。」もちろん、これは翻訳者がつねに行ってきたことだ。たいていの場合、翻訳者は意味を伝える。意味が不明瞭な箇所では――通常の読者とは異なり、飛ばすことは許されないので――翻訳者が取りうる最善の策は、原文の個々の語の訳語をそれぞれ提示することである。こう考えると、本書五七―五八頁で引用した翻訳文のスタイルも納得がいく。たぶんデリダの翻訳者は、異言語らしさが感じられる文章にしようとしたのではまったくなく、ほかにどうしようもなかっただけなのだ。

では直訳とは何か？　ある文字体系で書かれた表現をべつの文字体系を使った表現に置き換えることではない。それは翻字と呼ばれるからだ。分かち書きされた単語をひとつずつひとつの訳語で置き換えることか？　たぶんそうだ。明らかに不正確な「キャラベラス郡の名高き跳び蛙」（'The Notorious Jumping Frog of Calaveras County'）のフランス語訳を目の当たりにしたマーク・トウェインは、この自作を英語に逆翻訳することにした。フランス語訳者が乱用した自由訳の逆をいくように、トウェインは一語ずつ英語に置き換える方法を採用した。

The Frog Jumping of the County of Calaveras

It there was one time here an individual known under the name of Jim Smiley; it was in the winter of'49, possibly well at the spring of'50, I no me recollect not exactly. This which me makes to believe that it was the one or the other, it is that I shall remember that the grand flume is not achieved when he arrives at the camp for the first time, but of all sides he was the man the most fond of to bet which one have seen, betting upon all that which is presented, when he could find an adversary; and when he not of it could not, he passed to the side opposed.

キャラベラスの郡の蛙跳び

それはそこで一度だった、ここにジム・スマイリーという名で知られる人物が。それは四九年の冬だった、ひょっとしたらよく五〇年の春だったか、おれはいやおれを、正確には覚えていない。それはその一方か他方かをおれに信じさせるもの、それはおれが思いだすということだ、やつがはじめて小屋に到着したとき、大峡谷は成し遂げられていないことを、しかし、すべての側面からやつは人が見た賭けをするのがいちばん好きな男で、相手を見つけることができれば示されるものぜんぶに賭け、それのではなく、できないとき、やつは反対側に変わった(6)。

この子どもじみた悪ふざけは、フランス語、フランス語文法、フランス語の学校教育などを嘲笑している。しかし、もっと重要なのは、これが、「直訳」は不可能ではないが、翻訳ではないというオクタビオ・パスの主張の証拠となっている点だ。上の引用文は、そこにある単語をそれぞれフランス語に戻しながら、英文表現のなかにフランス語を読み取ることができてはじめて理解できる。言い換えれば、「跳び蛙」を理解するには、フランス語が理解できなければならない。ところが、どんな種類にせよ翻訳の全目的は、起点言語がわからない目標言語の読者に原典の内容にふれてもらうことにある。原文に頼らなければ意味がわからない翻訳は翻訳ではない。ついでながら、この原則をふまえれば、なぜ‘cherub’〔cherubimの単数形〕の意味が永久に憶測の域を出ないのかが理解できる。

「文字通りの」という用語には、またほかにも謎が隠されている。それはめったに見かけることのない翻訳のスタイル〔直訳のこと〕を指すだけでなく、表現の理解のされ方について述べる場合にも使われる。

語の文字通りの意味と比喩的な意味との区別は、二千年以上にわたって西洋の教育の中心にあった。表現の文字通りの意味とは、いかなる解釈行為も介在する以前の、自然で、所与の、標準的で、共有された、中立的で、平易な意味とされている。

しかし、‘It was literally raining cats and dogs last night.’（昨夜は文字通りに土砂降りだった）というとき、われわれは‘literally’（文字通りに）という副詞を比喩的な意味で用いている。記録された発話の多量の文例集成資料《コーパス》を対象とする研究によれば、「文字通りの」と「文字通りに」は、英語ではたいていの場合、比喩的に使われているという。ヨーロッパの全言語で書かれたテクストの調査からも、おそらく同じ結果が得られるだろう(7)。これは興味をそそる皮肉な結果だ。なぜなら、あるものとその反対物を意味する表現は、最初に「文字通り」と「比喩的」の区別を設けた、まさにそのギリシャの思想家たちの悩みの種だったからだ。

だが、言語はパテのように変形自在である。「文字通り」の比喩的な使用は、それを使って何を言いたいのかということ次第で、これを意味し、またその反対を意味する無数の表現の事例のひとつなのだ。

'Literal'（文字通りの）は、ラテン語で「文字」を意味する'littera'という名詞から形成された形容詞である。この意味での文字は、種々の記号からなるカテゴリーに属している表記記号だが、そのカテゴリーに属するいくつかのサブカテゴリーは、意味を伝えるために使用することができる。たとえば、発話は意味を伝えるし、文章も意味を伝える——ところが、文字は単独では何の意味ももっていない。文字とはそういうものだ——文字列をなす一要素として使われないかぎり、意味のない記号なのだ。「文字通りの意味」という表現を文字通りに受け取れば、それは言葉の矛盾、撞着語法であり、無意味である。

だれかが遠い昔、あることが本当に真実、たんに真実であるよりもっと高度に真実であることを強調するため、それは「文字通り真実」だと断言したとき、たぶんその人が言おうとしていたのは、それは「文字にして」、書き留めるに値するほど稀なことだということだったにちがいない。意味や翻訳に関して「文字通り」という語を使うとき、例外なく口頭表現よりも文章表現にそれとなく価値が置かれている。この語の使用は、書記の発明が引き起こした社会的、文化的ヒエラルキーのすさまじい変化の今日現存する言語的痕跡のひとつである。それは、紀元前三〇〇〇年と一〇〇〇年のあいだの地中海沿岸地域における読み書き能力の初期段階の影を引きずっている。当時、アルファベット文字が、それで書かれるテクストとともにはじめて出現し、以来テクストは翻訳と再翻訳を通して西洋文明を形づくり、育んできた。だからおそらく、最善の翻訳法についての議論には、いまも同じ語、同じ用語が消えずに残存しているのである。

それでも、現代ですらわれわれは、あることが文字通り真実だと主張するとき、何を言おうとしているのか、かならずしも理解しているわけではない。ましてや、翻訳を文字通りの訳と呼ぶとき、なおさらわかってはいないのである。

十九世紀末に、医学の学位をもち、立身出世の天分と仏語を自在に操る文才に恵まれたエジプト生まれのフランス人藪医者が、『アラビアンナイト』の新しい版を出版した。これは商業的、文化的に成功し、官能的オリエントに対するエリートたちの関心を呼び覚まし、マルセル・プルーストを含む当時の多くの作家に感銘を与えた。翻訳者のジョゼフ＝シャルル・マルドリュスは、アラビア語に精通しており、いくつかのアラビア語テクストをベースに古代オリエントの物語を編纂して書き直し、出来上がった作品に大胆なアラブ趣味あふれるフランス語で '*Les Mille Nuits et Une Nuit*' というタイトルをつけ、サブタイトルをできるだけ意味の明瞭な '*Traduction littérale et complète du texte arabe*' とした。すなわち、『千夜一夜物語――アラビアの書の完全な直訳』である。[8]

このサブタイトルは、この本を説明するというよりは、その重要性を主張している。この作品を「完全版」と呼ぶことで、これが以前の版より高い価値をもつということを明らかに暗示させようとしている――しかし、なぜマルドリュスには、「直訳」、つまり文字通りの訳と銘打つことが、自らの翻訳のステータスを高める効果的な方法と思えたのだろうか？

これは筆が滑ったのではない。マルドリュスは序文で、そのサブタイトルの意味を強調し、誇張しているのである。

> 誠実にして論理的な翻訳法がひとつだけ存在します。すなわち、没我的で、ほとんど調整を加えない直訳主義です。（……）それが真実のもっとも偉大な保証人となるのです。（……）読者はここに純粋かつ断固たる逐語訳を見出されるでしょう。アラビア語のテクストが文字を変えただけで、フランス語の著作となりました、それだけのことです。[9]（……）

マルドリュスは、伝統的な翻訳理論家ではないし、中東の諸言語の学者たちの主張によれば、翻訳家でもない。ソルボンヌ大学のアラビア語教授は、マルドリュスの愉快で読みやすい編纂書のなかの多くの箇所や説話には原典が存在しないことを立証した。しかし、パリの文学芸術界の名士であるマルドリュスが、そのような非難に応戦もせずに辛抱するはずがなかった。友人たちも応援に加わった。アンドレ・ジッドは、ゴドフロア－ドモンビーヌ教授の立証にもかかわらず、マルドリュスの作品は、「原典よりも本物」であると主張した。[10]翻訳者自身の反論は、このジッドの途方もない主張に基づいている。アカデミックな批評家たちは、アラビア語を中東に住んで覚えたのではなく、教室で習ったのだ。

この種の翻訳を適切に行い、アラビアの精神と気風の決定的な表象を描出するためには（……）、アラビア世界に生まれ、暮らしたことがなければならない。（……）この種の物語をその精神と字義のままにきちんと翻訳するためには、話の材料をたっぷりと頭に刻み込んだ語り部が、土地の訛り、民族特有の身振り、独特な節回しを用いて、大きな声でそれらの物語を語るのを聞いたことがなければならない。(11)

したがって彼の翻訳は、原典が基本的に口頭表現で、その「直訳」版なのである。マルドリュスのフランス語の書き言葉は、アラビア文化の話し言葉を表象する。わたしの書いた本物の『アラビアンナイト』には原典となる文書がなければならんと、アカデミックな批評家どもが主張するなら、大いにけっこう、問題はない。「いつか、ドモンビーヌ氏を喜ばせるために、わたしのフランス語訳をアラビア語に翻訳することによって、『アラビアンナイト』のアラビア語原典の要求にきっぱりと片をつけたい。」この文学的論争から際立ってくるのは、文字通りの訳とは何かという点に関する考え方が、文化によって大きく異なるということである。マルドリュスは、自分の作品は本物であり、アラビア文化の真の声を伝えていると言いたかったのだ。事の是非はともかく、自分にはこの文化に対して深い理解を有する生得の特権があると思っていたのだから。彼の論争の解決案——原典主義の批評家たちに彼らの要求する証拠を突きつけるため原典を捏造すること——は、かなりバカバカしいと思えるかもしれないが、マルドリュスの観点からすると、そうではないのである。

他方、ほかのすべての西洋の批評家が言う「文字通りの訳」は、表現が本物かどうかとか、真実かどうかとか、素朴かどうかということとは関係がない。実際のところ、それはもっぱら書かれた語の形式、とりわけアルファベット文字の語の表象に関心を寄せる訳のことである。思想を保存するための、このアルファベットという技術が、比較的まだ新しいもので、広く共有されておらず、限られた範囲の仕事や研究（法律、宗教、数学、天文学、そして時おりエリートの気晴らし）に使用されていた何世紀ものあいだ、文字で綴られるテクストが高い威信を有していたのは、理にかなうことだった。

ところが、ほぼ万人が読み書き能力をもつようになり、アルファベット文字がもっぱら日常的な仕事（包装食品のラベルづくり、下着の宣伝広告、ブログ作成、ホラー漫画、大衆小説執筆）に使用されるようになった、ここ二、三世代のあいだの世界では、あることが文字で書かれるに値するという事実は、そのことに何の付加価値も与えてくれない。「文字通り」は、もはや「魔法の言葉」ではなく、過去の遺物にすぎなくなったのだ。翻訳や意味を論じる用語は最新化する必要があり、ずっと長くつづけられてきた直訳と意訳の議論は、いまや埋葬してしかるべきである。

しかしながら、個々の単語レベルでの意味の置き換えが、不可避かつ価値あるツールとなる重要な場がひとつある。すなわち学校であり、とりわけ学校での異言語の授業である。

言語教育には種々さまざまな方法がある。オスマントルコ人は、征服した土地の子どもを狩り集め、奴隷として連れ帰り、イスタンブールで‘*dil oğlan*’（言語少年）として訓練した。近代の直接教授法〔母語を用いない異言語教育の方法〕は、もっと穏やかなものであるが、最善の異言語習得法に関して同じ理解のうえに立っている。つまり、‘*bain linguistique*’（異言語の風呂）に徹底的に浸かって、一種の脳の洗礼を受けるという方法である。

西ヨーロッパでラテン語を学習によってマスターしなければならなかった時代、この言語の風呂に浸かるという選択肢はなかった。ラテン語が母語として使用されているという環境はなかったので、教師が教室で書き物を通じて教えなければならなかった。ヨーロッパの言語教育の流儀は、ローマ人のギリシャ語教育法を引き継いだもので、異言語の作文技能を伝授する手段として、またこの技能に関する学生の達成度をはかる手段として、主に翻訳が使用されていた。学校や大学で近代ヨーロッパ諸語の教育が開始されたのは、十九世紀末近くなってからであり、教育法は、ラテン語やギリシャ語の教育における翻訳ベースの伝統から借用された。一般には、これは完全な失敗であったと考えられている。しかし、ラテン語（またはフランス語またはドイツ語）を学ぶ目的が、その言語で書かれたテクストがすらすらと読め、またおそらく文章が書け、それに伴ってラテン語またはフランス語またはドイツ語のほかの使用者たち（彼らの母語はかなり色とりどりの可能性がある）と文通できることにあるとすれば、翻訳・作文技能の獲得は実に適切な教育目標である。

語学における翻訳教授法は、もはや流行りではないが、しかしその亡霊は、翻訳とは何か、どうあるべきかをめぐる多くの誤解にいまもなお生息している。

生きた言語環境が身近になく、また言語環境を模擬的につくり出すことのできる科学技術（テレビ、ラジオ、映画、録音、ウェブ）もない時代、異言語教育は、石版や黒板、筆記帳や印刷物に書かれたものに頼らざるをえなかった。利用できるのがこれらの道具だけだとすれば、

У меня большой дом

が「わたしは大きな家をもっている」と理解されるべきことをどのように説明したらいいのか？　このロシア語を分解して、一語ずつ英語の対応する語に置き換えると、

At-me-big-house

という英語もどきの表現となることをまず説明し、これを用いて基本的な文法的特徴——たとえば、ロシア語には冠詞や不定冠詞はなく、形容詞はそれが修飾する名詞と数、性、格が一致し、この種のロシア語表現には動詞'to be'は使われず、所有は人称代名詞の前の前置詞によって表されることがあり、その人称代名詞は適切な文法上の格にしなければならない等々——を教えるのでなければ、このロシア語の表現をどう説明すべきか、明らかではない。いや実際、いまわたしが行った文法の説明は、それが文章表現のなかでどう作用しているのかを観察し、またそのなかのそれぞれの語が何を表しているのかを教えられるまでは、ほとんど無意味なのである。

これを「直訳」と呼ぶ人もいるが、異言語の仕組みを教えるため、その言語の表現を、母語を併用して一語ずつ解釈する作業には、べつの用語を当てるほうが望ましい。'Wording'（ワーディング）の価値は計り知れないほどで、外国語の直接教授法中もっとも直接的な教授法ですら、どこかの時点でワーディングを用いることなしには済まないと、わたしは思う。それどころか、ワーディング以外のメソッドで教えられた語学学習者も、自分の到達度のレベルをちょうど超えるくらいの文に取り組むときは、独力でつねにワーディングの方法を編み出しているのだ。

ワーディングによって、学習している言語の形態と語順への最初のアプローチが可能となる。それは翻訳に役立つというよりも、異言語で容認可能な表現をつくり出す助けとなる。異言語へ翻訳するには、まず原文に外国風の衣装をまとわせることができるようにならなければならない。最初に'My father has a big car'を'At father big car'へと変換する必要があることを学ぶのだ。それから、各語をロシア語に置き換えてゆけば、原文の意味を表す文が出来上がる

はずである。

ワーディングは言語でもなければ、翻訳でもない。異言語の読み書きの技能を身につける上で、ひじょうに役に立つ中間段階にすぎない。生徒が学校で行う異言語への翻訳はまた、教師にとって、学生がその言語の形態と語順を理解し、記憶したかをチェックする材料となる。それは抽象的な文法事項ではなく、実際に使用されている場での文法についてのテストなのだ。このようにして、わたしも学校で語学を学んだ。良い教師と熱心な学生がいれば、これはうまくいく。

ところが、そうでない場合が多い。さらに悪いことに、テストで失敗した元学生たちが、翻訳することに嫌悪感をもつことも多く、時には翻訳ができる人にいつまでも恨みを抱くこともある。

十九世紀の教育の拡大から今日にいたるまで、異言語の一流作品の見開き対訳本は、無数の学生の文法やボキャブラリーの理解向上に役立ち、またそれらの本のおかげで、彼らは異言語の原作をずっと速く読めるようになり、もっと完全に理解できるようになった。見開き対訳本シリーズ、とくにラテン語やギリシャ語のシリーズのなかには、ワーディングにとても近いテクニックが使用されているものもあり、それはしばしば虎の巻と呼ばれる。ほかのタイプの見開き対訳本には、訳文の流暢さが目指されているものもあるが、しかし、行と行との対応とまではいかなくとも、段落と段落を合わせるという制約があるため、文学の翻訳に通常見られるような、原文の再構成や言い換えは制限されている。イギリスの「ペンギン対訳シリーズ」やフランスのフォリオ社より現在出版されている対訳シリーズは、イタリア語、スペイン語、ロシア語などの異言語学習者に、またわたしのようにずっと昔に語学を学び、若き日に愛読した原書を再読するのに助けを借りたいと思う人たちに大いに役立つ。

ワーディング翻訳や見開き対訳本の翻訳（文はほとんどつねに原文と長さが合わされている）は、「悪い」ものではない。それは明確に到達点の定まった言語操作であり、それ固有の伝達と教育の目的にかなうものであるが、それ以外には何の役にも立たない。翻訳はただひとつしかないわけではない。最善の翻訳とは、何のための翻訳か、目的次第で異なるのだ。

しかし、ワーディングは、人が「直訳」と呼ぶものではない。'У меня большой дом' のいわゆる直訳は、'at me big house' ではなく、'I have a big house' である。つまり、何かを直訳と呼ぶとき、実際に意味されているのは、翻訳先の言語からみて適正な文法形式で意味を保持する翻訳以外のものではない。オクタビオ・パスが直訳というようなものは存在しないと言うのは正しい！　それはただの翻訳——原典の平凡で、通常の、そこらへんにある翻訳のことなのだ。「直訳」対「意訳」の長く苛立たしいスカッシュの試合で、実は前者の選手は存在していなかったのである。それは、べつの、古代の世界の亡霊にすぎない。しかし、たとえ亡霊など存在しないとわかっていても、心底ぞっとさせられることもあるのだ。

11　信頼の問題
——通訳の落す長い影

通訳者を信頼できない、もっともな理由がかつて多数あった。戦争、外交、貿易、探検は、信頼することがきわめて大事で、同時に難しい活動であり——また通訳者が仕事をする重要な分野でもある。もし敵や味方の言語を知らない場合、それを知っている人に全面的に頼ることになる——そして、依存からは敵意や不安が生まれがちなのだ。

どんな種類の翻訳でも、利用者の翻訳者への不信は大きな問題だが、その不信の果たす役割は、口頭による翻訳〔通訳〕と文章による翻訳というふたつの主要な言語作業で、かなり違うはずである。口頭による仲介——生の話し言葉を直接、その場で《イン・シトゥー》翻訳すること——は、文章よりもずっと以前から存在している。それはおそらく、数十万年とはいかなくとも、数万年前の話し言葉の誕生以来、人間の言語スキルのひとつとなっている。翻訳は言語それ自体と同じく、その歴史の九〇パーセントほどのあいだ、もっぱら口頭で話されるものだった。口頭による翻訳から受け継いだものは、いまなお翻訳についてのわれわれの考え方に影響を与えている。書き言葉の出現によって、言語使用は変容、多様化し、当然ながら、言語についての考え方や論じ方に影響を与えている。今日われわれは、あまりにも文字の存在とその使用に慣れきってしまったので、読み書きの仕方を知らない人の生活を想像するのは難しい。書き言葉というものが存在しうるとはまったくだれも知らない社会で生活し、話をすることを想像するのは、なおいっそう難しい。しかし、通訳が最初に行われたのは、このような状況下であり、その状況下で数万年行われつづけたのである。実際、文字の起源に関する考古学的証拠が示唆するところでは、アルファベットは中東の多言語の都市や帝国で姿を現したとのことであり、それらの地域では、通訳はすでにきわめて重要であった。[1]

口承文化と書き言葉をもつ文化との根本的な相違は、後者においてのみ、発話には再度の生が与えられるという点にある。「第一次口承性」〔文字誕生以前の文化〕では、言語とは発話以外の何者でもなく、発話は発話されたとたん、跡形もなく消えてしまう。[2]通訳も同様だ。訳出されたものをチェックしたり、評価したり、検証したり、信頼したりできるのは、後でそれを確認する手段がある場合のみである。

もし文字が考案されたとたん、すべてが変わったのだとしたら、口承文化は好古趣味の人にしか関心をもたれないだろう。しかし、明らかにそうではなかった。書き言葉が引き起こした精神の変化は、一挙に起こったのではない。いくつかの点で、数世代前になってようやく、書き言葉は人類の大部分に影響を与えはじめたのだ。[3]古い口承文化の残滓は何千年にもわたって存続し、今日ですらしぶとく存在している。それは翻訳に対してわれわれがもつ感情や懸念に直接的な影響を及ぼしているのである。

活字印刷文化全盛の今日の世界でも、口承性がずっと生きつづけていることは、われわれの'word'（単語）という単語の使い方を見ればわかる。それは辞書の見出し語として印刷されている、不明確で問題を含む語彙項目〔単語〕の内容をつねに意味しているとはかぎらない。実際、われわれの日常的な言語使用では、「単語」はほかのものを指していることが多い。

今夜、食器洗いをすると、わたしが‘give you my word’(わたしの単語を与える〔約束する〕)とき、わたしは辞書が規定する意味で、「単語」を与えようとしているのではない。わたしは約束をしているのであり、その約束を口にしている人物はわたしであるという事実によって、なされた約束に対するあなたの信頼に根拠を与えているのだ。

‘My word’(わたしの単語)とは、わたしがそう言っているということにすぎない。この用法では、「単語」は、発話のなかの一単位ではなく、発話行為そのものだ。同様に、わたしがある友人を‘a man of his word’(単語の人〔約束を守る人〕)と呼ぶとすれば、それは彼がある特定の語彙項目を使う人だと言いたいのではない。わたしの友人が発話行為によってやると約束したことはどれも重く受け取るべきだ、というのも、そう言ったのは彼だから、と言おうとしているのである。

フランス語では、「行為としての単語」と「単位としての単語」との区別は、前者を意味する‘parole’、後者を意味する‘mot’が広く使用され、明確になされている。ドイツ語でも、「単語」という単語の意味における根本的な分割の痕跡が、‘Wort’のふたつの異なる複数形——発話行為を表す‘Worte’と‘Wörterbuch’(辞書)の見出し語に使われる‘Wörter’——に見られる。

これら‘word’のふたつの異なる関連語のあいだには、もちろん現実的な繋がりがある。両者ともに、発話の最小で扱いやすい単位を指している。ただ、アルファベット文字の発明以来、われわれは自分の発話の真の形とは、それが書き留められたときに目に映る通りのものだと考えることにすっかり慣れてしまっている。ロイ・ハリスは言語が単語と呼ばれるものから成り立っているという幻想を‘scriptism’(文字主義)と名づけたが、それは数千年にわたって、立派にわれわれの役に立ってきた。しかし、同時によくない面もあって、そのために翻訳が行っていることを理解するのが、いっそう難しくなっているのである。

西洋の多くの言語で「単語」を意味する単語が発話行為を指すために使用されるのは、しぶとく残存する、第一次口承性の痕跡である。無文字社会の精神世界で発話がもつ重みは、主に話し手のアイデンティティから生じるものであって、口にされる「単語」の「意味」は、あまり関係なかった。皮肉の引用符《スケアクオーツ》〔書き手がその表現に距離を置きたい場合につける引用符〕付きで示される概念など、書き言葉なしにはおそらく考えられさえしないだろう。口承文化における発話の流れの不確定性および意味の人間的コンテクストへの依存は、『戦争と平和』に登場する文盲の農民哲学者、プラトン・カラターエフの描写のなかで、トルストイによって愛情と洞察力をもって強調されている。

> 　プラトンは、自分が好きな歌の歌詞をピエール〔・ベズーホフ〕に教えることができなかったのとちょうど同じように、自分が一瞬前に言ったことをけっして思い出すことができなかった（……）彼は、文脈から離れて、言葉の意味を理解し、把握することができなかった。（……）花から香気が発散されるように、彼の言葉と行為は、滑らかに、不可避的に、自然に、彼からあふれ出てきた。彼は切り離された言葉や行為の価値や意義を理解することはできなかった。(4)

この種の文化的環境で「通訳する」ためには、特別な種類の信頼が必要だ。もし発話の意味が、話者がどんな人かということと密接に結びついているとすれば、それはほかのどの話者によっても伝えることができないからである。通訳が成立するには、この基本的な法則を一時停止する必要がある。なぜなら通訳では、聞き手は通訳者の言葉を、あたかも異言語の話者が発したものであるかのように受け取らなければならないからだ。書き言葉をもたない世界での通訳は、ひとつのフィクション——ことによるとあらゆるフィクションのなかでもっとも古いもの——をつくり出し、それに基づいてなされる。翻訳＝通訳の歴史のなかで最初の大きな跳躍は、あるふたつの共同体が、通訳者の言葉はその直前に支配者が行った発話と同じ力をもっていると見なすことに合意したときであったにちがいない。

　初期の人間社会にバイリンガルがなぜ存在したかを説明するのは難しいことではない。よその共同体から花嫁を迎えたり、征服した敵を奴隷にしたりするのは、古代の慣行である。どちらも、ふたつの言語を理解する人間を容易に生み出すことになる。しかし、二言語使用《バイリンガリズム》と通訳には、大きな違いがある。通訳が存在するためには、通訳者の言葉を支配者の元の言葉と思うことに対する大きな知的、感情的障害を克服しなければならない。これらの障害は、意味の把握が完全には保証されない領域に進んで入ろうとする意志を共有することによってのみ克服することができる。この種の信頼こそ、おそらくすべての文化の基礎である。

　しかし、このような信頼は無条件で与えられるものではない。相互に理解できない言語を話すふたつの共同体のあいだで交渉や通商がなされるために、共同体の長は通訳者を信頼し、その技能に頼る。ちょうど、通訳者がひとりの主人にのみ仕え、かつ完全に従うのと同じである。このような状況では、かならず懸念や疑惑や不信が生まれることになる。

通訳者がいい加減な、あるいは人を欺く訳出をするのではないかという危惧は、現今の世界の指導者たちによってなされる秘密会談の通訳儀典に影響を及ぼしている。双方の指導者とも、自らの通訳者を伴って出席する。イギリスの首相がフランス大統領と内々で膝を突き合わせて話し合うとき、英国政府によって雇用されている人が首相の言葉をフランス語に訳出し、同様にフランス側の通訳がフランス大統領の言葉を英語で伝えるのである。ふたりが交互に行う、このような母語から異言語への発話の一方通行的通訳は、公の場ではけっして見られない[5]。こうした取り決めは、通訳に対する信頼の問題に直接通じている。通訳者はもはや奴隷ではないが、国家はいまなお、相手国に雇用されている通訳者よりも、国家機密保護法に署名同意した被雇用者に対して大きな償還請求権を保持し、それで彼らを縛りつけているのである。

通訳を二重に用いる、このコストのかさむやり方は珍しいが、それは高くつくからというだけではない。国家元首同士の秘密会談は別にして、政治家、外交官、公人のほとんどすべての発言は、紙面上で生まれ、紙面上でその生を終えるからだ。たとえば、国連総会や安全保障理事会の代表は、用意したテクストを読み上げ、多くの場合、それを英語、フランス語、スペイン語、ロシア語、中国語、アラビア語に同時通訳する人たちは、そのスピーチの言語テクストを目の前に置いている。スピーチの六つの言語ヴァージョンはすべてテープに記録され、それらの録音は、国連の文書部が演説の公式な記録文書である'Verbatim'(逐語記録)を作成する際に使用される。これによって訳の間違いを見つけ、訂正することができるが、もっと重要なことは、代表団が実際に述べたことを訂正できるという点だ。国連議事録の公式かつ最終的な宝庫「逐語記録」は、実際にはまったく逐語記録ではない――それは、信用のおけない口頭表現という暫定的な期間を経て文書化されたテクストをさらに書き直したものである。国事や外交の広大な分野で、いまやスピーチは二次的なメディアであり、文書の副産物となっている。しかし、これはきわめて最近の情勢だ。言語や通訳についてのわれわれの考えや感情、さらに話すことについてわれわれが論じる多くのことには、もっとずっと古い起源があるのである。

十五世紀から二十世紀の初頭にかけて、オスマン帝国は、つねに安定した統治がなされているとはかぎらない状況のなかで、多くの異なる言語を話す、ほとんどが文盲の住民を抱えていた。その五世紀のあいだずっと、この巨大で複雑な帝国の行政は、オスマントルコ語によって行われていた。これは、トルコ語、ペルシャ語、アラビア語の語彙をトルコ語の文法で結合し、ペルシャ語の統語法もいくらか付け加えた、ある程度人工的なハイブリッド言語であった。改造アラビア文字で表記されるが、それはこの言語にとくにぴったりと合っていたわけではない。オスマントルコ語は、イスタンブールの宮廷で公式言語であったが、帝国の高官や官吏たちの社会以外では、あまり使われることはなかった。もちろんその表記形式は、帝国の迷宮のような文書館に保存される資料の作成に用いられていた。いくつかの報告によると、そこには世人の夢の記録まで保管されていたという[6]。しかし、オスマン帝国の社会のひとつの特徴は、偽造に対する病的なほどの猜疑心であり、結果として文章が国家のあらゆる目的のために使われるとはかぎらなかった。根強く残る口承性の痕跡——非人格的な書記技術よりも、人格的な発話を信頼すること——が、公務の管理の仕方、とくに通訳の用い方に影響を及ぼしていたのである。

オスマン帝国の社会では、ギリシャ人やローマ人の社会と同様に、臣民のかなりの割合を奴隷が占めていた。通訳者は、帝国による庇護への義務的な返礼として属領からイスタンブールに送られてくる少年たちのなかから採用された。強制的にバイリンガルにされた彼らのほとんどは、帝国内の業務に当たったった。というのも、国内の地域語のひとつを話し、かつオスマントルコ語の教育も受けたからである。貿易、戦争、外交で帝国の外部との意思疎通のために必要となる翻訳=通訳は、ほとんどの場合、ほかの手段でまかなわれた。

オスマントルコ人はイスラム教徒であり、したがって帝国の南と東の国境に接する国の民族の多くとはアラビア語でコミュニケーションをとることができた。アラビア語は広域で母語あるいは媒介言語として使われていたからだ。しかし、西ヨーロッパとの接触はそう簡単ではなかった。帝国領のどの地域でも、西ヨーロッパの言語は教えられていなかったのだ。したがってはじめのうち、西欧との関係を処理できる高官の養成は、オスマン帝国の手に落ちた多くの地中海沿岸地域と長年にわたって関係を保っていたヴェネツィア共和国に委託されていたのである。

　十五世紀後半から、ヴェネツィアは全権大使を二年の任期でイスタンブールに派遣し、一種の通訳者養成所である*'bailo'*（バイロ）を運営した。バイロは、ヴェネツィアとオスマン帝国の領土から「言語少年」――*'giovanni di lingua'*、トルコ語の*'dil oglan'*の訳語――と呼ばれる若い見習い生を募り、トルコ人と会話可能な、イタリア語を話す忠実なヴェネツィア臣民に育て上げた。多くの新入りは、イスタンブールのペラ、ギリシャ語ではファナリと呼ばれる地区に移住していたギリシャ語を話すギリシャ正教徒居住区の出身であった。これらファナリオット〔オスマン帝国下のギリシャ人官僚〕は、ついにはオスマントルコ社会の階層化された世界のなかで世襲の「通訳カースト」を形成した。十七世紀初頭までには、オスマン帝国の最高レベルの翻訳＝通訳業務全般は、密接に結びついたいくつかのファナリオットの名家の手に委ねられていた。彼らの地位は、多くがまた相続によってヴェネツィアの市民権をもっていたという事実によっても守られていた。しかし、彼らはギリシャ語から、またはギリシャ語への業務はあまり行わなかった。オスマントルコ語をイタリア語に、時にはアラビア語にも通訳する訓練を受けていたのだ。彼らは高給取りの高官となった。イスタンブールを拠点とし、息子たちをイタリアの大学に送り、そして家業を継がせるために呼び戻したのだった。(7)

　外交、諜報活動、行政上の陰謀はすべて、*'tercüman'*と呼ばれる、これらオスマン帝国の通訳者たちの仕事の一部であった。このトルコ語の単語は、*'dragoman'*となって英語にも入ってきたが、わずかに変更された形で、トルコ人と接触のあった多くの言語にも見られる。アゼルバイジャン語の*'tarcümaçi'*、アムハラ語〔エチオピアの公用語〕の*'ästärg^wami'*、ダリー語〔アフガニスタンで使用されるペルシャ語〕の*'tarjomân'*、ペルシャ語の*'motarjem'*、ウズベク語の*'tarzhimon'* (таржимон)、アラビア語の*'mutarjim'*、アラビア語モロッコ方言の*'terzman'*、ヘブライ語の*'metargem* (מתרגם)'は、すべて*'tercüman'*の音写である。しかし、*'dragoman'*あるいは*'tercüman'*のどちらで表記されようと、通訳者を意味するオスマントルコ語は、トルコ語の単語ではけっしてない。それは最初、紀元前三〇〇〇年のメソポタミアで話されていた言語で発見されたが、これはさらに古いシュメール語の*'eme-bal'*を翻訳したものだ。こうしてアッカド語の*'targumannu'*は、トルコ語の*'tercüman'*を経由して、明らかに古臭いが、いまなお現存する英語の'dragoman'、ドラゴマンという語へと繋がっているのだ——おそらくこの英単語は、五千年以上にわたって表記の歴史を辿ることができ、かつ安定した意味をもつ唯一の語であろう。[8]「通訳者」を意味する基語が広範囲に使われ、古代メソポタミアにおける書き言葉発祥の地から伝播していったのであり、この事実以上に、通訳という行為それ自体がとてつもなく昔から行われていたことを示す証拠はほかにないだろう。

オスマン帝国のドラゴマンの最上位の人たちは、大使と同等の地位を得た。皇帝によって「大ドラゴマン」の称号を授与されることになる最初の通訳官は、キョプリュリュ・アフメト・パシャ——有名なアルバニア人大宰相のキョプリュリュのことで〔当時、アルバニアはオスマン帝国の属国〕、彼の多くの冒険はイスマイル・カダレの小説でフィクション化されている[9]——政権下の一六六一年に任命された。後の大ドラゴマン、アレクサンドロス・マブロコルダトスは、ついには公の称号を与えられる名門を築き上げた。彼の直系の子孫たちは、ルーマニアの王家の一族となった。

ドラゴマンたちは、ほとんどの難しい案件の場合、書記ではなく口頭で対処する外交官であり、交渉人であったので、翻訳文書作成業務も通訳に特徴的なやり方で処理した。高官の言葉を変えて、その意図にもっとも沿うような形に直したのだ。皇帝に忠実であるためにそうしたのである。というのも、不忠は死刑か、もっとひどい罰が待っていたからだ。元の言葉のドラゴマンによる言い直しは、けっして「意訳」ではなく、自らの支配者の意図への恭順を示すものであった。一見逆に思える——かなりたくさん短縮したり、引き延ばしたり、練り直したりしている——にもかかわらず、ドラゴマンたちは自らの信念に頑固に固執した。皇帝の言葉ではなく、その内容を翻訳するという信念である。

たとえば、皇帝ムラト二世が、オスマン帝国の領土でのイギリス人商人の交易を認可したとき、トルコ語で書かれた親書原文では、エリザベス女王について、皇帝に「恭順と献身を示し、隷属と愛慕を宣言した」と述べている。イギリスの宮廷とのその後の連絡のため、その手紙は大ドラゴマンによってイタリア語に翻訳された。イタリア語はなおもオスマン帝国の国際語だったのだ。[10] しかし、イタリア語に直された手紙は、それほど多くは書かれていない。トルコ流の彫琢された決まり文句で、'*sincera amicizia*'[11]（誠実な友情）と簡潔に表現されていたのである。

これは「自由訳」だろうか、それとも「忠実でない訳」だろうか？　わたしはどちらの用語も適切ではないと思う。

ドラゴマンが「恭順」や「隷属」を意味する言葉を避けたのは、彼の自由の表れではなく、自身の立場に由来する政治的、行政的な抑制の表れである。彼は、自分の主人が英国女王を自分と対等の権力をもつ絶対君主とはけっして見なすはずがないことを知っている。そしてまた、経験豊かな外交官として、エリザベス一世が、たとえ型通りの美辞麗句中の言葉だとしても、皇帝への「隷属」という表現を受け入れるはずがないことをも知っていたのだ。

　イスタンブールの西欧各国大使館は、オスマン帝国に仕える公式の宮廷通訳官を任用しなかった。彼らは自らの君主に忠実である義務を負っていたからだ。大使館は、イスタンブールで見つけられる、有能さでは見劣りし、ほとんどが非イスラム教徒のバイリンガルを雇った。何世紀にもわたるオスマン帝国の支配のあいだ、口承文化にますます馴染むことが少なくなるにつれ、いよいよ西洋の外交官たちは、これらレヴァント人〔シリア、レバノンなど地中海東部沿岸地方出身の人〕の仲介者たちを信用できず、あてにならない連中と見なすようになった。外交官たちが洩らした不満によれば、そもそも連中が次のようなスタイルで、「英語から」の翻訳と称して書いた文書の少なくとも半分は、まったくの捏造であった。

> 服従の念より頭をひれ伏し、権勢並びなく、情け深く、神を畏れ、思いやり深く、慈悲深い我が庇護者、この上なく寛容にして雅量に富む我が主の足下の慈善心あふれる塵芥に、我が庇護者への無条件の慎みと完全なる謙譲と嘆願の念をもって我が卑しき額をこすりつけ、祈願するものであります。閣下の高貴なる御人柄に、比類なき全能なる癒し手のお恵みがあらんことを、大いなる恩寵があらんことを、時の変転と苦難より我が庇護者を守らせたまえ、御聖寿、御権勢、御光輝、長久たらんことを……

また、彼らが外国の大使館のために通訳や翻訳をして得た情報は、どんなものでも売りに出された。さるイギリス大使が述べているように、これらのドラゴマンたちは、「大家族もちで、薄給で暮らしているが、東洋的な贅沢に慣れているので、人からの金銭の誘惑に耐えるのは難しい」のである[12]。

　このようなドラゴマンが、なぜ自分たちの翻訳＝通訳を受け手の側に合わせて改変してしまうのか、理解するのは簡単である。彼らはオスマン帝国の臣民であり、外国の雇い主を代弁する任をちゃんと果たさないことよりも、当局を怒らせることのほうが、はるかに多くを失う立場にいたのだ。

> 恐怖で彼らは口をつぐむ。彼らは立腹した高官の無慈悲な激怒よりも、雇い主の不満を買うリスクのほうを選んだものだ。（……）時には、臨機応変の才のある通訳は（……）架空の発言を即興ででっち上げ――実際になされた発言を自らのひらめきで思いついた発言に替えてしまうことで知られていた[13]。

彼らは、外国大使館で働いたという事実だけで、どんな場合でも疑われた。土地の有力者たちに語りかける際、彼ら有力者が慣れ親しんでいる派手なお追従を振りまくのを怠って、リスクを二倍にする必要がなぜあろうか？　永遠の献身を誓う一段を付け加えるのは、誤訳ではない。一種の生命保険だったのだ。「すべてを考慮に入れると、ドラゴマンたちが自らの危険な仕事を不適当にしか果たさなかったことよりも、むしろともかくもあえてそれを引き受けたことのほうが不思議なのである[14]。」

　忠実さは明らかにオスマン帝国のドラゴマンにとって重大な問題だったが、それは翻訳を論じる西洋の人たちの言う「原文への忠実さ」とは意味の異なるものだった。ドラゴマンは、自分が語りかける皇帝や特定のオスマン帝国の高官に、自らが忠実であることをはっきりと示す必要があったのである。

　不忠実の疑いをかけられ、もっとも高くつく代償を払ったのは、ファナリオットのドラゴマンのなかでも最重要の人物であった。一八二一年、オスマン帝国の領土であったギリシャで反乱が起こった。イスタンブールのファナリオットの家柄の者たちは、ギリシャ人であり、ギリシャ正教徒でもあったので、ただちに嫌疑をかけられた。彼らの統率者であった大ドラゴマン、スタフラキ・アリスタルチは、反逆罪で絞首刑になった。なぜか？　なぜなら、ずっと以前からオスマン帝国の国際語〔イタリア語〕で*'Traduttore/traditore!'*と言われていたように、翻訳者・通訳者たちは、いずれにしても裏切り者なのだ！

　このエキゾチックな警句は、イタリア語のままで、また翻訳されて、西洋のあらゆる言語のなかに入り込み、翻訳に関する専門的見解としてもっとも広く流布され、もてはやされるもののひとつとなっている。しかし、かなり例外的な場合を除いて、この見解は間違っているし、これまでもつねにそうだった。ドラゴマンの翻訳＝通訳の仕事は、全般的にきわめて恭順なものであった——元の発話がもつ目的にそって処理し、ドラゴマンの真の主人たちには迎合的だった。裏切りは、主人たちが恐れていたものであり、通訳たちが行うことではなかった。しかし、たとえファナリオットが私利のための裏取引をして、監督官の言葉を正確に伝えないことが時にはあったとしても、「訳すこと」と「裏切り」を結びつけることは、完全に印刷を基本としている近代社会にとって、何の妥当性ももたない。翻訳を原文と、それが音声形式であっても（過去百年間使用されてきた録音装置のおかげで）付き合わせることが可能な世界では、口述中心の社会に特有な言語仲介者に対する恐れと不信を生み出す主な理由は、もはや存在しないのだ。それなのに、人びとは「翻訳者は裏切者」と言いつづけ、翻訳について何か意味のあることを言ったと思い込んでいる。ダグラス・ホッフスタッターのような思慮に富む翻訳者は、自著のタイトルとした地口、*'Translator, Trader'*（『翻訳者《トランスレーター》、トレーダー』）で、それに対抗する必要があると感じているのだ[15]。われわれはいま、洗練され、豊かで、科学技術の面で進んだ社会に生きているのかもしれないが——話が翻訳となると、一部の人は水時計の時代に閉じ込められているように思われる。

中東への旅行が現実となり、また箔がつくものになった十九世紀、中東の通訳者への不信という伝統は、その地域への西洋人観光客に影響を及ぼした。観光客は当局との接触に地元の仲介業者に頼らざるをえず、世襲のドラゴマンの一族の者は、ガイド、旅館の周旋屋、アンティークその他の購入の仲立ち人に転職した。彼らはそうした仕事を、遠慮なく改変を加えた訳し方をする伝統に従って行ったので、嫌悪され軽蔑された。いわゆる「ドラゴマニア」、つまり西洋人観光客のうちいちばん抜け目のない層を除けば、だれをも丸め込んでしまう仲介者たちへの恐れと嫌悪が、植民地時代の旅行談に見られる「狡賢いオリエントの紳士」というステレオタイプの形成に大きく貢献しているのである[16]。

　翻訳の論議で使われる「忠実」や「裏切り」のような比喩は、消滅したオスマン帝国の過去にのみ起源があるのではない。十七世紀のフランスでは、ギリシャ語やラテン語の古典の翻訳者数人が、原典をヴェルサイユ宮殿の宮廷での振る舞いと文章を律する礼儀作法の基準に近づけるため、原文を修正するのが最善と考えていた。飲酒、同性愛、愛人の共有に触れた箇所は丸ごと、また罵り言葉や身体機能への言及も、あっさりと削除した。フランス宮廷の作法が絶対に適正であると確信していたので、これらの翻訳者たちは、想定される読者層によりふさわしく、また（彼らの観点からすれば）よりよく、より美しい翻訳を創り出そうとしたのだ。野蛮な時代の残滓である瑕疵を取り除くことによって、ギリシャ人を本人たちから救助してあげていたわけである。はっきりとした目的をもって意図的に改変され、宮廷人向け（または子ども向け）に焼き直された、これら多くの古典作品は、‘*les belles infidèles*’ と呼ばれた。すなわち、逐語訳すれば、「美しい、不実な（もの）」（女性形）である。

　このふたつの並置された形容詞は、そのあいだに名詞が欠けていることを暗示しており、欠けている語は、明らかに‘*traductions*’（翻訳）である。実際は、‘*les belles infidèles*’ という句は、「美しい、自由な翻訳」と言っているのにすぎない。しかし、冠詞（英語でいえば ‘a’ や ‘the’）が前にあるフランス語の形容詞はまた、ちょうど英語の ‘the poor’（貧乏な人たち）や ‘the unwashed’（下層民）のように、名詞として見ることもできる。したがって、語形が複数女性形なので、‘*les belles*’ は「美しい女性たち」をも表すことが可能で、そのように理解すれば、‘*les belles infidèles*’ という句全体は、「人を裏切って浮気をする美しい女性たち」を意味していると考えることができる。その句を以上のように解釈すれば、もうひとつ警句をつくることが可能となり、以来この警句が翻訳の議論の足かせとなった。それによれば、翻訳とは女のようなものなのだ。‘*Si elles sont belles, elles sont infidèles, mais si elles sont fidèles, elles ne sont pas belles*’――「もし彼女たちが美しければ、忠実であることは期待できないし、もし男に忠実であれば、それは地味で年配の女だからである」。これは、従来の基準から見れば、かなり意訳だが、まさしくかの警句が暗に意味していることだ（一方、これをべつの観点から次のように翻訳することも可能だ。「美学的に快いのは潤色されたものであり、潤色されていないものは地味なだけである」）。今日ですら、このような性差別的なナンセンスは、りっぱな翻訳作品をいくつも刊行している、さるフランスの出版社――‘Les Belles Infidèles’――にまで影を落としているのである。

　性差別的な言葉は、英語圏の世界と同様、フランスでも長きにわたって、おおむね成果をあげてきたキャンペーンの批判対象でありつづけているが、フランスの十七世紀に理解されていたような礼儀作法のコンテクストを除いて、‘*les belles infidèles*’ が、三語のキャッチフレーズとして使われたときも、それを元につくられたもっと長い警句として使われたときも、女性への侮辱であると気づかれることはめったになかった。これは翻訳についての論評と思って、ほとんどの人は見落としてしまう。そうではないのだ。それは、女性嫌悪症ぎりぎりまできている、男性の不安感を表しているのである。このフレーズが翻訳にあてはまるとすれば、それは翻訳が、裏切りをモチーフとするその他のものと同様、どれほど人を脅かすものになりうるかを示しているからだけだと、わたしには思われる。

よい翻訳とは、原典に忠実なものであると主張する批評家もいる。この主張から当然の帰結として、悪い翻訳はある種の裏切りと見なされ、したがって、われわれが覆そうとする、古臭く、評判の悪い、陳腐な決まり文句も、ある程度正当化されることになる。この当然の帰結は、もしわれわれが忠実な翻訳はよい翻訳だと口にするとき、自分が何を言おうとしているのか知っているならば、もっともらしいものとなるだろう。いや実際、そもそもなぜ忠実という語が、翻訳に適用されるのか？　たしかによき配偶者は忠実な人であり、立派なスパイは、裏切り者ではない。またかつてわれわれは、主人に対して忠実であるよう召使いや従者に求めたものだった。しかし、翻訳者は原典と結婚しているわけではないし、ＣＩＡに属して活動しているのでもない。翻訳の質の基準として「忠実さ」が繰り返し強調されたことによって、多くの翻訳者が自らを原典の召使いと見なすようになったのは確かだ。そうすることで、翻訳者は自分たちの職業の歴史的かつ有史以前の起源——奴隷が自らのもつ技能を働かせること——を再現しているのである。

奴隷制度はブラジルで一八八〇年に廃止された。考えを変える時がきているのだ。

12 客の注文に応じるヘアカット《カスタムカット》
——形式を合わせる

中国人は口コミで順口溜を人に次々に伝えるのが大好きだ。これは風刺的な韻文で、多くは一行七音節の四行詩で構成されている。この形式の規則性は、漢字の一文字が一音節に対応しているため、書かれたものを見れば、視覚的にも聴覚的にも感じ取ることができる。このタイプの韻文をひとつ次にあげてみよう。

辛辛苦苦四十年
一朝回到解放前
既然回到解放前
当年革命又为谁

簡潔で、パターン化され、晦渋で、引喩に富み、手厳しく、ユーモラス……そんな順口溜を訳すなど、とてもできない相談だ。では、なぜわざわざやろうとするのか？　きわめて困難であっても、新中国の保守派についての、この辛辣な詩は、原語とは系統のまったく異なる言語で、有意味かつ楽しめる形に仕立て上げることができるからである。どうやってそうできるか、以下、順を追って見ていこう。

1　文字ごとの訳

Hard hard bitter bitter four ten years
One morning return to untie release before
Already thus return to untie release before
Just-at year change fate in-fact for whom?

辛い　辛い　苦しい　苦しい　四　十　年
ある　朝　戻る　こと　解く　放つ　前
すでに　こうして　戻る　こと　解く　放つ　前

ちょうど－に 年 変化 運命 に－実際 ために だれ？

2　語群ごとの訳

Strenuous, strenuous forty years
One morning return to before Liberation
Given that return to before Liberation
In those days revolution in fact for whom?

困難な　困難な　四十年
ある朝　戻る　解放前に
とすれば　戻る　解放前に
当時　革命　実際は　だれのため？

3　説明的に、意味に意味をあてた訳

An extremely strenuous forty years
And one morning we [find ourselves having] returned to
before Liberation
And given that we've returned to before Liberation
[We might ask] who, in fact, the revolution back in those
days was for.

とてつもなく困難な四十年
そして、ある朝、われわれは（気づいてみると）解
放前に戻っていた
そして、解放前に戻ったことを考えると
（われわれは問うてもいいはずだ）実のところ、当
時の革命は、だれのためであったのか

4　飾り気のない訳

An extremely strenuous forty years
And suddenly we're back to before Liberation
And given our return to before Liberation
Who, in fact, was the revolution for?

とてつもなく困難な四十年
そして突然、わたしたちは解放前にもどった
しかし、わたしたちが解放前に戻ったとすれば
あの革命は、実のところ、だれのためだったのか？

5　リズムをいくらか加えた訳

An extremely strenuous forty years
And suddenly we’re back to ’forty-nine,
And since we’ve gone back to ’forty-nine
Who, in fact, was it all for?

とても大変だった四十年
そして突然もどったのは四九年〔一九四九年十月、中華人民共和国成立〕
四九年にもどったからには聞くけれど
すべてはつまり、だれのため？

6　中国語の音節に語数を一致させた訳〔原文全二十八音節、英訳全二十八語〕

For forty long years ever more perspiration
And we just circle back to before Liberation
And speaking again of that big revolution
Who, after all, was it for?

四十年間、ますます血と汗
そして、おれたち、大きく円を描いて解放前に逆戻り
だから、おれたち、あの大革命に話を戻して、こう
　聞きたい
あれは、結局、だれのため？

7　韻を踏んで

Forty long years crack our spine
Back we go to ’forty-nine
Since we go to ’forty-nine
Back then who was it all for?

骨折って暮らして四十年
さかのぼって行きつくは、四九年
戻ったからには聞きたい、四九年
さかのぼって当時のすべてはだれのため？

8　はじめて磨きをかけた訳

Forty years we bend our spine
And just go back to ’forty-nine
And having gone to ’forty-nine

Whom back then was this for?

背骨をまげて頑張り、四十年
そして、行きついたのは、四九年
そして、戻ったからには聞きたい、四九年
当時のあれはだれのため？

9　翻案　二重韻を踏んだ訳

Blood sweat and tears
For forty long years
Now we're back to before
Who the hell was it for?

人生、血の汗と涙つき
四十年間、長いとしつき
それが今、おれたち、以前に戻った
それは、ちくしょう、だれのためだった？

10　語で長方形をつくった訳（一行六語×四行）

We had sweat toil and tears
For more than forty bloody years
Now we're back to square one
For whom was it all done?

おれたち 辛い 労苦 と 涙を 経験
四十 年 以上に わたる むごい 年月
今 おれたちは 振り出しに 戻った だから 聞く
すべてが なされたのは だれの ため だった のか？

11　アイソグラム的詩行にした訳（一行二十一文字×四行）〔スペースや疑問符も一文字に数えて〕

Blood sweat and tears
Over forty long years
Now it's utterly over
Who stole the clover?

血の涙と汗を流したんだ

ながい四十年のとしつき
いまもうそれも終わった
クローバー盗んだのだれ？〔以上、一行十一文字×四行〕

12　アルファベットで原文の発音に聞こえるように表記した訳

Xin xin ku ku si shi nian
yi zhao hui dao jie fang qian
ji ran hui dao jie fang qian
dang nian ge ming you we i shui

原文の漢字はパターンに則って配列されており、その外観は自ずと、パターンに則って配列された音声を表象する。上に挙げた翻訳の後半のヴァージョンでは、英語の柔軟性を利用しながら、そのような漢字の視覚的効果を意識的に模して再現しようとした。行ごとに文字やスペースの数を数えるのは、通常、翻訳者の仕事とは見なされないが、言葉を形式に合わせることは、実はさまざまな分野の翻訳で必要とされており、文字やスペースの勘定はそのような作業の一環にすぎない。

コマ割りマンガは、翻訳されるとき描き直されず、四色カラープレートのうち文字の入る白黒プレートだけが国際販売用につくり直される。マンガの翻訳者は、ほかの三色のプレートによって空白として残された吹き出しのスペースに、自分の訳文を物理的にはめ込まなければならない。手書きの文字の大きさを変えることができるので、ごくわずか制約を緩めることはできるが——それも、読みやすさという必要条件があるので限界がある。マンガの翻訳者はまた、意味をもつセリフをコマ間で移動させる自由もほとんどない。なぜなら訳文は、描かれたキャラクターが自分の腕や手でしている動作の細部に至るまで、絵に合っていなければならないからだ。もし読者がプルーストを翻訳するのは難しいと思うなら、『アステリックス』〔古代ローマ時代のガリアを舞台とするフランス、ベルギーの国民的コミック・シリーズ〕に挑戦するといい。

次ページの上の図は、その下の原典のコマの、大英帝国四等勲士アンシア・ベルによる英訳版である。

ガリア人の英雄たちの同胞である「ブルターニュ人」は、‘I say’（おい、ねえ）、‘a bit of luck’（ちょっとついている）、‘shake hands’（握手する）に逐語的に仏語訳を当てはめ、フランス語で教科書風な英語の物まねを演じている〔『アステリックス』は紀元前五〇年頃に時代設定されており、ブルターニュ人の先祖であるブリトン人は、当時イギリスに居住していた。なお、ブリトン人もガリア人と同じくケルト系〕。

さらに、彼の名前'Jolitorax'（ジョリトラックス）は、'fair chest'（美しい胸）、'pretty thorax'（かわいい胸）にかけた洒落である〔この名前はjoliとtoraxに分解され、前者は「きれいな、かわいらしい」の意、後者は英語のthoraxにかけたもの〕が、英語ではこれはぜんぜん面白くない。アンシア・ベルは、'Oh'や'old boy'（ねえ君）を差し加えて、フランス語で英語らしさを表現するという原作のもつ戯画的性格を生かしており、またブルターニュ人の同胞の名前を、原名の英訳よりずっとましな彼女考案のダジャレに替えている。この翻訳は、あまり多くの文字を加えられないという物理的スペースの制約のなかで、以上のすべてをやってのけている。

これはひとつの偉業であり、言語それ自体に対するひとつの勝利である。しかし、彼女の仕事にはやや劣るかもしれないが、注目すべき仕事が、日本のマンガを英訳したり、ベルギーの劇画をポルトガル語に訳したりする、世界じゅうのプロとアマチュアによって毎日なされているのだ。マンガのようなグラフィック関係の翻訳は、文芸小説よりもはるかに大きなビジネスであり、おそらく量と売上高では料理本の翻訳に匹敵する。この種の出版物に入れるセリフ翻訳の研究を通して、人間の言語および精神の柔軟性について学ぶことができる。簡単にスペースに収まるセリフなどないが、最終的には、非言語的な（吹き出しの大きさ）、あるいは周辺言語的な（キャラクターの身ぶり）外的制約に合わせて、本当にびっくりするほど多種多様な形式と内容を生み出すことが可能なのだ。

字幕翻訳は、ビジネスとしてはこれより小さいが、必要なスキルは同種のものだ。平均的な映画観客は、一秒間に十五字程度しか読めないと見るのが常識となっており、テレビのような小さい画面で読みやすくするためには、一行にアルファベット三十二字をこえる字数を入れることはできない。その上、映像のかなりの部分が見えにくくなるため、二行をこえる字幕を入れることもできない。したがって字幕翻訳者は、せいぜい数秒間しか映らない字幕をスペースも含めて六十四字程度のものにとどめる必要がある。その間、登場人物はそれ以上の語数のセリフを口にするかもしれないが、翻訳者はそのショットあるいはシークエンスの基本的な意味を伝えなければならない。この制約は、人間の生理学、平均的な読み取り速度、映画のスクリーンの物理的形態によって決定されている。字幕翻訳がともかくもなされうるということが、真に驚くべき奇跡なのである。

字幕翻訳に課されるもうひとつの制約は、字幕はカットをまたいではならないという約束事だ。たとえば、ある人が飛行機内で隣の座席の人に話しかけている場面があり、それがカットされて飛行機が着陸するショットに切り替わるとすると、字幕はそのカットと同時か、それともその直前に消えなければならず、その後につづく字幕は、次の音声シーンがはじまるまで画面に現れることは許されない。したがって、字幕を入れることができる「箇所」に映画を分解する必要が生じる。この箇所への分解という細心の注意を要する仕事（配給会社が音声トラックの写しを提供してくれれば作業はずっと楽になる）は、字幕翻訳のために雇われた翻訳者がする場合もあれば、そうでない場合もある。通常、少なくともふたりがこれに関わる。以上のことから、字幕というものは、ほとんど必然的に、発されたセリフすべての翻訳ではなく、とくに早口の会話が多い映画では、要約や摘要だけを示すということになる。

字幕翻訳における厳しい形式的制約は、オリジナル作品に重要な遡及的影響を及ぼしてきたと考えられている。外国語市場に依存している映画製作者は、スクリーンの字幕では、口にされるセリフの内容を表現できる分量がどれほど少ないかを十分認識している。製作者は、外国語字幕がスクリーン上の会話すべてにシンクロしやすくなるように、登場人物のおしゃべりを制限することもある。イングマール・ベルイマンは、まったく異なるふたつのタイプの映画を製作した——スウェーデン市場向けの会話の多い陽気なコメディと、国際市場向けの寡黙で沈鬱なドラマである。彼は字幕翻訳の制約を自分の野心的な国際映画の構成要素に組み込むことに成功したが、スウェーデン人は言語障害のある鬱の人という、われわれの一般的イメージは、ある程度その成功の副産物として生まれたものだ。それは「ベルイマン効果」と呼ばれ、イシュトヴァン・サボーやロマン・ポランスキーの初期映画にも見ることができる。

映画におけるベルイマン効果とされているものは、実際には、もっとずっと広範な近代的潮流の「ゴシップ的」な例のひとつにすぎないのかもしれない。たとえば、スティーヴン・オーウェンの主張によれば、中国の一部の現代詩人は、英語への翻訳を前提とした書き方で詩作しており——また、今日「世界文学」に属する作品であろうとする、異言語で書かれた著作はすべて、作者が翻訳の制約を意識し、それを効果的に利用しているという事実の上に成立している(1)。

アメリカでは外国映画がほとんど上映されないため、字幕の英訳は、翻訳の世界ではごく小さな部分を占めるにすぎない。現在、字幕翻訳を引き受けるアメリカの会社は、二社しかなく(どちらもそれ専業ではない)、主な仕事をほかにもつ翻訳者のゆるやかなネットワークに頼っている。出来高払いで、ばかばかしいほどわずかな報酬しか得られず、ごく少数の英語字幕翻訳者たちは、現代のメディアの世界で、愛されることもっとも少なく、理解されることもっとも少ない言語アスリートの一団に属する人たちなのである。

多くの国では、吹き替えが好まれる。英語への吹き替えは、今日ではめったになされない。というのも、アメリカの観客は、音声と唇の動きの完全なシンクロを要求するからであり、そのため異言語の映画の異言語らしさの痕跡は、ぜんぜん残らない。セリフが発声されたとき俳優の唇の動きと合うように——一秒の何分の一かの単位で計算される——翻訳するのは、並大抵の仕事ではない。しかも、勘定に入れるのは、マイクロ秒だけではない。会話の翻訳は、俳優の顔の表情や身体の動きによっても制約をうける。それら表情や動きが、目標言語で発声されるセリフに習慣的に伴うものでないときでも、そうなのだ。吹き替えの台本翻訳者は、たんなるアスリートではなく、世界レベルの言語コーチである——しかし彼らの功績が、英語圏の世界で認められることはまずけっしてない。

英語圏の映画の人気が世界的に高いということは、すなわち大多数のアメリカとイギリスの映画が、外国での販売のためにさまざまな異言語に吹き替えられることを意味する。吹き替えのスキルは、ドイツ、イタリア、スペイン、そのほか多くの言語圏ではるかに広く使われ、評価されている。このような非対称性から、音声と唇の動きとの完璧なシンクロは、非英語圏の観客にはかならずしも必要とは感じられていないことがわかるが、このことはスクリーンを見ればはっきり確認できる。ロシアのテレビで放映されるアメリカやブラジルの連続メロドラマ《ソープオペラ》では、頻繁に音声トラックが「浸出」する（つまり、登場人物たちの唇の動きが止まっても、会話がつづいてしまう）のだ。ところで、その音声はおなじみの俳優のもので、特徴的なことに、ロシア語圏では有名な「声優スター」の声である。ドイツではだれもが、たとえば「ロバート・デ・ニーロ」の声を知っており、かつそれが本当はだれの声かも知っている——オーディオブックの聴取者のあいだでは受賞歴のあるスターであり、ドイツ語圏のマスメディアからは「ザ・ヴォイス」というニックネームを奉られているクリスチャン・ブルックナーである。メリル・ストリープのドイツ語の声は、彼女の全出演作でダグマール・デンプが担当している。ガブリエル・バーンのセリフは、一九八一年以来の彼のキャリアすべてにわたってクラウス・ディーター・クレブシュによって吹き替えられている。ドイツの映画観客は、もしラッセル・クロウが次に出演する超大作《ブロックバスター》で、彼の本当の声——実はトーマス・フリッシュの声——を聞けなかったら困惑するだろう。[2] フランス語版『ザ・シンプソンズ』〔米テレビアニメシリーズ〕のホーマー・シンプソンとマージ・シンプソンの声をそれぞれ担当するフィリップ・ペチューとベロニク・オジュローは、新聞に写真付きで登場している。[3] ほかの点と同様、この点でも英語の話者は、自分たちの言語文化は、ほかのほとんどの国ともまったく違うことを発見するのである。

パレスチナでは、ローマ帝国に占領されるずっと以前に、聖書ヘブライ語〔古代ヘブライ語〕は、ユダヤ人の話し言葉ではなくなっていた。おそらく、前五世紀という早い時期から、アラム語の通訳者が、ラビ〔ユダヤ教の聖職者〕がもっと古い言語で聖書を音読したり、詠唱したりしたすぐあと、あるいはその最中、小声《ソットヴォーチェ》でこの礼拝の言葉を翻訳していたようだ。やがて、このようなアラム語のささやき通訳（今日の国際的な通訳者の世界では、‘*chuchotage*’（シュショタージュ〔ひそひそ話〕）と呼ばれている）は、たいてい短い断片的な形ではあるが、書き記されるようになり、それら‘*targums*’（タルグム）は、いまではユダヤ教学者にとって貴重な言語学的、歴史的な記録となっている。最近では、東欧や中央ヨーロッパの言語で、イギリスやアメリカのテレビのメロドラマやコメディ番組が再放映される際、タルグム的な工夫——音量を絞った、ナレーターによる翻訳音読——が、ふたたび取り入れられている。現在は‘lectoring’、レクトーリングと呼ばれるこの方法は、ポーランドやハンガリーを訪れる英語圏の旅行客をしばしば驚かせている。聴覚的リアリズムを尊重せず、ひとつの声が男女両性を受け持ち、オリジナル版の英語の音声は、はっきり聞こえるままになっているのである。

レクトーリングは、翻訳者や声優が少なくていいので、明らかに吹き替えよりもコストがかからず、手っ取り早くすむ。ヨーロッパの小国には英語のメディア作品が大量に輸入されているため、番組がまだ「旬《ホット》」なうちに、すべてを唇の動きにシンクロさせて吹き替えるのに必要な人数の言語曲芸師をそろえるのは難しい。だから、レクトーリングは合理的な解決法であり——この方法を取る根本的な理由は、経済的なものではない。

昔のパレスチナやシリアのシナゴーグ〔ユダヤ教の会堂〕でのように、レクトーリングは、原語を格の高いものと思う人たちのために行われる。現今では、英語は文化財と見なされ、欲望の対象となっている。レクトーリングで視聴すれば、英語学習者は、自分が正しく英語を理解したかどうかを確認し、映画を楽しみながら英語力の向上を図ることができる。『コルベア・リポート』〔米テレビ番組〕のハンガリー人視聴者は、アメリカの本物のコメディを鑑賞してみたいと思っており、レクトーリングの音声は——国家元首同士のハイレベルな会談でささやき通訳《シュショタージュ》を行う通訳者のように——主として、視聴者が本物を理解しているかどうかをチェックする役割を果たしている。ハンガリー人の視聴者がレクトーリング付きの放送一回分の番組を見て、コルベアの政治的風刺をどれだけ本当に理解できているかを確認する役目まで期待するのは、いささか的外れである。何かしらは伝わるのだ。オリジナルの音声は翻訳によって消去されていないので、その何かしらは、何もないよりマシなのだ。

レクトーリングは、形式を形式に合わせようとはまったくしない。しかし、テレビや映画よりもはるかに文化的に格が高いとされるメディアでは、そう望むことさえ、無益で虚しいものとして嘲笑されてきた。ウラジーミル・ナボコフは、押韻詩を押韻詩で翻訳しようとする愚かさに対して激烈に攻撃したことで、翻訳を学ぶ学生のあいだで有名である。彼の悪名高い論評は、彼自身がプーシキンの韻文小説『エヴゲーニイ・オネーギン』を翻訳し、注釈をつけた著作中に見出すことができる。プーシキンが用いたソネットという特殊な形式がもつ、ピリッと皮肉のきいた、軽やかで、機知に富んだ、リズミカルな動きを再現しようとするどんな試みも、ナボコフが断言するところでは、詩人の真意をかならずや歪めて伝えることになり、したがって嫌悪すべきものとなる。ナボコフの詩の翻訳に関する見解は、その異様に毒舌的な口調によって、翻訳研究の分野における多くの議論に影響を与えてきた。彼の発言は、コンテクストのなかで理解されなければならない。ナボコフは自らの断固たる意見を専制的で過激な言葉遣いで述べており、そのため注意を真の問題からそらしてしまったのは残念なことである。

詩をべつの言語に翻訳する試みは、以下の三つのカテゴリーに分類される。(1)パラフレーズ的訳――原文を意訳すること。形式上の必要から省略や付け足しを伴うが、この慣例は読者と翻訳者の無知に起因する。(2)語彙的(あるいは構成的)訳――語の基本的な意味(およびその語順)を訳すこと。これは聡明なバイリンガルの管理のもとで機械が行うことができる。(3)文字通りの訳――原文のコンテクストに即して正確な意味を、訳文の言語の連想的、統語的潜在力に可能なかぎり綿密に訳すこと。これだけが真の翻訳である。(……)『エヴゲーニイ・オネーギン』のような韻を踏んだ詩を、韻を保持して翻訳することが本当にできるだろうか? 答えはもちろん、ノーだ。韻を踏襲し、それでも詩全体を文字通りに翻訳するなど、数学的に不可能である。(4)

以上の言明（その昔、ジョン・ドライデンが立てた模倣訳、換言訳、逐語訳という区別に倣い、またその順番を入れ替えたもの）は、ナボコフ自身の手になる、プーシキンの小説の無脚韻翻訳を紹介するものとなっている。この翻訳には、プーシキンの韻文に関する、途方もなく長大で、博学で、実に詳細な注釈が付されている。ナボコフにとって主要な仕事は、翻訳にはまったくなく、膨張するペリテクスト〔ジェラール・ジュネットの用語で、ここでは注釈を指す〕を通して、このプーシキンの小説を我がものとすることにあった。ふたつの言語で自らのスタイルを確立した巨匠であり、言語横断的な地口の比類なき名手であったナボコフは、作家としてのプライドを捨ててプーシキンの祭壇の前で頭を垂れ、自ら「奴隷の道」と呼ぶものを受け入れた[5]。このとき、あからさまに彼らしくない謙虚さを見せたことには、深い理由がある。だれにプーシキンと張り合うことができるだろうか？　そんなことをしようと思うロシア人などいない――ところが、すべてのロシア人作家は同時に、プーシキンの玉座を奪うことを夢見ているのだ。英語を自らの文学言語に選び取って二十年たっていたが、それでもロシア人作家でありつづけたナボコフにとって、プーシキンを翻訳することは、単純な翻訳仕事ではなかったのだ。

　プーシキンを英語の韻文に書き直すことは、（ほかのだれでもなく）ナボコフにとって、どんな意味があったかを考えてみよう。思い切ってその気になれば、彼はほかに例を見ないような韻文訳ができたはずだ、と考えても間違いはないだろう。自らをプーシキンに比肩する作家だと公言できただろう。それだけではない。自分自身でも、『エヴゲーニイ・オネーギン』を書いていただろう。

　ナボコフがプーシキンの地味な散文訳に取りかかったのとほぼ同時期に、ジョルジュ・ペレックは、ハーマン・メルヴィルが書いた、ニューヨークの事務員の物語、「代書人バートルビー」を読んだ。それは彼にはすっかり完璧に思え、自分自身が書いていたらと思った。だが、それはできない！　と彼はインタビューで言っている、なぜって、メルヴィルが最初にそれを書いてしまったからだよ[6]。もうすでに立派に書かれてしまい、ひょっとしたら自分のものでありえたかもしれない栄光をあらかじめ奪われてしまったという、この同じ感覚が、プーシキンの至高の韻文に対してナボコフが見せた奇妙な対処の仕方の根源にあった。

　実際、すでにナボコフは、一九五〇年代に『エヴゲーニイ・オネーギン』のいくつかのスタンザを英語韻文へと訳しているが――恐れをなし、退却してしまった。自分がプーシキンではないとわかったのだ。その後、彼は疑似的な文字通りの訳という、自らのいう「奴隷の道」を選んだが、それは、そうすることが文学翻訳の研究や実践にとって実際的な価値を有したからではなく、その不面目な事実を隠すのに役立ったからである。

先に引用した、詩の翻訳を主題とするナボコフの公開レッスンは、内容が貧弱で、また誤解を招きやすい。翻訳法は、そこで三つに固定された形式よりも、はるかにかに多い。「パラフレーズ的訳」は、「語彙的訳」に代わる唯一の選択肢ではないし、語彙的翻訳にしても、今日でさえ機械が直接できることではけっしてない。ナボコフが提案し、自ら使用したと称する「文字通りの訳」のスタイルは、ほかの人ならだれしも普通の散文体と呼ぶものにすぎない。プーシキンの小説の言葉がもつすべての引喩および指示的意味の徹底した探究を行った注釈への序文で、ナボコフは読者に多くの興味深いこと（自身について、ロシアについて、言語と文体について）を教えてくれるが、形式の翻訳については何も語ってくれないのである。

『エヴゲーニイ・オネーギン』は、多くの才能ある翻訳者を惹きつけ、現在では、プーシキンの韻文にきわめて近い訳がいくつも入手できる。そのうちのひとつに、一九七七年に出版されたチャールズ・ジョンストンの訳があるが、一九八二年頃その古本が、スタンフォード大学の多言語に通ずるインド人の大学院生の手に渡った。この小説は、一四行のスタンザ〔節〕を単位として全体が構成され、各スタンザは、男性韻と女性韻が交替で現れ、‘ababccddeffegg’という順序で韻を踏み、頻繁に句またがり《アンジャンブマン》が使用されており、その大学院生を魅了し、魂を奪った。彼、ヴィクラム・セスは、この形式を自分のものとすることにした。こうして、同じ形式を使って、彼自身の人生の物語を書き上げたのである。『金門橋』――ゴア・ヴィダルによれば、「偉大なカルフォルニア小説」である――は、セスを文学的栄光への道に導くことになった。十五年後、今度は『金門橋』が、イスラエル人学者、マヤ・アラドの手に渡った。彼女は、プーシキンのチャールズ・ジョンストン訳からセスへ、セスから彼女へと伝えられたスタンザ形式に魅了され、そののち『エヴゲーニイ・オネーギン』を原文で読んだ。彼女はこの形式を取り入れ、韻文小説『別の場所、外国の都市』を仕上げ、これは二〇〇三年にヘブライ語で出版され、絶賛を博した。次に引用するのは、アドリアーナ・ジョイコブズが英訳した、アラドの三百五十五のスタンザのうちのひとつである。ここでは韻こそ見られなくなっているが、懐かしのオネーギンがサンクトペテルブルクでの浮かれ騒ぎにウキウキする気持ちが、二十一世紀のテルアヴィヴにそのまま損なわれずに残されている。

Faster! Faster! No dawdling! Eat up!
Where will we go this time?
Who knows! The opera? The cinema?
The theater? Or a restaurant?
The city's riches seem endless
Until it loses consciousness.
Faster—draining every minute—
Until the hour hand strikes midnight.
Sleep? Too bad! We're still running
On full and the night is still young.
Let's go party! Let's find a club!
The night is tender and inviting.
December's here, can you believe?
It feels like spring in Tel Aviv!

いそいで！　いそいで！　ぐずぐずしないで！　ぜんぶ食べちゃえよ！
さあ、今度はどこに行こう？
知るもんですか！　オペラ？　映画？
劇場？　それともレストラン？
街の賑わいに終わりはない
街が意識を失うまで
いそいで　一瞬一瞬を味わい尽くしながら
時計の針が真夜中を打つまで
寝るだって？　そりゃないよ　まだ楽しんでるんだから
力いっぱい　それに夜はまだはじまったばかり
パーティーに行こうよ！　クラブに行こうよ！
夜はやさしい　夜は誘う
十二月だというのに、信じられるかい？
テルアヴィヴはまるで春みたいだ！

もし『エヴゲーニイ・オネーギン』の形式的制約をアメリカやイスラエルでの物語を語るのに利用することができるとすれば、なぜその制約をプーシキンが語った、まさにその同じ物語を語るのに利用して、同等の詩的効果をあげることができないのか？　ナボコフは、それは「数学的に不可能である」と主張している。数学はそれとは何の関係もない。彼が言おうとしたのは、それをやるつもりはないということだったのだ。

ギルバート・アデアは、ジョルジュ・ペレックの『煙滅』の翻訳をはじめたとき、ナボコフが直面した「数学的な不可能性」に引けを取らないほどの難問に挑戦することになった。『煙滅』は全面的に、eという文字を含まないフランス語の語や表現のみを使って書かれた小説である。短い段落を超えて、eという文字を使わないで文章を書くのは難しい。しかしそれは、語を文章に定着させる媒体として文字を概念化する習慣が、われわれにはないからにすぎない。このやり方で文章を書く要領を習得するには、時間と努力が必要だが——いったんそれを自分で身につけてしまえば、ペレックがフランス語でできるようになったのと同程度に書くことができる。いや、それ以上だ！　アデアは『虚空』という題名をつけた自分の翻訳に、多くの自作の警句や書き足しや改ざんを加え、装飾を施した。さらに、有名なフランス語詩の、ペレックによるe抜きパロディを、やはりよく知られた英語韻文詩〔エドガー・アラン・ポー「大鴉」〕のe抜きパロディと取り替えたのである。

“Sybil,” said I, “thing of loathing—Sybil, fury in bird’s clothing!
By God’s radiant kingdom soothing all man’s purgatorial pain,
Inform this soul laid low with sorrow if upon a distant morrow
It shall find that symbol for—oh for its too long unjoin’d chain—
Find that pictographic symbol, missing from its unjoin’d chain”
Quoth that Black Bird, “Not Again.”

And my Black Bird, still not quitting, still is sitting, still is sitting
On that pallid bust—still flitting through my dolorous domain;
But it cannot stop from gazing for it truly finds amazing
That, by artful paraphrasing, I such rhyming can sustain—
Notwithstanding my lost symbol I such rhyming still sustain—
Though I shan’t try it again!

「巫女よ」　わたしは言った、「憎むべき者――鳥の衣
　をまとった怒りの巫女よ！
万人の煉獄の苦しみを和らげてくれる神の輝かしき御
　国にかけて願う黒鳥よ
悲しみに打ちひしがれたこのわたしに知らせてくれ、
　いつかある朝
わたしがあの象徴を見つけられるかどうか――ああ、
　わたしから分離したあまりに長き鎖を表す象徴よ
見つけられるかどうか、わたしと分離した鎖から外れ
　た象徴を、あの象形文字で書かれた我が象徴よ」
黒鳥は言った、「二度となし」

そして我が黒鳥は、まだ立ち去らない、まだそこにい
　る、まだそこにいる
あの青ざめた胸像上に――憂いに沈んだ我が領地をま
　だ飛翔している、
だが、黒鳥は凝視せずにはいられない、黒鳥は驚嘆す
　べきことだと心から思っている
巧みなパラフレーズで、わたしがまだこんな韻を踏み
　つづけていることを――
象徴はなくしてしまったけども、わたしがまだこんな
　韻を踏みつづけていることを――
それでも、わたしは言っておこう、もう二度とやる気
　はないことを！〔以上、難易度ははるかに低くなるが、一応「え」抜き〕

多くの言語で、広範囲にわたって文化的に仕切られた分野――マンガ、字幕、政治的キャッチコピー、実験小説、詩歌、大衆詩――で仕事をしている翻訳者たちは、厳しい形式的制約に立ち向かい、それを克服している。その上、形式それ自体がしばしば、歴史的、言語的、文化的空間を越えて移動する。これらの事実から、何であれそれを不可能だと主張するのは、賢明ではないように思われる。翻訳において不可能なこととは、これまでなされてこなかったことだけなのだ。

　偏頗なものの見方を捨て、翻訳者が行う仕事を理解するには、訳文を厳密な形式に合わせることに成功した場合の効果を綿密に検討することが肝要である。ギルバート・アデアはエドガー・アラン・ポーの魅力を増すことができたか？　プーシキンのチャールズ・ジョンストンによる韻文訳のヴィクラム・セスによる模造品のマヤ・アラドによる模造品のアドリアーナ・ジョイコブズによる翻訳という、

まさにどんどん希釈されていったオネーギン・スタンザのヴァージョンが、オネーギンの青春の華やぎや喜びを少なからず蘇らせているのはなぜか？　どうやってアンシア・ベルは、『アステリックス』を英語でフランス語よりもさらに面白いものにできたのか？　そして、脚韻詩を脚韻詩で訳しても行き詰まるだけだと、かつてだれかが考えたのはなぜか？　真実はまったく逆だ。発話のひとつの側面以外にも注意を向けなければならないとき――そして、複数のレベルである型の類似物を探すこと《パターン・マッチング》に没頭するとき――自分の言語のなかに自分でもまったく知らなかった資源があることに気づくのである。

もちろん、一〇〇パーセントの合致などありえない。なぜなら、それが世の常だからだ。完全かつ完璧にフィットしたスーツを入手したことがないからといって、高品質のスーツの仕立ては「数学的に不可能である」と主張するのは、愚かなことだろう。それと同様、われわれはまだあらゆる点において完全無欠な形で形式を翻訳したことがないという、ただそれだけの理由で、その可能性を否定するのは、賢明なことではないだろう。

13　語ることができないことは、翻訳することができない
――言表可能性の原理

荷物運搬のコンベヤーが止まっても、そこにはスーツケースがない。疲れ切った旅行者は、航空会社のサービスデスクに行き、スーツケースを紛失した旨を訴える。係の人は、きわめて当然ながら、手荷物を預けた証拠――たとえば半券――を求め、早く見つけることができるように、紛失物の詳細な特徴を尋ねる。

詩こそ翻訳で失われるものだと主張する人も、これと同様の手続きを踏むよう求められる可能性がある。その場合、詩的効果を預かってくれるチェックインカウンターな

どないから、半券はなくても許されるかもしれない。しかし、紛失物の特徴の説明を求めるのは、不当なことではない。もしその説明ができなければ、「詩」と呼ばれる何ものかが失われたと主張することは、他と区別できる特徴がまったくないものが紛失したと、航空会社に訴えているようなものだ。これではあまりいい結果は望めない。

詩こそ翻訳で失われてしまうものだと言う読者は、すなわち原作（つまり詩）も翻訳（つまり非‐詩）も、同時に完全に理解していると主張していることになる。そうでなければ、何かが失われてしまったのかどうか知るよしもないし、ましてそれが詩であると知っているはずもない。

翻訳で失われるのは詩であるという主張を正当なものとするには、当該のふたつの言語をよく知っているだけでは十分ではない。両方の言語とそれらのもつ詩的伝統をよく理解し、両方の言語で詩的効果を十分味わうことができてはじめて、説得力のある主張ができる。この基準にかなう人は多くはないが、その基準でテストすることに不合理な点は何もない。

この入学条件を満たしていれば、異言語から母語への翻訳（たとえば、ジョージ・チャップマンのホメロス訳を読んだとき）、あるいは母語から異言語への翻訳（たとえば、ジョン・アシュベリーの詩「川と山」のフランス語訳、またはスペイン語訳、または日本語訳を読んでも、英語の原詩のようには感動しないと言いたいとき）のどちらの場合であっても、詩が失われたと断言することができる。このような言語と詩への深い理解をもっている場合にのみ、何かが失われたと説得力をもって主張できるのだ。しかし、そのような理解力をもっていたとしても、一体どのようなものが失われたのか、サービスデスクの係の人に説明するのは難しいだろう。

音と意味の関係が原文と翻訳では同じではないと指摘したとしても、それと何かが失われたという訴えとは関係がない。言語が違うので音が変わり、意味はけっして元の通りではないにしてもおおむね保持されるため、音と意味の関係——ソシュール以降のすべての言語学者が恣意的だと主張している関係——は、必然的にべつのものとならざるをえない。

詩の詩性〔詩が詩であるために必要な特性〕はまさに音と意味の関係にあるという考えは、英語をはじめとする近代言語の教育に広く浸透している。しかしそこから、詩はいったん翻訳されると詩性を失う、ということにはまったくならない。新たな言語へと翻訳された詩は、原語の詩を表象し、再創造し、また自らの音と意味との関係をもつ。それは原詩と同じものではない。しかしそのことが、詩が失われたと主張する理由にはならない――まったくならない。もちろん、原詩がすばらしいのに、新しい詩はお粗末ということはありうる。毎回すばらしい詩を書く詩人はほとんどいないのだ。しかし、翻訳の詩の質は、翻訳されたということと何の関係もないのは理の当然だ。それは、翻訳家として書いているかどうかとは関係なく、その人の詩人としての能力からのみ生まれる果実である。

読者は、本書第一章一六―一七頁に引用したダグラス・ホフスタッターの詩が好きでないかもしれない。クレマン・マロの詩の方がもっとずっと気に入ったかもしれない。しかし、だからといって、両者の違いについて合理的に言えることは、ホフスタッターは(この例では)、マロよりも魅力の点で劣る詩の書き手だということ以外にはない。ホフスタッターの三音節詩は、ほかのだれかが最初に表現した情趣を、その原詩とかなり厳密な関係をもつ形式に移したものであることを知らなかったとしても、読者はやはりそれを好きではないかもしれない――しかし、詩こそ翻訳で失われたものだと言って、その失望を正当化しようとは思わないだろう。そうである以上――ほかの言語で以前に書かれた詩行やスタンザと意味的・形式的な対応関係があることをおそらく知らないまま、母語で知っている多くの詩行の場合と同様――ホフスタッターの詩が完璧でないのは、翻訳で詩が失われてしまったことと関係していると主張して、それが嫌いなことを正当化することはできないのだ。読者がマロの詩よりもホフスタッターの詩のほうがずっと好きだという場合も、まさに同じ議論が適用される。あるいはマロのフランス語詩は、ホフスタッターの詩に先行するどころか、「優しい宝石……」によって触発されて書かれたと信じ込んでいた場合も、同様である。実際、大多数の詩について、一般の読者は、それが翻訳と見なしうるのか、またどの程度まで翻訳と見なしうるのかを立証できる確かな手段をほとんどもち合わせていない。詩人は世のはじめからずっと、偽造者、倒錯者、密輸入者、そして翻訳者であったのである。

ダンテ、ジョアシャン・デュ・ベレー、アレキサンダー・ポープ、ルートヴィヒ・ティーク、アウグスト・ヴィルヘルム・シュレーゲル、ボリス・パステルナーク、ライナー・マリア・リルケ、エズラ・パウンド、ジャック・ルーボー、ロバート・ロウエル、C・K・ウィリアムズ――偉大な詩人のことを考えれば、ほぼ間違いなくそれは翻訳者のことも考えたことになる。西洋の伝統では、詩を書くこと、翻訳をすること、翻訳で詩を書くことのあいだに切れ目はない。詩の形式――ソネット、バラッド、ロンドー、パントゥーン、ガザル――は、過去八百年にわたって、フランス語、イタリア語、ロシア語、ペルシャ語、英語、マレー語など多様な言語のあいだを伝播した。詩の様式――ロマン主義、象徴主義、未来派、アクメイズム、シュルレアリスム――は、ポーランド詩と同様、ドイツ詩にも典型的に見られる、ヨーロッパ共通の特徴である。いわゆる詩の伝統はすべて、ほかの伝統から触発されて形成されるのだ。詩は翻訳で失われるという、疑わしい警句に対して、西洋の詩の歴史とは、多くの観点から、翻訳の詩の歴史であるという、もっと簡単に論証できる事実をあげて対抗しなければならない。

　この事実にもかかわらず、二〇〇七年末までに、「詩は翻訳で失われる」という警句を引用している英語のウェブページは、六百六十六あったが、[1]二〇一一年五月までに、その数は二万以上に増えていた。さらに驚くべきことに、ごくわずかな事例をのぞいたすべてのウェブページで、この警句はアメリカの詩人ロバート・フロストの言葉とされている。しかしフロストは、これについては、インタビューで基本的に自由詩《ヴェール・リーブル》に関する自説を説明するために触れているのであって、「詩は（……）翻訳で散文と韻文の両方から失われるものです」と述べているのだ。[2]翻訳に関するほかの多くの通念と同様、これも実のところ、あまり根拠のないものであることが判明する。

　それでも詩は、たんに難しいだけではなく、ある意味で完全に翻訳を超える仕事を翻訳者に課すことも真実である。多くの人たちと同じく、わたしも若いときに学んだ詩が大好きだ。それらの詩に特別な愛着があり、その意味だけでなく、まさにその響きもまた心に刻みつけられている。当時学生だったわたしは、外国語で詩を読んだ――ほとんどの場合、それらが書かれている言語を学ぶためだった。詩を理解しようと一生懸命だった。だからこそ、それ以来、それらの詩はわたしの心に残っているのかもしれない。

Wer, wenn ich schrie, hörte mich denn
aus der Engel Ordnungen?
und gesetzt selbst, es nähme
einer mich plötzlich ans Herz:
ich verginge von seinem
stärkeren Dasein.

この詩のどの英訳も、わたしには原文と同じような重み、親しみ、完璧さ、神秘さをもちえず——ドイツ語での言い換えも同様である。わたしは、自分が習得したいと思っていた言語の、これら詩行の響きと単語を大事に心に留めている。まさにこれらの詩行を解剖し記憶して、その言語の一部を学んだのだ。わたしにとって、わたしにとってだけ、リルケの『ドゥイノの悲歌』冒頭に包み込まれている情感は、わたしの過去に由来するものであり、それは、このように遠回しに語ることはできても、読者と直接に共有することはできない。共有できないものは、明らかに翻訳できない。しかし、だからといって、この詩がほかのだれにとっても翻訳できないものであるわけではない。

Who if I cried, would hear me among the angels'
　hierarchies?
And even if one would take me suddenly to his heart
I would die of his stronger existence.

もしわたしが泣いたとしても、天使団のうちのだれが
　わたしの声を聞いてくれるだろう？
たとえだれかが突然、その心のうちにわたしを連れて
　行ってくれたとしても
わたしはその人の強烈な存在ゆえに死ぬだろう。

リルケを学ぶことによってドイツ語を学んでいたとき、こんなふうにわたしも、原詩のあの詩行を訳していたかもしれない。この英訳は、ドイツ語原文が述べていることをだいたい伝えている。これは詩だろうか？　それはだれもが自分自身で、翻訳の良否とはまったく関係のない基準で判断すべきだ。実を言うと、この英訳は、詩人や翻訳者の手になるものではない。これは、無料で利用できるインターネットの機械翻訳サービスによって（少し友人の助けも借りて）なされた翻訳である。

　個人的かつ半自伝的な理由で詩を評価するのは、おそらくごく一般的に見られることだ。われわれは、詩句や押韻詩や抒情詩を「それ自体で、それ自体のために」賞賛するのだと言うかもしれない。しかし、しばしば詩がわれわれに愛着をもつことを、あるいはわれわれが詩に愛着をもつことを、その愛着に個人的な感情を与えるコンテクストのなかに置いて実証するほうが簡単なのだ。このように愛着を向けたり、美学的に鑑賞したりする対象が、もともとは

べつの言語で書かれ、その後翻訳されたのか、それともそれを読んだ当の言語で書かれたのかは、重要なことではない。いずれにせよ、その区別はつかないのだ。ロシア人の読者は、パステルナークの‘*быть или не быть – вот в чем вопрос*’は、翻訳であると知っているかもしれないが、もし知らなかったとすれば、それがシェイクスピアの‘To be or not to be, that is the question’（生きるべきか死ぬべきか、それが問題だ）よりも詩的であるかどうか評価のしようがない——またそうする理由もない。

　詩や言語形式を含めて事物との感情的な関係は、究極的には伝達不能かもしれないと認めてもよい。しかし、感情的な愛着が無比のもので、言葉で言い表せないという確信は、詩が翻訳可能かどうかという問題とは何の関係もない。翻訳の問題は、それほど深遠な問題ではない。

　表現できない感情や経験があることを疑う人もいるが、それはわれわれがそれらについて何も話すことができないので、ほかの人にとってそれが存在するかどうか知るよしもないという常識を根拠としている。哲学者ルートヴィッヒ・ウィトゲンシュタインは、『論理哲学論考』の有名な最終行で、「語りえぬことについては、沈黙しなければならない」と書いたとき(3)、この問題についてどうも不可知論的な立場を取るつもりであったらしい。言語の無限の柔軟性や、小説や詩を読んだり、映画館で映画を見たりして感情を共有するわれわれの経験を考えれば、原則として共有しえない人間的経験があるのかどうかにも疑いを投げかけなければならない。この厄介な論争のもう一方の側には、われわれが感じているものはわれわれにとって唯一無二であり、ほかのだれかが感じているものとまったく同一視してしまうことはできないという直感的理解がある。その個人の表現しきれない残余物が、言葉で言い表しえぬものであり——その言い表しえぬものこそ、まさに翻訳できないものなのだ。

　翻訳研究は、言葉で言い表しえぬもの、あるいは言葉にできないとされている観念、直感、感覚、関係に注意を払うべきだろうか？　奇妙なことに、神秘的で宗教的な課題が真剣に扱われていると思われがちな聖書翻訳では、言葉で言い表しえぬ存在の問題に苦悩しながら取り組むという姿勢は、まったく見られない。その代わり、ヴァルター・ベンヤミンからジョージ・スタイナー、アントワーヌ・ベルマンに至るまで、その問題は、二十世紀の非宗教的な学者たちの心を奪ってきた。わたしはむしろ、この翻訳の限界というテーマに逆の方向からアプローチしようと思う。

というのも、言表不可能性は翻訳にとって問題だということより、翻訳こそ言表不可能性にとってひとつの大きな問題だとはっきり理解することのほうが、重要に思えるからである。

未来のある時点で、宇宙旅行から帰ってきたクルーを想像してみよう。彼らは遥か彼方の地球に似た惑星を訪れ、いまＮＡＳＡの本部で記者会見を開いている。前代未聞の発表があるのだ。そうです、惑星ＫＲＸ29^{1}には住民がいます、と彼らは言う。しかもその上、その惑星に住む小さな緑色の人たちは、言語をもっているのです。

「どうしてそれがわかったのですか？」とジャーナリスト。

「わたしたちは彼らとコミュニケーションができるようになったのです」宇宙船の船長が答える。

「向こうは何と言ったのですか？」

「それはわかりません」船長は落ち着き払って答える。

「彼らの言語は完全に翻訳不能なのです。」

われわれの子孫が、船長とクルーをどう扱うのかを予測するのは難くない。宇宙飛行士たちは、宇宙旅行によって引き起こされた精神異常の治療を受けさせられるだろう。そうでないとわかったら、今度は嘘つきや物笑いの種と見なされるだろう。なぜか？　なぜなら、もし遠い彼方の惑星の住民が言語をもっており、宇宙船のクルーがそれを習得したとすれば、彼らは異星人の言ったことを報告することができなければならないからだ。できるはずではなく、できなければならないのだ。根本的に翻訳不可能な音は、言語とはならない。それもたんに、たとえ大雑把であっても翻訳ができなければ、われわれはそれが言語だとわからないからにすぎない。

もちろん、これについては、中間的で問題のある見解もある。すべての発話が、それらが言語であることにわれわれがすっかり確信しているときですら、翻訳可能であるとはかぎらない。エジプトの象形文字は、ふたりの優秀な言語学者、トーマス・ヤングとジャン＝フランソワ・シャンポリオンが、ロゼッタ・ストーンを手がかりにして読み方を解明するまで判読不能であった。もっと一般的に言えば、われわれは知らない言語を翻訳することはできない。しかし、何かが言語だと主張することは、適切な知識があれば、それは翻訳可能だと仮定することなのだ。(4)

翻訳は、詩の翻訳も含めて異言語間のいかなる媒介行為においても、言表不可能なものが失われることではなく、コミュニケーション行為にとって言表不可能なものは関係がないということを前提としている。哲学者のジェロルド・カッツの議論によれば、人が抱きうるいかなる思考も、いかなる自然言語の文によっても表現することができ、またある言語で表現できるものは何であれ、べつの言語でも表現できるのである。どの人間言語でも表現されえないもの（そのような存在は妄想なのか、それとも根拠があるのかは意見が分かれるところだ）は、翻訳の境界の外にあり、カッツにとってはまた言語の領域の外にある。これがカッツの「言表可能性の原理」だ。翻訳についての真実のひとつ――翻訳が教えてくれる真実のひとつ――は、すべては言表可能だということである。

とりわけ詩はそうだ。アメリカとイギリスは、詩の雑誌であふれており、毎年、小さな出版社が、翻訳詩を載せた数百にのぼる小冊子を出版している。現在、詩のアマチュア翻訳家の大群が、詩を活気づけている。詩は失われてはおらず、彼らの仕事によって得られているのである。

個々の詩は、読者のだれにとっても、ひじょうに個人的でユニークなので、言表不可能も同然であるような質をもっているかもしれないが、言葉に表せない観念の問題は、まったく異なった領域でもっとずっと明白な形で生じている。言表の不可能性が、われわれの眼前にレンガの壁のごとく姿を現すのは、天才の作品ではなく、異なる種とのふれあいを通してである。

南米への小旅行でロマン・ギャリは、体長二五フィート〔七メートル六二センチ〕のニシキヘビを手に入れ、絞殺魔ピートと名付けた。その後、カリフォルニアの私営動物園に寄贈し、ロサンゼルス総領事であったとき、檻のなかのピートによく会いに行った。

> わたしとヘビは、すっかり驚いて互いに見つめ合ったものだ。それもしばしば数時間にわたって、深く好奇心をそそられ、あれこれ考えをめぐらし、畏怖の念を抱き、それでも、わたしたちに何が起こったのか、なぜどのように起こったのか、互いに説明し合うこともできず、めいめいの経験から引き出されるささやかな理解のきらめきをもってしても、互いに助け合うことができないでいた。自分がニシキヘビの皮のなかにいる、あるいは人間の皮のなかにいるということは、とても神秘的で驚くべき冒険なので、わたしたちが共有していた困惑は、わたしたちめいめいの種をはるかに超えて、ある種の友愛、兄弟愛になっていたのである。[5]

ここでロマン・ギャリは、ニシキヘビには自分が人間になることがどのようなものなのか想像できないのは、われわれが爬虫類の精神世界がどのようなものかわからないのと同じであると感じているが、それはもしかすると正しい――そして彼が、絞殺魔ピートのような、恐ろしくて知能の低い怪獣のうちに、人間の生のいわく言い難さ、言表不可能性について彼と交感する直観の持ち主を見出していることは、いかにも彼らしい心の広さを示している。他方、多くの人間以外の種――ひょっとしたらすべての生物――が、互いに意思を通じ合っており、なかにはひじょうに明確にわれわれとコミュケーションを取る動物もいる。いちばん明らかな例をあげれば、犬の飼い主は、さまざまな種類の鳴き声の意味を簡単に識別する。しかし、われわれに理解できる犬の言語は、かなり限られている。それは、個別の信号の小さな集合で成り立っている。それらの信号は一般に、特定の情報――「家に侵入者がいるぞ」、「やあ、いらっしゃい」、「散歩に連れて行って」――を伝える、他とは分離した媒体と見なされている。これらは互いに組み合わされ、もっと複雑な意味を生み出すということはできない――われわれの知るかぎり、犬の言語には文法がないのだ。さらに、人に飼育されている犬のもつ一群の信号は――サルやハチの使う信号と同様――受け継がれ、固定されている。犬の世界では、新たな言葉がつくられるということはなく、それはちょうど交通信号灯のシグナルのシステムでは、「スピードを落せ」、「止まれ」、「用意」、「行け」より多くはつくれないのと同じである。(緑とオレンジが点灯して「用意」となるのは、シフトレバーを備えた古いスポーツカーを運転する人への配慮として、イギリスだけで使用されている。)以上は、現代の言語理論家のほとんどが、人間言語をほかのすべての種類のコミュニケーションと区別する主要な基準としてあげているものである。サルは自分の言うべきことしか言えず、それ以外には何も言わない。これに対し、人間のシグナル伝達システムは永遠に変化し、つねに新しい状況や必要性に適応することができる。これらは、動物の言語を「厳密な意味での言語」の外に置き、翻訳の関心事から遠ざけておく、かなり説得力のある理由となる。しかし、われわれはロマン・ギャリのように、心を広くもち想像力豊かになろうとすることもできる。そのような観点から見れば、人間の言語もまた、言語学者たちが傲慢にも犬の言語に対して断言するような、限定され柔軟性のない信号のシステムにすぎないと、犬には思えるのかもしれないのだ。

幼児期から思春期のはじまりまで、どの文化の子どもたちも、動物が自分に何か話したがっていることをつねに知っている。同じように、人と人以外の存在とのあいだの壁とされるものを破らない民間伝承は、世界に存在しない(6)。しかし、文字を基礎とした西洋文化では、成長（これは学校教育と分かちがたく結びついているので、ほとんど同じものと見なしていいだろう）には、人間以外の種にもコミュニケーション能力があるという子ども時代の本能的な考え方の放棄が必然的に含まれる。西洋の哲学者や聖職者が、言語は人間だけに備わる属性だと、長いあいだ主張してきたのも当然なのだ。その自己確認的にしか自明の理でない考え方のために、子どもたちはまだ完全には人間ではなく、自分たちに授けられる教育を真に必要とする存在とされるのである。

しかし、「信号を送ること」と「話すこと」とのあいだに根本的な区別を設ける伝統的な根拠は、しばしばそう思わされているほど完全に明確なものではない。これまで研究されてきた動物の信号のシステム（たとえば、アリやハチは音声ではなく、物理的、化学的手段によってコミュニケーションを行う）の一部は、人間にはきわめて精緻な地形的、社会的情報と思えるものを伝達している。クジラはカナダ沖合の水域で群れをなしているとき、途切れなく長くつづく印象的な音を発する。クジラの鳴き声の音色やリズムのパターンは、ひじょうに複雑なので、われわれが聞き取ることができる音（あるいは、人間の耳より高感度な精密機器で傍受できる音）が、ただのでたらめなノイズだとはとうてい思えない。さらに印象的なのは、コルチェスター〔イギリスのエセックス州の都市〕の動物園のサル集団が最近とった行動である。サルたちは、それまでのコミュケーション行動のレパートリーにふたつの新しいジェスチャーを加えたのだ。それらのジェスチャーが「サルにとってもつ意味」が、すっかり明らかというわけではないにしても、議論の余地なくそのサル共同体内で意味をもつ記号であり、議論の余地なくサルたち自身の発明なのである(7)。

しかし、なぜアリ、ハチ、クジラ、サル、犬、オウムのコミュニケーション行動がわれわれにとって神秘に包まれているのか？　なぜ種を超えたコミュニケーションが言表不可能なものとされるのか？　なぜならそれは、長く人に飼育されたペットという限られた範囲の動物が立てるきわめて限られた範囲の騒音を除いて、どうやって「動物の信号」を人間の言葉に翻訳したらいいのか、あるいは逆に人間の言葉を動物の言葉に翻訳したらいいのかをだれも知らないからだ。もしわれわれが人間以外の存在が立てる雑音を人間の言葉に翻訳できれば、そしてそれができたとき、種に関連する言表不可能性は、朝霞のように霧散することだろう。

翻訳は言表不可能なるものの敵である。翻訳されれば、言表不可能なるものは存在をやめるのだ。

14 コーヒーを表す語はいくつある？

ロンドン子のなかで、北極圏のイヌイット族が話す諸言語のどれかで「おはよう」と言える人は、おそらく片手の指で数えられる程度の数しかいない。しかし、首都やその他の場所のどの人ごみでも、「エスキモー語には雪を表す語が百ある」と言う人はきっと見つけることができるだろう。この〈エスキモー語の語彙にまつわる大ウソ〉は、ずっと以前に否定されたが[1]、それが言語や翻訳に関する民衆知のなかで占める場所は、なおも手つかずのまま残っている。翻訳の研究にとって興味深いのは、なぜ人びとのその認識が間違っているかということよりも、なぜそれでも人びとがそれに固執するのかということである(2)。

このもっともらしい話を広める人たちは、それが、言語の語彙的資源はその言語のネイティヴ・スピーカーの住む環境を反映するということを示していると、考えているようだ。言語一般に関する指摘として、言語はその使用者が必要とする語をもち、一度も使ったり、体験したりすることのない物事を表す語はもたない傾向がある、と主張するのは理にかなったことだ。しかし実際には、エスキモーの話はそれ以上のことを言っている。それは、言語と文化は同一物と言えるほど密接に結ばれている、と述べているのだ。「エスキモーの言語」と「エスキモー族の（雪に閉ざされた）世界」は、相互依存物なのである。これは先の指摘とはだいぶ異なる主張であり、異言語間の翻訳可能性に関する議論の核心に位置している。

種々さまざまな言語を違うものにし、また同じものにしている要因を発見し、解釈してきた近代の歴史には、好奇心をそそるものがある。一七八六年、ロンドンのアジア協会で実施されたヒンドゥー文化に関する講演で、ベンガル駐在のあるイギリス人裁判官は、「文明化された」西洋の言語の優位性とそれ以外の世界の劣った言語という、長年抱かれてきた確信を覆す主張を行った。

> サンスクリット語は、どれほど古代のものであったとしましても、すばらしい構造を備え、ギリシャ語よりも完璧、ラテン語よりも豊か、どちらよりも申し分なく洗練されておりますが、それでも動詞原形、文法形式の両方におきまして、とても偶然に生じたものとは考えられないほどそれらふたつの言語と強い類似性を有しております。実際、類似性がひじょうに強いので、いかなる言語学者も、その三つすべてを調査すれば、かならずやそれらは、もはや存在しないかもしれない何か共通の源から生まれ出たものであると、信じるに至ることでありましょう。ゴート語もケルト語も、ひじょうに異なる言語と混じり合っているとはいえ、サンスクリット語と同じ起源をもつと推定できる、それほど強力ではないにしても、同じような根拠が存在します。さらに、古代のペルシャ語も同じ語族に加えてよろしいかもしれません(3)。

これは十九世紀の大部分にわたってつづいた魅力的なレースの開始を告げる号砲として一般的には評価されている。

このレースでは、世界のすべての言語の見取り図がつくられ、それぞれがただひとつの祖語に源を発する言語の「系統樹」のなかで互いにどのように関係しているのかが解明されたのであった。しかし、旧大陸ですら、一部の言語――たとえばアルバニア語――は、近しい同族言語をもたないように見えたし、そのうちのひとつはひどく目立つものだった。スペイン北部やフランス南西部のところどころで話されるバスク語は、「家系」内への位置づけを受けつけないほど他と異なっていたのだ。偉大な探検家、アレクサンダー・フンボルトの兄であるヴィルヘルム・フォン・フンボルトは、この変わった言語を習得し、文法書を書いた。[4]その際、彼はいくつかの知的ツールをつくり上げたが、これが結局、劣化して例のエスキモー語にまつわる大ウソに繋がったのである。

フンボルトは、さまざまなものを表すバスク語の語彙の体系よりも、この言語の根本的に他と異なる構造に強い印象を受けた。バスク語の文法は、バスク文化の核であり、またそれを映し出す鏡のように思えたのだ。このような見解は、ある理論へと一般化された。その理論とは、さまざまな言語の形式的特性が互いに異なるかぎり、われわれは世界の諸言語それぞれを通して異なる精神世界へ参入できる、というものだった。[5]バスク語はフランス語やドイツ語、あるいはほかの言語には「還元」できない。それはただそれ自身である――つまり、「バスクであること」が具体化されたものであり、「バスクであること」の根本原因なのだ。フンボルトによれば、異なる言語は異なる世界であり、この惑星の自然言語の大きな多様性は、それぞれべつな方法で思考するための道具が収蔵された宝物殿と見るべきなのだ。

「ほかの連中は、われわれと同じようには考えていない」という意見は、フンボルトの論文が出版されるずっと以前から見られたものだが、人間の歴史のほとんどでまったくぞんざいに扱われていた。ギリシャ人の目から見ると、ギリシャ語を話さない「野蛮人ども」が、興味深いことを言うことがいっさいできないのは明らかだった。同様に、十七世紀フランスの文法学者にとって、ほかの言語を話す人たちは、真の思考に近づくことはほとんどできないのであった。それはラテン語とフランス語によってのみ可能なのだ。植民地時代に生きたフンボルトにとって、自分の洞察を述べることは、大変な勇気が必要だったにちがいない。というのもこの時代には、他言語の異質性は、フランス人（またはギリシャ人、またはローマ人等々）よりも恵まれない人たちの知的劣等性を裏づけるものと一般に考えられていたからだ。ベンガル駐在の法律家、ウィリアム・ジョーンズ卿と同じく、大胆にもフンボルトは、西ヨーロッパの言語の話者に、他言語に触れることによって素晴らしい精神的資源を自分のものにすることができる、と断言したのである。

植民地の獲得と拡大によって、ヨーロッパ人は、バスク語よりもっと違いの大きな言語と接触することとなった。明白なパターンをいっさいもたず、地球上のそこかしこに点在する、そのような言語のなかには、実際きわめて特異なものもある。「右」や「左」を表す言葉はなく、その代わり基本的な方位〔東西南北のこと〕で左右の違いを表す表現しかない言語を想像してもらいたい。「あなたの南西の足にハエが止まっていますよ」は、話者とその相手がどちらの方向を向いているかで、「左」を意味することも、「右」を意味することもある。(これは最初思うより馴染みのない言い方ではない。昨今のマンハッタン言葉では、「ここからアップタウンに向かいなさい」と言うたびに、基本的方位を用いているのだ〔ニューヨークのマンハッタンでは、アップタウンは北側に、ダウンタウンは南側に位置する〕。これには多くの迷子の観光客が困ってしまう。自分が東西南北のどちらを向いているのかを知らなければ、「左に曲がりなさい《トゥルネ・ア・ゴーシュ》」とか「右へ《ア・ドロワ》」とかに翻訳できないからだ。)たとえば(オーストラリアのケープヨークで話される)クークターヨレ語の話者は、順序集合(たとえば一から十までの数、あるいは赤ちゃんからおとなまでの顔写真)を「左」から「右」、または「右」から「左」へと並べず、東からはじめる――調査中の人類言語学者が着いたテーブルの位置から見てたまたま東がどちらであろうと関係なく、そうするのである。[6]

しかし、さらにこれ以上に奇妙な言語もある。カナダの太平洋沿岸で使用される言語のひとつ、ヌートカ語には、話者が接尾辞を用いるか、それとも単語に意味をもたない子音を挿入して、話している相手や話題になっている人物の身体的特徴を表すという特徴がある。これがどのような効果をもつかは、'fan-bloody-tastic'〔'fantastic'(素晴らしい)のなかに'bloody'(ひどい、いまいましい)を挿入〕のような英語の口語表現の下品な挿入辞から類推して、ほんの少しではあっても、そのイメージをつかむことができるかもしれない。ただしヌートカ語で、これらの方法によって指示される身体特徴をもつ人は、子ども、著しく太った、つまり体重のある人、著しく背の低いおとな、目を患っている人、猫背の人、足の不自由な人、左利きの人、割礼を受けた男性である。[7]

人間の諸言語には根本的な違いがあることを示すひとつ

の例が、多くの北米先住民の言語を習得・研究したアメリカ人言語学者、ベンジャミン・リー・ウォーフによって有名になった。ホピ族の言語には（しかしまた、明確なパターンをもたずに地球上に分布しているかなり多数のほかの言語にも）、〈証拠性〉と呼ばれる文法的なカテゴリーが存在する。ホピ語の文法では、それぞれの名詞句について、不定か限定かというカテゴリー（'a farmer'（ある農場主）、'the farmer'（その農場主））というより、むしろ話題にされているものや人物が話者の視野のなかに存在するかどうかを区別する。'The farmer I can see'（わたしが見ることのできる農場主）は、'the farmer I saw yesterday'（わたしが昨日見た農場主）とは異なる形態を取り、'the farmer you told me about'（あなたがわたしに話してくれた農場主）ともまた形態が異なる。結果として、'The farmer killed the duck.'（その農場主はアヒルを殺した）という英文は、この文に含まれていない多量の情報がなくては、ホピ語に翻訳することはできない——とくに、話者が話しているとき当該の農場主が、話者の前にいるのかどうか、アヒルはいまも辺りに横たわっているのかどうかという情報である。もちろん、もし読者がホピ語を話すことができ、アヒルや農場主が自分の目の前にいる（あるいはいない）状況で、ほかのホピ語話者と話しているなら、それらの疑問に対する答えを知っており、文法に適った表現で意味を伝えることができる。意味をなす形で翻訳することができないのは、コンテクストを欠いた「その農場主はアヒルを殺した」という文である。しかし、以前のいくつかの章で見たように、この種の翻訳不可能性は、どの言語でもコンテクストから切り離された文には当てはまるものなのだ。ホピ語タイプの文法を言語の翻訳不可能性の証拠として持ち出すのは、実のところミスリーディングである。翻訳について考えるとき、孤立し、文脈に位置づけされないまま、筆記された例文は、助けよりも妨げになることが多い。

しかし、十九世紀において人間言語の多様性の調査が急速に進展したことによって、人びとは、文明化の遅れた民族の言語が「文明化された」言語とどのように違うのかと問うようになった。ギリシャ語はプラトンのような人間を「生み出した」が、ホピ語はそうではなかった。これは、いわゆる原始的な言語が高度な思考には適していなかったからなのか？　それとも、原始的な言語が非合理的で異質の状態に留まっていたのは、文明の欠如そのもののせいなのか？　言語とものの見方《メンタリティー》のあいだには分かちがたい結びつきがあるというフンボルトの仮説は、どちらの方向からの議論にも使うことができる。「原住民」の種々の言語には、ひとつの類として、世界の文明国の国民によって話されている数少ない言語とは区別される一般的特徴があるのだろうか？　あるとすれば、それは何なのか？

探検家兼言語学者たちは、自分たちにとって別世界に住んでいる民族の言語が、別世界の事物を表す多くの語をもち、また多くの異なる動物、植物、道具、儀式具のあいだに微細な差異を設けていることを、きわめて正確に観察した。探検家たちは、彼らにとって新しい環境にある奇妙なものが何と呼ばれているのかをまず知りたいばかりに、そうした語彙のデータを不均衡なほど集めた。いわゆる原始的な言語に関する報告書は、通訳者から教えてもらったり、原住民にものを指さして名前を聞いたりして作成した語彙リストで成り立っていた(8)。しかし、それら遠隔地の文化の言語には、「時間」、「過去」、「未来」、「言語」、「法」、「国家」、「政府」、「海軍」、あるいは「神」などを表す語が欠けているように思われた。たとえば、メキシコで話される言語のひとつ、トリケ語には「奇跡」を意味する語がなく、「病人を癒す」、「海を割る」など具体的な出来事を示す語があるだけである(9)。その結果、植民地行政官や宣教師たちが言う必要のあることのほとんどは、そのような言語に翻訳することは困難だった。もしこのような奇妙な人たちが話す言語では、文明的なことを表現できないとなれば、彼らはどうやって文明の恩恵に与ることができるだろうか？

とくに、多くの北米先住民やアフリカの言語で西洋流の「抽象的思考」を表現するのが困難だということは、抽象化の能力が人間精神の進歩の鍵であることを示唆していた。

> 未開人は、ある特定のものを切る行為をそれぞれが表現する、独立した語を二十も有するが、切ること一般を表す名称はもっていないことが多い。彼らは、鳥や魚や木のさまざまな種類をそれぞれ表現する語を有するが、「鳥」、「魚」、あるいは「木」に相当する一般的名称はもっていないことが多い(10)。

非西洋世界の「具体的な言語」は、それを話す民族の文明の程度の低さを反映するだけでなく、彼らの遅れた状態の根本原因であった。二十世紀がはじまるまでには、「具体的名詞が多すぎる」と「抽象語が十分ない」が、「原始的な」言語のもつ特質に対する紋切り型のイメージとなっていたのである。

これが、雪を表すエスキモー語の単語の話を繰り返してするとき、人が実際に言おうとしていることだ。「エスキモー語」に具体的な語が多いことは、その話者が、文明化した精神の基本的特徴――物事をそれ独自のものとして見るのではなく、一般的なカテゴリーに属する事物のひとつとして把握する能力――が欠けていることを示している。われわれは、あらゆる種類の雪――ほんの十四種だけあげれば、軟らかい雪、湿った雪、水気のない雪、粉雪《プードルーズ》、解ける雪、解けた雪、半解けの雪、雨まじりの雪、灰色の汚れた雪、褐色の泥雪、風に吹き寄せられた雪だまり、人がつくった雪堤、雪崩、ゲレンデの雪――をすべて、「雪」と呼ばれる同じ現象の例として見ることができる。エスキモー人は、それぞれの種類を見て、それらをひとつの全体としては見ないのだ。(これは、現実のイヌイット族には当てはまらず、〈エスキモー語の語彙にまつわる大ウソ〉に登場するエスキモー族にのみ当てはまる。)

以上のようなやり方で区別された「文明化した」言語と「未開の」言語のあいだの翻訳=通訳は、明らかに不可能であった。解決策は、植民地の臣民たちが文明を獲得できるような言語形式を教えることであり、この文明化を促進する任務《ミッション・シヴィリザトリス》を遂行するためのツールは、当然ながら帝国の行政官たち自身の言語であった。場合によってはスペインがアメリカ大陸を征服したときのように、原住民の貧弱な言語資源は、文明の普及にとって大きな脅威と見なされたため、彼らの言語と記録文書は撲滅の対象とされた。しかし、マヤ古写本の破壊は、むき出しの権力、宗教的熱情、人種差別のみによって引き起こされたのではない(11)。劣等とされた言語への抑圧は、スペイン人たちがヨーロッパ以外の大陸のために取っておいた政策ではない――すでにヨーロッパでは、それが普通のことだったのだ。フランスでは、その領土内でフランス語以外の言語の使用を抑止するための長期にわたる施策がすでにはじまっていた。ブルトン語、バスク語、プロヴァンス語、アルザス方言《パトワ》、ピカール語、ガスコーニュ語、その他多くの田舎の方言は、数百年のあいだに法律や制度によって追いつめられ、息の根を止められそうになっていた。長期にわたって全ヨーロッパ的に「標準語」に向かう動きがあり、それは、政治的意思、経済統合、都市化、そのほか現実世界で働くさまざまな力によってのみ促進されたのではない。そこにはまた、一部の言語のみが文明化された思考に適しているという深い信念があったのである。

では、「ホピ語」で考えるとは何を意味するのだろうか？　たとえ何かを意味したとしても、それは「思考」と呼べるものだろうか？　前世紀の初期に、言語学者のエドワード・サピアは画期的な答えを考え出した。千年にわたる慣習と偏見を捨て、すべての言語は同等であると断言したのだ。言語に上下関係はない。あらゆる人間言語は、完全無欠なシステムを構成しており、使用者が言語で行いたいと思う仕事を遂行するのに十分対応可能なのである。

サピアは、政治的な公平さからこのような主張をしたのではない。多くの異なる種類の言語の長期間にわたる研究に基づき、そのような議論を行ったのだ。研究で見出した証拠によって、ある言語の文法と、その話者たちの文化あるいは人種とを結びつけようとするいかなる試みも完全に不可能だと、彼は理解するに至った。「言語」、「文化」、「人種」は、互いに独立した変数なのだ。彼はフンボルトの学術的遺産の主要部――ヨーロッパの言語的ナショナリズム――をひっくり返したのである。

サピアは、「単純な」社会の言語に「単純な」ところは何もなく、経済的に進んだ社会の言語にとくに「複雑な」ところは何もないことを示した。言語に関する著作のなかで、彼は言語形式がいかに並外れて多種多様であるか、その分布がひじょうに異なるタイプの社会のあいだでいかに全体にわたるパターンを形成することがないかを、それまでのだれよりも明らかに示した。しかし、フンボルトのバスク語研究の遺産をことごとく拒否したわけではない。異なる言語は、異なる仕方で構造化されているため、それらの話者に世界の異なる側面に注意を向けさせる。証拠性の文法範疇（一五八頁参照）をもつ言語では現前か不在かを示さねばならず、西ヨーロッパ型の言語では時制に注意を払う必要があることは、サピアが「精神の溝」と呼ぶもの――思考の習慣的なパターン――を生み出している。翻訳にとって（そして人類学にとっても）問題は次の通りだ。われわれは溝を跳び越え、ある「習慣的な思考パターン」からべつのパターンへと多少なりとも満足に移動できるのだろうか？

絶対に移動できないという見解は、エドワード・サピアがけっしてこれに同意していないにもかかわらず、サピア＝ウォーフの仮説として知られるようになった。この誤った名称のついた偏見を単純化した形式――各言語は根本的に他と異なる精神世界を構築するので、いかなる二言語間の翻訳も不可能である――のもつ難は、これが本当ならば、それを知ることができないという点にある。一五〇頁に記した、異星人の言語に関するＮＡＳＡの船長の報告という寓話は、サピア＝ウォーフの仮説には実際、どれほど欠陥があるかを示すひとつの方法だ。この仮説と同じような考え方をもっと洗練させても、同じように強力な障害に遭遇する。もし言語が異なれば、思考のツールの種類も異なるが、本質的な部分では重なり合っている――そうでないと翻訳はありえない――と仮定したとしても、たとえば、フランス語には何か英語ではけっして表現しえないものがあり、英語にはフランス語では表現しえないものがあるという考えは残る。とすれば、フランス語にしろ、英語にしろ、ほかのどの言語でも「言表不可能な」「思考の」領域があることになってしまう。これは言表可能性の原理に矛盾し、この原理は一五一頁で論じたように、翻訳が存在するための必須条件だ。それに反対する主張にとって、言表不可能性が、神あるいは詩の属性とされようが、あるいはフランス語の特性とされようが、大して重要ではない。

サピアは言語について、また言語と社会的生活とりわけ知的生活との関わり方について、実際にはもっとずっと興味深いことを教えてくれる。ギリシャ語とラテン語は、抽象的存在を扱う洗練された思考の媒体として役立ってきた。どちらも、動詞、形容詞、他の名詞から抽象名詞をつくるのを容易にする文法的特徴を有している。抽象的実体を簡単に生み出す、古典語の文法的機能の痕跡は、ラテン語とギリシャ語に語源をもつ英語の語彙の大部分に色濃く残っている。たとえばそれは、'human → humanity'(人間の→人間性)、'just → justice'(正しい→正義)、'civil → civility'(礼儀正しい→礼儀正しさ)、'translate → translation'(翻訳する→翻訳)、'calculus → calculate → calculation'(計算法→計算する→計算)などに見られる通りだ。サピアの主張のポイントは、ラテン語とギリシャ語は、抽象的な思考に適していると言うより、むしろ抽象的な思考のほうが、ギリシャ語やラテン語に適していると言うべきであり、古典語の話者によって展開された特定の種類の哲学的言説を、彼らが使用していた文法の必然的結果として見るべきだということにある。言語の形式によって形成される精神的な溝は、監獄の壁ではなく、精神的な地形における丘や谷であり、そこではある道がほかの道よりも通りやすいのだ。もしプラトンがホピ語でものを考えていたなら、プラトン哲学を生み出していなかったことは間違いなく、それはおそらく、自分をプラトンと思うホピ語の話者はひとりもいないという明白な事実に基づく、たんなる回顧的錯覚ではないだろう。ホピ族の思想家は、何かほかのことを考えているのだ。だからといって、ホピ語が真の思考に適さない原始的な言語だということではない。サピアが「平均的な西ヨーロッパ人」と呼ぶ話者は、ホピ語の思想に関わるには素養が不十分だということなのだ。自分の精神を広げ、もっと十全に文明化された人類の一員になるために、できるだけ多くの異なる言語を学ぶべきだ。多様な言語は、新しいことを考えるための宝であり、資源なのである。

もしスターバックスに入って、「コーヒー」を頼めば、間違いなく、バリスタにぽかんとした顔をされるだろう。彼にとって、この言葉はまったく意味をなさないからだ。コーヒーショップ・トーク（またはもしパプアニューギニアに住んでいれば *'tok-kofi'*）で使用されるわたしの地元言葉では、コーヒーを指す語は少なくとも三十七ある。それら別個のコーヒー用語のうちのどれかを使わないかぎり、その発話は不可解と思われるか、さもなければ望ましくない結果を招くことになる。もし今度、だれかがエスキモー語には雪を表す語が百あると言ったら、このことを教えてやるといい。もし万が一、火星人の探検家が、あなたの地元のコーヒーバーを訪れ、そこで話されているチンプンカンプンな言葉から推測して、平均的な西ヨーロッパ人は、発砲スチロール製カップに入った少量の冷たいか熱い、黒か茶色の液体のさまざまな種類を総称する単一の語をもっていないと結論を下し、その結果、あなたの言語を惑星間でやり取りする思考形態を表現するのに不適当だと嘲りの言葉を浴びせかけてきたら、何と言ってあげたらいいか、あなたはもうおわかりですね。

15 バイブルとバナナ
――翻訳関係の垂直軸

まず数学から始めよう。任意の三つの言語には、3×2＝6の異なった翻訳関係がある。例をあげて確認すると、フランス語→ロシア語、ロシア語→フランス語、フランス語→ドイツ語、ドイツ語→フランス語、ロシア語→ドイツ語、ドイツ語→ロシア語、以上六つである。任意の四つの言語のあいだでは、4×3＝12通りある。n個の言語については、n×(n−1)方向の翻訳が可能だ。したがって、世界にはおよそ七千の既知の言語があるので、翻訳が原則的にどちらの方向にも行われる可能性のある言語のペアは二四四九万六千五百組あり、自らの道具と慣例を備えた、それぞれべつの方向性をもつ翻訳の実践が潜在的には約四九〇〇万存在する。翻訳は人間社会に普遍的に与えられた能力であり、その規模で一様に翻訳がなされる可能性は、純粋に理論的な見地からは否定することはできない。しかし現実には、翻訳の習慣が確立されている言語のペア数は、存在しうる言語ペアに比べると、きわめて少ない。

翻訳は今日、どの方向でもなされるものではないし、これまでもそうだった。では、どのようになされるのか？基本的に言えば、きわめて大雑把だが、〈上〉か〈下〉のどちらかへとなされる。これは、わたし自身の考案になる専門用語なので、〈 〉付きで表記する。

あらゆる人間言語は、ある社会にとってコミュニケーションの完全な手段として役立っており、その意味では、それらのあいだに上下関係はない。しかし、翻訳という行為は、他と切り離された出来事であることはめったになく、概して起点言語と目標言語のあいだの非対称的な関係を利用し、かつ維持する。

〈上〉への翻訳は、起点言語よりもプレスティージの高い言語へと向かう。そのプレスティージは――たとえば、アッシリア時代にアッカド語がシュメール語へと翻訳されたり、マルコ・ポーロの冒険のニュースをあまねく広めるため、ラテン語への翻訳が使われたりした（一九三頁参照）ときのように——古い伝統の賜物であることがある。またあるときには、〈上〉への翻訳は、読者の多いほうの言語へと向かうこともある——典型的には、目標言語が、十九世紀のロシアにおけるフランス語のように、異文化間コミュニケーションの媒体として使用されている場合だ。またそれは、たんに征服者の言語であったり、ソヴィエト連邦時代の中央アジア諸国におけるロシア語のように、より大きな経済力をもった国民の言語であったりすることもある。また、宗教的真理の選ばれた媒体であるため、プレスティージがある場合もある。アラビア語、ラテン語、サンスクリット語がとりわけ、さまざまな時代にこの役割を果たしてきた。

〈下〉への翻訳は、起点言語よりも読者の少ない言語、あるいは文化的、経済的、宗教的なプレスティージが低い言語、あるいは媒介言語として使われていない言語へと向かう。たとえば、オーストリア＝ハンガリー二重帝国の時代のドイツ語からハンガリー語への翻訳は、今日の英語からほかのどの言語への翻訳とも同様、〈下〉への翻訳である。

個々のいかなる翻訳行為も、ペアとして見たときの言語の上下関係を変えるのは、極度に難しい。しかしそれは、長期にわたって安定しているわけではない。目立つ例をあげれば、シュメール語、ギリシャ語、シリア語、ラテン語、英語、フランス語は、ここ数十世紀のさまざまな時期に、自らの序列順位の劇的な変化を経験してきた。さらに言えば、その格付けは、多くの場合、すべての要素を網羅した結果ではない。特定の領域では、関係は逆転されたり、かなり修正されたりすることがある。ドイツ語は権威ある哲学的伝統をもつ言語であるため、カント、ヘーゲル、あるいはハイデガーを英語（またはフランス語）に直すとき、通常、翻訳者によってあたかも〈下〉への翻訳であるかのように行われる。十九世紀におけるフランス小説の英語への訳出も、同様のタイプの翻訳のもっとも明白な例を提示している。

〈上〉への翻訳と〈下〉への翻訳の違いは、次の通りである。広く使用され、プレスティージも高い言語への翻訳は、しばしば原文に改変を加え、外国語起源を示す痕跡をほとんど消し去るという特徴をもつ。一方、〈下〉への翻訳は、すぐ目につくような原文の跡を残しておく傾向がある。というのも、この種の翻訳では、外国語的特性それ自体がプレスティージを帯びるからだ。たとえばマルセル・デュアメルは、第二次大戦直後のパリで、犯罪小説の叢書「セリ・ノワール」の刊行を開始したとき、アメリカ小説の訳本がフランスで人気を得ることを狙って、アメリカ英語独特の表現をフランス語文にふんだんに取り入れるという方針をたてた。彼はさらに一歩踏み込み、読者に本物を買ったと思い込ませるため、フランス語作家たち（叢書の半数以上を執筆していた）にアメリカ人の名前のように聞こえるペンネームの使用まで要求した。

しかし、言語の序列の複雑さと矛盾は、聖書翻訳の歴史が——最初は西洋で、後に世界規模で——申し分なくたっぷりと見せてくれる。

聖書の翻訳は、最初のうちはゆっくりとしたペースだった。旧約聖書の最初の外国語版は、紀元前約二四〇年頃、コイネーで書かれた『七十人訳聖書』であった（一〇五—一〇六頁参照）。ほかのギリシャ語版もつづいたが、はじめてラテン語に翻訳されたのは、西暦紀元のはじまる少し前のことであり、同じ頃、ユダヤ人自身が、自分たちの聖典をアラム語で読めるようにするため、長いあいだ行ってきた口頭での訳を書き留めはじめた。五世紀後、旧約聖書と新約聖書の訳がある言語は、まだ十一しかなく（ギリシャ語、ラテン語、アラム語、シリア語、コプト語、アルメニア語、グルジア語、ゴート語、古代エチオピア語、ペルシャ語〔著者が挙げているのは以上の十例のみ〕）、総数が十九になるまでにはさらに五世紀が必要で、それが西暦一〇〇〇年頃のことであった。十五世紀後半の印刷術の発明までには、たぶん五十になっていた。西暦一六〇〇年までには六十一、また一七〇〇年までには七十四、そして一八〇〇年までには八十一になっていた。確かにめざましい数ではあるが、その後に起こったことに比べれば、小さな変化でしかない。十九世紀のあいだ、毎年五つをこえる新しい言語の版が追加され、二十世紀の変わり目には、翻訳版の総数は六百二十に達した。その後、事態は本当に変わりはじめた。一九〇〇年から一九九九年までのあいだ、平均で毎月ひとつ新しい聖書の翻訳版が完成し、そのため二〇〇〇年までには、旧約聖書と新約聖書の全訳または部分訳がある言語の数は、二千四百三にまで急上昇した。[1]

聖書の翻訳は、古代と中世に起源があるとしても、量という観点から見れば、圧倒的に二十世紀の出来事である。この世紀の数十年にわたって、その多くは、世界じゅうで聖書翻訳に関するもっとも尊敬すべき権威と目されたひとりの人物、ユージン・ナイダによって監修された。

ナイダ自身は一度も聖書を翻訳したことはない。聖書協会世界連盟の言語顧問として、第二次世界大戦後に開始された多数の聖書翻訳プロジェクトに関わり、訳文の質の管理に携わったのだ。その立場から世界じゅうで講義を行い、言語と文化に関する論争の的となる諸問題を平易な言葉で説明することに努めた。それらの問題は、本書の諸章でも異なった観点から論じられているものだ。

ナイダは翻訳における等価を二種類に分けた。ひとつは形式等価で、訳文の語順と語の標準的・一般的意味は、起点言語の統語法と語彙に厳密に対応しているものである。もうひとつは動的等価（後に機能的等価に改名された）で、翻訳者が原典テクストの表現を、受け手側の社会の文化でおおよそ同じ意味をもつ、ほかの言い方で置き換えるものである。聖書に関するかぎり、ナイダは動的等価だけを有効とする見解を断固として支持した。その意味で彼は、翻訳者には「直訳」ではなく、「意訳」を行う権利があるとする主張の新たな擁護者であった。聖書協会世界連盟にとってと同じく、彼にとっての最大の関心事は、聖書がすべての人の手に渡ること――そして手に渡るものは、できるだけわかりやすい訳であるべきだということだった。読んでもただちに意味がわからない聖書、特別な訓練を受けた神学者や聖職者にしか読めず、理解できない聖書は、宣教師たちの目的にそぐわない。ナイダが動的等価を優先すべきとしたのは、何よりも、「メッセージを理解してもらう」ために必要とあれば何であれ犠牲にするよう、翻訳者に奨励するためであった。彼がヤン・デ・バールトとの共著である入門書の章のひとつの表題としたように、「翻訳するとは、意味を翻訳すること」なのである。[2]

一六五頁で説明したように、このような取り組み方は、〈上〉への翻訳に特徴的なものだ。しかし、聖書翻訳で用いられる起点言語――ヘブライ語、ギリシャ語、ラテン語――はいまなお、疑いなく、またとくに信仰者にとって、自分たちが世に出したどの言語の翻訳よりもずっと聖典の宗教的意味の本質に近い。この意味では、二十世紀の聖書翻訳は、〈下〉への翻訳――プレスティージのある言語から地域の言語へ、「真理を表す普遍言語」から特定の言語への翻訳――に関してわれわれの知る最大の見本例となるはずだ。ところが、ナイダが監修した聖書翻訳の大多数は、ギリシャ語やラテン語からではなく（ヘブライ語はさらに少ない）、英訳聖書の諸アメリカ語版、および影響力のあるふたつのスペイン語版、つまりレイナ・バレラの一九〇九年改訂版と'*Dios Habla Hoy*'（神は今日語る）と呼ばれる簡略版からなのだ。[3] もちろん今日、英語とスペイン語は、世界の多くの地域で「普遍言語」あるいは「支配的言語」である。

重訳（すでに翻訳されているテクストを翻訳すること）は、聖書にとって近代にはじまったものではない。アラム語のタルグムとギリシャ語の『七十人訳聖書』だけが、古代ヘブライ語から直接に翻訳された。旧約聖書のアルメニア語、コプト語、古ラテン語、シリア語、古代エチオピア語、ペルシャ語、アラビア語への翻訳は、ギリシャ語から行われた。グルジア語の聖書は、おそらく最初はアルメニア語から訳されたものであろう（とはいえ、シリア語訳とギリシャ語訳も使われたかもしれない）。ゴート語訳も同じようにラテン語版をかなり参照したようだ。ヒエロニムスは、長期間にわたって影響力をもつことになる自らのラテン語訳旧訳聖書の底本として『七十人訳聖書』を用い、それを補うためにヘブライ語とアラム語の原文を使用した。新約聖書の訳にはギリシャ語原文を用いた。十五世紀の初期ドイツ語訳聖書は、最初のスウェーデン語訳聖書と同様、ヒエロニムスのラテン語版からなされた。マルティン・ルターは、ギリシャ語およびヘブライ語から聖書翻訳を行ったヨーロッパで最初の人だった。彼のドイツ語表現は、多くの翻訳者たちに模倣され、ほかのヨーロッパの言語へと移されており、なかにはルター版を唯一の原典とした者もいた（アイスランド語訳聖書はその適例である）。聖書がはじめてフランス語に翻訳されたのは十六世紀で——それもラテン語やイタリア語からであり、ヘブライ語やギリシャ語からではなかった。マイルズ・カヴァーデールによって翻訳された最初の完全英語版の聖書もまた、原語は参照されず、ヒエロニムスのラテン語訳、後のエラスムスのラテン語訳、ルターのドイツ語訳が利用された。近代ヨーロッパの翻訳の成果を底本として、聖書は過去百年のあいだに約二千のほとんどが非ヨーロッパの言語に重訳されたが、そのことは、したがってこの聖典の長い歴史のなかで新機軸というわけではなかったにせよ、きわめて重大な結果をもたらした。これによって、ヘブライ語やギリシャ語ではなく、英語とスペイン語を「真実の言葉」として理解することが確認され、奨励されることになったのだ。聖書翻訳の起点言語としての英語とスペイン語のステータスは、これらふたつの媒介言語の話者の政治的、経済的、文化的なステータスと切り話すことは難しい。

支配的な言語から地方の言語への〈下〉への翻訳には、通常、起点言語からかなりの量の語彙や統語構造の借用が付随的に生じる。このようなプロセスによって、シリア語は、ギリシャの医学と天文学を保存するための媒介言語として使われたとき、豊かになり、拡大した。このようなプロセスによって、フランス語は、十六世紀にイタリア語からの大量翻訳の目標言語になったとき、変容し、強化された。このようなプロセスが働くことを、十九世紀初頭、シュライアーマハーは、ギリシャ哲学の富を受け継ぐ言語としてのドイツ語に熱く期待した。目標言語の変化はまた、実際、ジェームズ一世が設立した翻訳委員会によってもたらされた英語の運命でもあった〔国王ジェームズ一世の命により英訳された『欽定訳聖書』は、一六一一年に刊行され、近代英語の散文の発展に大きな影響を与えた〕。たとえば、'The Lord Our God'（わたしたちの神である主）は、ジェームズ一世時代の英語の一人称複数所有格を使った表現というよりも、ヘブライ語の語法のなぞり翻訳である。旧約聖書で対応する表現〈יי אלהינו〉は、「アドナイ・イレヘヌ」と発音し、'God, the Lord-Our' という英語の語句を当てはめることができるのだ。

電子通信分野で英語の用語が世界のほぼすべての媒介言語に広がっていること（コンピュータ、インターネット、ネットサーフィン、ハードウエア、USBなど）は、今日、言語の序列とはどのようなものかということを再認識させてくれる。フランス人の場合は、むしろあまり再認識したくないらしく、彼らの政府は、一九九六年に新語・専門用《コミッション・ジェネラル・ド・》語一般委員会《テルミノロジー・エ・ド・ネオロジー》を設立し、押し寄せる異言語の波を押しとどめようとしている。カヌート王〔九九四—一〇三五。イングランド、デンマーク、ノルウェーの王。抗しがたい力にあらがう人の例えに使われる〕よりはマシかもしれないが、成功は望めないと思う。

有名な作品をステータスの高い言語から翻訳することによって生じる目標言語の変化は、受容する側の文化にときには強要されることがあるかもしれないが、ほとんどの場合、そうではない。もっと特徴的なのは、目標言語の変化が翻訳界の人たちの希望と必要性から生じるということである。（指摘するまでもないが、国王ジェームズ一世の命を受けた翻訳者をせきたて、ヘブライ語の文法にかなう典型的な形に英語を合わせようとさせる「ヘブライ人」は、周りにひとりもいなかった。）しかし、二十世紀の聖書翻訳は、これとはまったくべつの話となる。現代では、聖書を現地の言語へ翻訳している人たちは、布教活動事業自体に密接に関わっており、その多くはまたアメリカ人なのだ。

彼らは言語習得に決定的な年齢をはるかに過ぎてから学んだ言語へと翻訳を行っている——つまり、本書のはじめのほうの数章で、われわれがL2翻訳者と呼んだ人たちなのだ。したがって彼らには、クロアチアの海辺のホテルに立てられた外国人目当ての看板の制作者たちと同様、意図せずに滑稽な、あるいは不快な印象を与えてしまう危険性がある。ユージン・ナイダの主な関心事は、その危険を確実に防ぐことにあった。

非ヨーロッパの言語への聖書翻訳は、早くも十七世紀にヨーロッパの植民地の拡大とともにはじまり、その当初から非常に創意に富んでいた。オランダ東インド会社の若手の貿易商であり、非凡な語学能力をもつアルベルト・コルネリウス・ルイルは、スマトラで業務を開始したとき、まずマレー語——地域の接触言語——を独学で習得した。彼は文法書を書き、その後、オランダ語から「マタイによる福音書」を訳した。ルイルは、翻訳を進めるにつれ、マレー語に対応する語がないとわかると、アラビア語、ポルトガル語、サンスクリット語の単語を用い、マレー語に改変や変更を加えた。しかし、彼はまた、それ以上のこともしたのである。

オランダ語版では、イチジクの木について語られている部分が、ルリル版では、‘*pisang*’——マレー語でバナナの木を指す——となっている。この代用は、スマトラにはイチジクがないので正当とされた。しかし、実はこのことが特別なものとして注目されるのは、それが〈下〉への翻訳という古来よりなされている事業に新しいイデオロギーが誕生したことを告げているからである。三世紀後、ナイダが理論化し、推奨した文化的代用の原則は、ルリルが発議していたのだ。

翻訳がヘブライ語からギリシャ語へ、ギリシャ語からラテン語へ、シリア語からアラブ語へ等々の方向で行われたときは、受け手側の言語が原語に相当する語をもっていない場合、新語がつくられた——つまり、起点言語の当該の語を目標言語の形式に合うよう修正して取り入れたのである。オランダ語からマレー語への場合はそうではなかった。受け手側の言語であるマレー語は、新しいものを表す新語が得られたのではない。既存の語によって指示される代用物を得たのである。

かつてダグラス・ホフスタッターは、「‘jazzercise’(ジャズ体操《ジャザサイズ》)は、アラム語でなんて言うんだろう?」と尋ねた。彼は、頭の体操のつもりでそう訊いているのであって、もし現代のエルサレムでアラム語話者の小集団が、フィットネスクラブに入り、デイブ・ブルーベックの曲に合わせてエアロビクスをしていたとすれば、それを何と呼ぶのだろうか、という質問のつもりでそう訊いたわけではない。古代世界のアラム語の話者が、当時なかったものを表す語をもたなかったのは当然として、今日のアラム語やその他の言語の話者たちは、‘jazzercise’を意味する語をつくろうとしたら、次の三つの方法のうちのどれかを選ばなければならないだろう。まず彼らは、この英単語を、アラム語の文のなかで機能するのに必要とされる形式上の修正を加えて、そのまま取り入れることができる〔たとえば日本語では、「ジャザサイズ」とカタカナで表記したり、日本語風に発音したりして外来語とする場合がこれに当たる〕。あるいは、それぞれ「シンコペーテッドミュージック」〔ジャズの別名〕と「体操」に近い意味をもつふたつのアラム語の語を選んで、これを組み合わせ、‘jazzercise’という英単語の造語法に倣った新しい複合語をつくることができる。最後に、既存のアラム語の語をひとつ選び、音楽に合わせてストレッチやジャンプをするという意味も含むように、その語の意味範囲を拡張させることもできる。以上、外国語の取り入れ（最初の選択肢）、翻訳借用（第二の選択肢）、あるいは意味的拡張は、どんな受け手側の言語でも、新しいものを言い表すことができる三つの方法である。このどれを通しても、たったひとつの語が、時がたつにつれほかの語の使い方や形に影響を及ぼしうるので、目標言語は変化する。しかし文化的代用は、‘jazzercising’を、アラム語の話者の世界で流行っている、多かれ少なかれこれと類似した何かほかの活動に置き換えるだけですむのだ。

これが、ルリルがマレー語に対して行ったことである。彼は新しいもの（「イチジク」）を意味する新語をつくったのではなく、既存の単語を使用してべつのもの（「バナナ」）を表したのだ。これは、スマトラにはイチジクがないという理由だけで、うまくいったのである。テルアヴィヴのアラム語地区の音楽が流れるフィットネスクラブでのように、当該単語の指示対象が受け手側の社会にも存在する場合、文化的代用は外来の単語を翻訳する方法としては機能しない。

想像してみてもらいたいが、ウォルター・ローリー卿〔一五五二—一六一八。イングランドの廷臣、探検家。北米からジャガイモとタバコをもたらしたと言われている〕が、新世界から持って帰った魔訶不思議な根菜をエリザベス一世に献上し、その野菜を発見した報奨金を所望したとしよう……カブを発見したと奏上して。これはうまくいかないだろう。というのも、それはカブではないからだ。現にジャガイモを手にもっているのに、それを、何であれもう一方の手でもつことのできるものの名前で呼ぶことはできない。「文化的代用」とは、そこに存在しないものにのみ適している命名・翻訳の方策なのだ。カブではないものを「カブ」と名づけても、この語の意味を拡張することはできない。同様にルリルは、イチジクの代わりに‘*pisang*’（バナナ）と記したとき、このマレー語の単語の意味を拡張したのではない。バナナとイチジクの両方の実がなる新種の木が突然生まれたわけでもない。この類いの文化的代用が真に言っていることは、次のとおりである。「あなた方は本当には理解できないでしょうし、わたしたちも説明するつもりはありません。代わりにバナナをどうぞ。」

類似に基づく代用は、非ヨーロッパの言語への聖書翻訳では頻繁になされている。聖書本文にある「雪のように白い」は、雪がけっして見られない地域では、「バタンインコの羽毛のように白い」とされたり、また、南アメリカの一部の言語では「コットンボールのように白い」とされたりすることがある。インドネシア領ニューギニア島の湿地帯に建てられている住居は、みな高床式であり、その地域で使用されるアスマット語では、石の上に家を建てる賢い人と、砂の上に家を建てる愚かな人のたとえ話は、「賢い人は鉄のように堅い木で高床式の家を建てるが、愚かな人は白木で高床式の家を建てる」という話に変えられている(白木はすぐに腐ってしまうので、猟のための仮小屋にしか使われていないのだ)。[4]

ナイダは、自らが出会い是認した、もっと大掛かりな文化的置き換えの例を報告している。彼によれば、アフリカの多くの地域では、族長が通る道に木の枝を投げるのは侮辱を表すが、一方、福音書では、これはイエスのエルサレム入場を凱旋として祝うためになされる。同様に、世界の多くの地域では、断食は文句なく信仰の表現として見られるとはかぎらない――むしろ神への侮辱と理解される可能性が高いのだ。[5] シュロの聖日〔イエスがエルサレムに入ったとされる日〕に関する福音書の話と、旧約聖書における断食の役割を改訂することは、アフリカの読者に誤ったメッセージを送らないようにするためにはぜひとも必要であり、同時に、語られる物語の内容を大きく変えずには不可能なことでもある。ナイダの仕事は、聖典ではなく、聖なる物語の宝庫と捉えられた聖書と機能的に等価なテクストの制作を支援することであった。

ナイダはまた、聖書翻訳プロジェクトでは、現地語のネイティヴ・スピーカーを完全なパートナーとして、また可能なときはいつでも主役として活用することを奨励した。なぜなら、どのような文化的代用物が適切なのか信頼できる判断は、L2話者では簡単にはできないからだ。もし受け入れられることが最重要の目的であるならば、L1話者は創案したり翻案を行うにはずっと有利な立場にある。受け入れやすさに関する彼らの直感が重要だからである。

受け手側の文化に適応した翻訳をナイダが主張した点については、二通りの解釈が可能である。ひとつは、宗教的真理は、すべての人間が、文化や言語に関係なく、理解できるものでなければならないという、彼がほかのクリスチャンたちと共有している信念から生じたとする見方である。しかし、同じくらい重要なのは、聖書の翻訳者たちが自らの訳業によって不可避的に影響と変容をもたらしてしまう諸文化の元のままの姿を尊重したいというナイダの願望が根底にあるとする見方である。受け手側の文化に適応した翻訳は、これらふたつの相反する希求の妥協の産物なのだ。この種の翻訳は、すでに馴染みのある語を用いることによって、受け手側の文化がまったく新しいものを受け入れ、統合しやすくなるよう助力するのである。

ナイダの見解は、翻訳研究の学者、とくに主として文学作品の翻訳に関心をもつ人たちに評判がよくない。彼らは、アフリカの言語の口承叙事詩を翻訳する際、イングランドの緑豊かで気候のよい田園ではベンガルボダイジュの木がまったく見られないからといって、「ベンガルボダイジュ」を「クリの木」に置き換えることがいかに馬鹿げているか、といった類いの指摘をする。このような批判は、問題の核心を見落としている。つまり、ふつう〈上〉への翻訳は、〈下〉への翻訳と同じテクニックを使わないのだ。分化していない、ただひとつの種類に属する諸実践、諸原則が、翻訳の広大な分野全体で重きをなしているはずだし、これからもそうだろうという考えを正しいとする根拠はまったくない。起点言語と目標言語のあいだの階層関係は、翻訳者が使用する方法を決定する唯一のものではないが、しかし、翻訳者が何をどのように行うかにかなり根本的な影響を与える。

たとえば、文化的代用は〈上〉への翻訳でも時どき使われるが、趣旨は異なる。アーサー・ウェイリーの手でなされ、影響力をもった中国と日本の詩や散文の翻訳では、英国的イメージをもつ'Lords'（領主）や'Ladies'（貴婦人）が、極東の古代社会のまったく異なる社会的地位の代わりに用いられている。ウェイリーが、このような置き換えをした理由は、ナイダが「雪」の代用に「バタンインコ」を承認したのと同様に込み入っている。一方で、'Lords'や'Ladies'は、英語の読者が、とくに知りたいとも思わない文化について、あまりにも難解な情報を得る必要がないようにするためのものだ。他方で、これら高い地位を表す自国色の強い用語は、外国社会の表現に見覚えのある格の高さのイメージを付与し、かくしてその社会を知る価値のあるものとするためのものでもある。翻訳者が行う戦略的決定は、つねに両義的な意味合いをもつのだ。

文化的代用からもっともかけ離れているように思われる技法は、目標言語の意図的な改変である。聖書翻訳がまたもや、極端な例をいくつかわれわれに提供してくれる。二十世紀になって、学術的な聖書再訳プロジェクトが進められ、すでに翻案的な形式の聖書に慣れている読者のために、聖書の異言語的特性を回復しようとする試みがなされてきた。たとえば、聖書文献学会のコンテクスト研究グループは、「聖書は西洋の書物ではない」、また「われわれのために書かれたものではない」と主張している。[6] このグループのメンバーたちは、言語はそれがはめ込まれている社会的コンテクストから切り離すことはできず、古代の中東は、完全に異質な地域であるため、ヘブライ語の聖書の世界を今日ふつうに意味をなす翻訳で十分に表現することはできない、と指摘している。[7] 聖書のテクストを異化しようとする彼らの計画は、マルティン・ブーバーとフランツ・ローゼンツヴァイクの先例に倣うものであった。このふたりのユダヤ人神学者は、自分たちがユダヤ人の信仰の詩的、宗教的、共同体的な特徴と見なすものを原初のままの状態で復元するため、一九二〇年代に旧約聖書をドイツ語に改訳したのである。[8] その実現のために、ヘブライ語に見られる語句の繰り返しや音のパターンを、読みやすさを犠牲にして再現している。これに比べると、一六一一年の『欽定訳聖書』という、ある程度古拙さが残る版の「出エジプト記」三章十四―十五節は、かなり読みやすいのだ。

And God said unto Moses, I AM THAT I AM; and he said, Thus shalt thou say unto the children of Israel, I AM hath sent me unto you. And God said moreover unto Moses, Thus shalt thou say unto the children of Israel. The Lord God of your fathers, God of Abraham, the God of Isaac, and the God of Jacob, hath sent me unto you: this is my name for ever, and this is my memorial unto all generations.

神はモーセに、「わたしはある。わたしはあるという者だ」と言われ、また、「イスラエルの人々にこう言うがよい。『わたしはある』という方がわたしをあなたたちに遣わされたのだと。」神は、更に続けてモーセに命じられた。／「イスラエルの人々にこう言うがよい。あなたたちの先祖の神、アブラハムの神、イサクの神、ヤコブの神である主がわたしをあなたたちの

もとに遣わされた。／これこそ、とこしえにわたしの
名／これこそ世々にわたしの呼び名。

ブーバーとローゼンツヴァイクの訳は、ヘブライ語原文の改行、またこの古代の言語のほかの多くの特徴を踏襲しているので、同様のやり方で英訳すると、おおよそ次のような感じになるだろう。

God said to Moshe:
I will be-there howsoever I will be-there.
And he said:
Thus shall you say to the Children of Israel:
I AM THERE sends me to you.
And God said further to Moshe:
This shall you say to the Children of Israel:
HE,
the God of your fathers
the God of Avraham, the God
of Yitzhak, and the God of Yaakov,
sends me to you.
That is my name for the ages,
that is my title
generation unto generation.

神はモーシェに言われた、
我はそこにあるであろう、いかようにも我はそこにあるであろう。
それから神は言われた、
〈イスラエルの子ら〉にかく言うがよい、
〈我はそこにある〉がわたしをあなた方のもとに遣わされたと。
それから神はさらにモーシェに言われた、
〈イスラエルの子ら〉にこう言うがよい、
〈あのお方〉が、
あなた方の父祖の神
アブラハムの神、イッハクの
神、ヤーコフの神が、
わたしをあなた方のもとに遣わされた。
それが長きにわたって我が名、
それが世世にわたって
我が称号[9]。

ナイダもブーバーもともに、「真理の言語」から地方語への翻訳に関心をもっていた――つまり、両者ともルター、ルリルル、『欽定訳聖書』の翻訳者たちと同様、〈下〉への翻訳に携わっていた。両者の大きな違いのひとつは、翻訳の方向性ではなく、世界の言語の序列のなかで、彼らが取り扱った言語ペアがおおよそどのような位置にあるかという点にある。ヘブライ語、ドイツ語、オランダ語、マレー語は、お互いに交換できる場所にいないのだ。しかし、もっとも重要な違いとなると、翻訳者たちが各自の読者層は何を必要とし、望んでいると考えていたかという点である。ルリルにとっては、十七世紀のスマトラ島住民は、聖書の物語とその全体の意味を学ぶ必要があったが、ブーバーの考えでは、ワイマール共和国に住むユダヤ系ドイツ人が学ぶべきなのは、本物の原初ユダヤ人社会が信仰していたものであった。こうした違いから、翻訳の歴史には奇妙な反転や循環が生じており、その進路は、どんな理論も容易には処理できないほど入り組んでいる。ブーバーの「異言語化」のアプローチは、受け手側の言語に永続的な影響を与えてきた〈下〉への翻訳――ギリシャ語からシリア語へ、イタリア語からフランス語へ、ラテン語からほとんどの西洋の言語への翻訳――の大事業に特徴的なものだ。一方、訳文を受け手側の言語・文化にしっかり適応させようとするルリルとナイダのアプローチは、明らかに〈上〉への翻訳――地方的だったり異質だったりする言語から、そうした起点言語についてあまり知りたがらない話者がほとんどである中心的言語への翻訳――に多く見られる。近代の聖書翻訳はかくして、古くからつづいていた傾向を逆転させたのである。

受け手側の（異国）文化をできるだけ尊重すべきという主張に基づき、ナイダが推奨する聖書の〈下〉への翻訳スタイルは、〈上〉への翻訳によく見られる方法を利用している。一方、ブーバー（そして彼以降ではフランスのアンリ・メショニック）の異国性を前面に押し出すスタイルは、過去数千年にわたって〈下〉への翻訳で特徴的に使われてきたものであり、現在では近づきがたくなっている文化や発話形式のもつ根本的な差異に対する律儀な敬意によって動機づけられている。

どちらの方法も、敬意が払われるべきところに敬意を払おうとしている。全体として動機づけに矛盾はない。しかしブーバーは、現代ドイツ語の言語規範をほとんど尊重していないが、ナイダは、メッセージを伝えるという最優先の目的と比べて、雪に特有な性質はあまり重要でないと考えている。

これらの翻訳概念が受け手側の言語と文化に与える影響の度合いは、実はどちらの場合も、翻訳方法論としての内在的な価値や読者の優秀さによって決まるのではない。それは量で決まる。聖書翻訳独特の特徴を脇に置くと、ふたつの言語間に見られる翻訳の相互の流れは、けっして等量ではなく、ほとんどの場合、まったく不均衡だと言える。流れの方向は、どちらが〈上〉への翻訳なのか、その流れの下では何が起こっているのかを理解する鍵となる。

16 翻訳のインパクト

聖書翻訳のなかには、受け手側の言語に甚大かつ永続的な影響を与えているものもある。ルターの聖書は、近代ドイツ語の最初の金字塔と考えられており、『欽定訳聖書』は、英語史では避けて通れない参照点となっている。しかし、このようなインパクトをもつケースは、翻訳一般に典型的なものではない。個々の翻訳者が、受け手側の文化にごく小さなさざ波をたてることすら、めったにあることではない。ところが、特定の分野では、翻訳作品の波が連続してつづくと、受け手側の言語にはつねにはっきりとした変化がもたらされる。

　このことは、フリードリッヒ・シュライアーマハーにとって、どうすればギリシャの古典をいちばんいい形でドイツ語に翻訳できるかを説明しようとしたとき、明らかなことだった。彼の主張によれば、違いを生み出すのは一冊の本ではなく、ギリシャの哲学と劇の大量の翻訳こそが、ドイツ語を「異質なものとの多種多様な接触を通じて、その完全な力を開花させ、発展させることができる」のだ[1]。しかし、原典を生んだ社会と受け手側の社会のあいだの関係によっては、目標言語は、根本的に異なる形で影響をこうむる。

　たとえば、一九六〇年代から一九九〇年代にかけて出されたさまざまなフランス批評理論の英訳に感化され、英語で書かれた、文学についての理論的言説は、以前よりもずっとフランス語っぽい感じがするようになった。これと逆の方向では、有名人ゴシップを売り物とするフランスの新聞雑誌の言葉遣いは、英語のスタイルを大幅に取り入れたことによって、すっかり変貌している。大衆紙（誌）《ラ・プレス・ピポル》は、現在、言語の均質化として糾弾されている傾向を明らかに示している。

　これは語彙だけの問題ではない。スウェーデン語の小説で起きている、会話の導入法のささやかな、しかしかなり重要な変化の源は、英語小説の翻訳にあることが明らかにされている[2]。以下のような文の構造は、あらゆるタイプの現代の英語小説では、ごくありふれたものである。

1. "Don't try," she said with disdain.
2. "It doesn't matter," he said calmly.
3. "And now you must go to sleep," he said in a tone that was friendly but authoritative.
4. "Get out," said Frank abruptly.

1　「やめなさい」と、彼女は侮蔑の念を込めて言った。

2　「そんなことは重要じゃない」彼は平然と言った。

3　「もう寝なくてはいけないよ」彼は優しく、しかし断固たる調子で言った。

4　「出て行け」と、フランクはそっけなく言った。

スウェーデン語の文法でも、この種の構文は不可能ではない。しかし、スウェーデン語の小説スタイルでは、直接話法のあとに修飾語句（'with disdain', 'calmly', 'abruptly'）

をともなう発言動詞〔ここでは“said”〕を置くことは、かなり珍しい。この構文は、もとからスウェーデン語で書かれた三十の小説の代表的な言語資料《コーパス》では、六四回生起するが、そのコーパスに対応する、英語からスウェーデン語に翻訳されたほぼ同量の小説のコーパスでは、四八四回生起する。この英語の「指紋」――英語小説の慣例的な「会話の小道具」のひとつ――は、いまや最初からスウェーデン語で書かれる文章の作法に統合されている。ただし、文学作品一般ではなく、とくに推理小説の特徴となっている。これは、グローバリゼーションの意図されざる結果として非難されることの多い、言語や文体の小さな、だが重大な意味をもつ併合のひとつである。しかし、スウェーデンの推理小説は、小気味よい復讐をとげている。言葉遣いこそ英語の会話の表現法に浸潤されたかもしれないが、しかし、ヘニング・マンケルやスティーグ・ラーソンによる、スウェーデンのハードボイルド犯罪小説は、いまや世界のベストセラーリストを席巻しているのである。

　アメリカ人弁護士のプレストン・トーバートは、べつなタイプの併合を積極的に提案している。中国でビジネスを行っている米国企業のための仕事で、彼は何百もの契約を処理しなければならなかった。契約書は、ふたつの言語――英語と中国語――で書き、米国および中国というふたつの司法管轄区で同等の有効性や効力をもつ必要がある。これはおそろしく困難な仕事だ。というのも、ふたつの国の法的伝統は、何世紀にもわたって別個に形成され、一致する用語もあまりないからである。(3)

　ひとつの問題が、アメリカの法律で「類推定《クラス・プリザンプション》」と呼ばれるものから生じた。たとえば、ある契約書で、条項のひとつが、ある区画の土地に建てられた「すべての家、フラット、コテージ、またはほかの建物」に適用されると規定されている場合、その「ほかの建物」とは、類推定の効力によって、「家、フラット、コテージ」で構成される類に属するほかの建物――つまり、居住用の建物――のみを意味する。このような文章解釈は、法律以外のコンテクストでの英語の慣用法と相いれない。べつなコンテクストでは、「ほかの建物」という語句が、工場や宇宙ステーションや阿房宮〔馬鹿げた大建築や装飾用の建造物〕を指すことも妥当でありえるからだ。

　中国語には、「類推定」に相当する用語はなく、中国の法文化でも、このような条文解釈は認められていない。もし英語で書かれた規定が、追加の修正なしに翻訳されれば、「ほかの建物」に相当する中国語は、住居用の建物と同様、工場や作業場を指すことも妥当となる。つまり、アメリカの法英語でいう「類推定」が明確に排除している意味も含められてしまう。もちろん、「またはほかのすべての類似した建物」、「またはほかのすべての同類の建物」、「またはほかのすべての居住用の建物」のような意味の追加の漢字を書き入れることもできるだろう。しかし、法廷での争いになった場合、利口な弁護士なら英語の契約書には追加の漢字に相当する語句が含まれていないので、ふたつのヴァージョンは正確には同じ内容ではないと主張することが可能かもしれないのだ。

プレストン・トーバートが提案した解決法は、中国語の訳文が問題とならないような形で英語の契約書を起草すること——つまり、起点言語のテクストを修正して、以前より目標言語への翻訳に適したものにすることである。さらに、このような変更を加えれば、アメリカの法律用語の難解さが軽減し、だれにとっても益となる。解決法がひじょうに簡単なので、なぜこれまでつねにアメリカの契約書では、「家、フラット、コテージ、またはほかのこれらと同類の建物」と規定してこなかったのかと、不思議な気持ちになる。トーバートの答えは、これまで契約書の起草者たちには、手伝ってくれる中国人がいなかったからだ、というものだ。中国人は、英語話者の弁護士たちに自分の言おうとすることをいかに言ったらいいかを教えることができるのである。

以上のような翻訳のインパクトは、明らかにごく小さい。フランス語、英語、スウェーデン語、中国語は、それらのインパクトによって変わったわけではなく、周縁部に軽くマッサージを受けた程度である——少なくともいままで見た例ではそうだった。しかし、大パプア台地の熱帯雨林に住む人たちのさまざまな小共同体で話されているボサヴィ語にも福音書が翻訳されているが、これははるかに広範な影響を及ぼしている。(4)

一九七〇年代にボサヴィ族がキリスト教に改宗する前まで、彼らの文化は、(古代ローマの文化にいくぶん似て)誠実さを概念として認識していなかった。人前で話されることを真に受けて、私的な考えとか、外面の行動と内面の状態の一致とかは、関心事ではなかった。しかし、誠実さ——何かを言うこととそれを本気で言うこととの一致——は、キリスト教の宣教師たちが伝えたメッセージに不可欠なものだ。アジア太平洋キリスト教伝道団は、現地の言語を「民族の魂が宿る聖堂」と考え、したがってボサヴィ語でキリストの教えを説くことに決めた。ところが、宣教団にはだれひとりとして現地調査する言語学者はいなかったし、ボサヴィ語を流暢に話せるようになった人もいなかった。しかも、ボサヴィ族はたいてい他言語を話さなかった。交易では、以前はつねに、近い関係にある言語で通訳できるとなり村の住民たちを当てにしていたし、もっと最近になると、地域の接触言語のトク・ピシンを利用した。

宣教師たちは、トク・ピシンに翻訳された新約聖書、『ヌペラ・テスタメン』を用いた——これは、ラテン語やギリシャ語からではなく、子どもや教育を受けていないおとな向けに一九六六年に初出版されたアメリカの『グッド・ニューズ・バイブル』と呼ばれる、簡略化された英語テクストから訳出されている。この共通語しか使えなかったので、宣教師たちが最初に布教したボサヴィ族は、地元から離れて働いたことがあり、トク・ピシンをいくらか習得していた少数の若い男性に限られていた。宣教師たちは、彼らに基本的な読み書きを教え、彼らが自ら伝道者となる道へと送り出した。これら新入りの改宗者は、小さな村々で組織した初歩的な礼拝で、『ヌペラ・テスタメン』を音読し、それから小さな部分、あるいは一節全体ごとに口頭で即興的に翻訳を行った。この翻訳の方法を考えると、これをつづけるにつれ、ボサヴィ族が多くのトク・ピシンの言葉や言い回しをボサヴィ語に取り入れたのは、不思議なことではない。しかし、これら「言語をべつな言語に変える人たち」の真のインパクトは、それ以上に深いレベルにある。

ボサヴィ語は、〈証拠性〉をもつ多くの言語のひとつである。証拠性とは、何かあることがどのようにして知られたのか——目で見てか、伝聞でか、推論してか——を示す文法形式である（一五八頁参照）。対照的に、トク・ピシンはこれをもたない。そのため、人が考えたことと言ったこととの違いに焦点を当てた、聖書のなかのストーリーを、『グッド・ニューズ』版を訳したトク・ピシン版からボサヴィ語へ口頭翻訳するとき、パプアの新米伝道者は、大きな問題を抱えることになった。たとえば、以下の引用では、傍点を付された言回し部分がそうだ。

> イエスは（……）中風の人に、「子よ、あなたの罪は赦される」と言われた。ところが、そこに律法学者が数人座っていて、心のなかで考えた。「この人は、なぜこういうことを口にするのか。神を冒瀆している。神おひとりのほかに、いったいだれが、罪を赦すことができるだろうか。」イエスは、彼らが考えているこ

とをすぐに知って言われた。「なぜ、そんなことを考えるのか。中風の人に『あなたの罪は赦される』と言うのと、『起きて、床を担いで歩け』と言うのと、どちらが易しいか。人の子が地上で罪を赦す権威を持っていることを知らせよう。」そして、中風の人に言われた。「わたしはあなたに言う。起き上がり、床を担いで家に帰りなさい。」[5]

（強調はベロス）

トク・ピシンでは、文字通りには「彼らの腹のなかで」を意味する‘*na long bel belong*’という句で、「彼らの心のなかで」や「彼らの頭のなかで」を表し、『ヌペラ・テスタメン』ではこれが、‘*tingting*’、すなわち「考える」とともに使われ、律法学者たちが口に出さずに何かを「考えていた」という事実を指示している。しかし、口に出さないのに、どうして彼らが何かを考えていることがわかるのか、ボサヴィ語への口頭翻訳者たちは、これほど証拠の裏づけのないことは、まったく言うことができなかったのだ。口頭翻訳の記録のひとつでは——証拠性を表す接尾辞‘*-lo:b*’が「考える」を意味する動詞に付け加えられ——イエスは律法学者たちが考えていたことを視覚的証拠によって直接知ったことになっている。この記録ではまた、その行に「それは言う」に近い意味を表す‘*a:la:sa:lab*’という決まり文句を付け加え、ともかくそこで言及されている状況についての知識の出所を現実の話者ではなく、何らかの外部の権威に位置づけている。しかし、これについては、その時どきの説教者や場によってかなり大きな違いがあり、ついに、トク・ピシンからの形式的借用（統辞法のなぞり翻訳）が「内部の思考」、つまり声に出される言葉によって明示されない思考を表す新しい方法として受け入れられるに至った。文字通りには「腹の」を意味する‘*kufa*’が、接頭辞として「考える」に相当する動詞に付け加えられたのだ。翻訳の努力によってボサヴィ語は変わり、それにともなって精神世界全体も変わった。いまやボサヴィ語では、「私的な考え」は、「腹で考える」ものとなった。すなわち、逆に言えば、布教の最前線でなされた即興的な言葉の仲立ちのおかげで、ボサヴィ語の話者がいまお腹でできることに、大きな変化があったのである。

　宣教活動によってボサヴィ族の生活にもたらされた変化は、明らかに彼らの言語の文法と語彙をはるかに超えている。しかし、ボサヴィ語の話者たちが、いまや「内面生活」を概念化し、それに言及できるようになった変化は、キリスト教への改宗の影響だけではなく、翻訳——福音書のトク・ピシンからボサヴィ語への翻訳——の直接のインパクトにも起因しているのである。

遠い過去や最近の過去に翻訳が受け手側の文化に与えた影響に関する議論では、「豊かにする」、「拡張する」、「改良する」のような語を使用して、目標言語がどのようにインパクトを受けたかを説明している。ところが、われわれの生きる現代では、翻訳の影響が生じている現象を見たり聞いたりすると、まったく違うメタファーが飛び出してくるのに気づく。たとえば、「歪める」、「損なう」、「均質化する」といった語をよく耳にする。ボサヴィ語の文法における証拠性の役割は、トク・ピシンからの即興的な借用によって、取り返しのつかないほど価値が低下した。証拠性の表現のためには語られる事柄の情報源について知識が必要だが、トク・ピシンは、それがまったくわからない物事についても語る方法をボサヴィ語にもたらしたからだ。いくつかの観点から見れば、これはユニークでかけがえのないひとつの精神世界を破壊してしまったのである。同様に、フランスのメディアが芸能人ゴシップを売り物にする英語ジャーナリズムのスタイルを大幅に取り入れたことによって、フランス語そのものの品位を落とす文体上の醜悪さが生まれたと言うことができるだろう。しかし、時代や場所を移してみれば、同質のもっとずっと大きな語彙や文体の変化が、嘆きの声ではなく、それとは正反対の感情を生じさせてもいる。たとえば日本の翻訳者たちは、十九世紀後半、ヨーロッパの諸言語から多くの科学用語を取り入れたが、これらの新しい用語の使用者はたいてい、自分たちの言語がこれによって豊かになったと考えたのである。同様に、四世紀から八世紀にかけて、シリア語（アラム語と密接な関係にあるセム語派の言語）は、主教、学者、翻訳者であったセヴェルス・セボフトの働きで花開いたと言われている。彼は、西方ラテン世界が無視していた古代ギリシャ人の数学、医学、天文学の知識とともに、ギリシャ語の語彙や表現を大量に取り込んだのである（それから数世紀たってから、セボフトのシリア語訳を重訳したアラビア語版が、十二世紀中頃、スペインのトレドでクレモナのジェラルドによってラテン語にさらにもう一度重訳され、それが広くヨーロッパじゅうに普及してはじめて、古代のギリシャ科学が、西方ラテン世界によって再発見された）[6]。

ボサヴィ族を改宗させたキリスト教根本主義者は、自分たちが救った人たちの言語を豊かにしたと、本当に信じているかもしれない。また、わたしが思うに、千何百年以上も前、シリア人のなかには、ギリシャ語の語や表現が大量に取り入れられたことで、自分たちの古来の言語が台なしになったと、否定的に考えた人たちがいたかもしれない。しかし、実のところ、翻訳によって誘発されたり、加速されたりする言語の変化への態度は、言語や翻訳についての感情にのみ起因するものではない。そのような態度は、根の深い、もっとずっと扱いの難しい想念から生じる。

そうした想念のうち最初のものは、自分の言語が翻訳言語の上下関係のなかで占めているはずだと思う位置に関係する。多くの人にとって、とくにヨーロッパの単一言語民族国家という考え方に囚われている人たちにとって、これは微妙な問題となる。ある言語の想像上の順位は、しばしば現実と食い違うので、これが集団的な偽善や恨みを生むことがある。英単語の使用を見下しながら、それでも大量にそれを取り入れているフランス人などは、そのような状況にいる。それはフランス人にかぎったことではない。

翻訳が招来する言語変化への態度を構成する第二の主要要素は、新しい語彙がもたらすものに人が置く価値に関わる。翻訳が受け手側の言語に与えるインパクトは、翻訳される題材がもつインパクトと現実には切り離すことができない。その時どきに翻訳は、ハリウッドの華やかさ、造船技術、宗教的な救済、マリー・アントワネットにまつわる粋な話——まさに書くに値すると思われるすべてのもの——で、受け手側の文化を賑わせる。このような流れで生じる言語的影響に人が置く価値は、当の翻訳がはじめて知識を与えてくれる題材に対して、人が感じる必要性や欲望に左右されるのである。

一方的な翻訳の流れが他文化に与えるダメージは、一方的な翻訳の流れが受け手側の言語にもたらす恩恵と何ら異なるものではない。真のダメージと真の恩恵は、翻訳それ自体、あるいはそれが受け手側の言語に与えるインパクトではなく、翻訳によって公にされる著作の性質にあるのだ。

17 第三のコード
——方言としての翻訳

あなたは何語を話しますか？　これはたんに事実についての質問に聞こえるし、中身は何であれ、単純な答えが返ってくるにちがいない。しかし、二〇〇八年の金融危機〔リーマン・ショックのこと〕のときにアメリカの新聞を読んでいたわたしは、アメリカ合衆国財務長官が、当時ウォール街を揺るがしていたツナミに終止符を打つため、長いメギラ〔ヘブライ語聖書の巻物で、エステル記など五書を含むもの。転じて、複雑な説明〕を発表しようとしていることを知った。いま記したこの新聞の文は、何語だろうか？　おや、もちろん英語だよ——しかし、それは大雑把な答えでしかない。そこにはまた、わずかではあるが、（イディッシュ語に媒介された）ヘブライ語もあるし、日本語もあるのだ〔megillah, tsunami〕。わたしはその文をフランス語に翻訳できる——*'M. Paulson s'apprête à dévoiler la bonne méthode pour calmer la tourmente des marches'*（ポールソン氏は市場の恐慌を鎮める良策を発表しようとしている）——が、だからといって、それが英語であることの証明とはならず、わたしがその文の意味を理解していることを明らかにするだけだ。わたしはこのフランス語文をいく通りにでも逆翻訳する〔元の言語に翻訳し直す〕ことができる——が、それは「英語」というものが、ぜんぜん確定したものでないことを示すだけだ。

英語への翻訳を行う人は、ページをめくるたびに、自分の書く言語の性質、個性、使用範囲、読者層を決定する必要に迫られる。わたしは、イングランドで教育を受け、スコットランドで長く暮らし、現在はアメリカ東海岸に住んでおり、そのような生活歴を反映した個人的スタイルでものを書いている。しかし、翻訳をするときは、段落ごとに、どこの土地の英語の書き言葉を使えばいいのか選択しなければならない。周知のように、英語圏では、数百もの一般的な語彙項目はもちろん、綴り、数体系、挨拶、呪いは、地域によって形が異なるのだ。そのため、頭がおかしくなりそうになる。何が「英語」で、何が別物なのか、どうやって見分ければいいのか？

実際的な解決法は、まずわたしが自分の好きなように翻訳し、それから出版社の有能な原稿整理編集者が、自社の出版物とターゲット読者層にふさわしいスタイルに合致するよう、わたしの訳文を修正することだ。しかし、これは見かけだけの解決法にすぎない。ほとんどの英語出版社が刊行するほとんどの本のターゲット読者層は、確定できないほど広範囲にわたり、アメリカ人、オーストラリア人、インド人、カナダ人、南アフリカ人の読者を含む――これらの大集団は、それぞれ他とはかなり異なるタイプの話し言葉と書き言葉にもっとも馴染んでいる。したがって、編集段階でわたしの訳文から――それがどんなに地域をこえて関心をもたれる文学作品やノンフィクション作品の訳文であろうと――削除されるのは、地理的に多様な英語のどれかに属する特徴的な言語上の癖である。換言すれば、わたしの訳文は、アメリカでの出版向けに編集されれば、脱イギリス英語化されるし、ロンドンの出版社が主導権をもつときは脱ヤンキー英語化される（わたしの英語にアメリカ英語表現が混じるのはごくまれなので、これはさほど難しい仕事ではない）。このプロセスの結果でき上るのは、「差し引かれた英語」である――理論上、これは英語に共通する中心基盤であり、その基盤からは、ほかに適当な名前がないのでなおも英語と呼ばれる、始末に負えないほど広まった言語が使用されているどこかの地域で理解されなかったり、異なったふうに理解されたりする語彙や言い回しが取り除かれているのだ。

したがって、英語の翻訳言語は、どこかで話されたり、書かれたりする言語による表現ではまったくない。この言語の主な特徴は、地域的特徴をもたないことだから、外からはなかなか見えない――これこそ、まさにこの洗練された文体戦略の核心である。「翻訳英語」〔Tranglish。translation と English のかばん語〕は、社会科学やグローバル・ジャーナリズムの不細工な国際英語とは、完全にその本質を異にする。それは滑らかで、重要な利点をいくつかもっている。プロの言語修繕士の巧妙なわざによってどの地域の言語とも切り離され、たとえばクイーンズランド〔オーストラリア北東部の州〕、アイルランド、ウェセックス〔イングランド南西部地方〕、あるいはウェールズ出身の小説家の「英語」で実際に書かれたどのテクストよりも、はるかに翻訳しやすい。しかし、それはすでに翻訳されたもの（わたしの場合は、フランス語からだが、たとえロシア語やヒンディー語からであっても、同じことが言えるだろう）であり、文章に奇妙な点が残っている場合、それはすべて、世界じゅうに存在する多種多様な英語のいずれの話者にも、翻訳者の出自ではなく異言語の痕跡として自動的に解釈される。ローレンス・ヴェヌーティが、英米の反知性主義的、排外的な傾向として雄弁な言い回しで非難している「翻訳者の不可視性」[1]はまた、境界をもたないという英語自体の特質の意図されざる結果でもあるのだ。

　翻訳される作品の言語と、翻訳の成果とされる訳文の言語とは、まったく同一とは言えないのではないかという疑念に促され、関連する逸話とか直感に頼るのではなく、コンピュータが読み取れる形式に変換された大量の翻訳テクストの自動分析に基づく学術的な研究がなされるようになった。この手法によって、現在「第三のコード」と呼ばれているもの――つまり、目標言語の通常の特徴とは区別されうる点をもつ方言としての翻訳言語――について洞察を得ることが可能となった[2]。そのような調査の一環で、フランス語に翻訳された英語の小説には、もともとフランスで書かれた小説とはまったく相違するように思われる言語的特徴が、少なくともひとつあることが発見された。

　フランス語の文の一部分を強調したいとき、それを通常の文法的な位置から取り出し、文頭に置いて、通常の位置には代名詞か代役《ダミー》の語を入れる。たとえば、縁日で子どもたちがおやつに欲しがっているものに異を唱えたいとき、英語の場合、「でも、わたしはアイスクリームがいいな」と言いながら、子どもたちがやかましく綿菓子をせがんでも、声のトーンでアイスクリームが自分の欲しいものだと強調する。フランス語の場合のふつうのやり方だと、「わたし」を特別な形に変えて文頭に置き、通常の形で「わたし」を繰り返す。つまり*'Moi, je veux une glace'*〔文頭のmoiは一人称単数の強勢形。その次のjeは一人称単数の主格〕となる。フランス語のこの特徴は、左方転移と呼ばれることが多く、子どもとの言い争いばかりではなく、話し言葉でも書き言葉でもあらゆる場面でかなりよく見られる形である。賞をとった最近のフランス語小説の抜粋から成る言語資料《コーパス》を調べると、おおよそ四万五千語の範囲で、左方転移は百三十回生起する。ところが、ほぼ同時期にフランス語に翻訳され、同じようによく知られた小説から抜粋されたほぼ同語数の範囲のコーパスでは、五十八回しか生起しない。この違いはきわめて顕著であり、翻訳者のどんな個人的スタイルによっても説明がつかない。第三のコードは、本当に存在しているようだ[3]。

　さらに興味深く、とくに翻訳の理解に関係するのは、フランス語への翻訳のコーパスでは、左方転移の使用は、ある種のコンテクスト――会話――にきわめて集中していることである。ところが、もともとフランス語で書かれた小説のコーパスでは、半分以上が、三人称の地の文で生起している。どちらのコーパスにも、文法的に誤っていたり、文体的に不適切だったりする左方転移はいっさいないが、英語小説を仏訳する翻訳者が（自覚しようがしまいが）従っている言語的規範は、フランス語で書く小説家の言語使用法と同一でないことは明らかだと思われる。

　フランス語では、なぜとくにこの左方転移に第三のコードが見られるのか、その理由を見つけるのは難しくない。フランス語の文法書や学校でのフランス語教育では、伝統的に左方転移は、口頭表現に典型的なものとして分類されてきた。翻訳者はこの教えを、たとえそれがフランス語ネイティヴの作家たちに見られる言語使用法と食い違っていても、内面化してきたように思われる。したがって、翻訳者は規範化された言葉遣いで書く傾向があり、正規形や標準形として広く理解されているものに重きを置く。実際、翻訳の仕事を個人的に経験したことのある人ならだれでも、この事実を知っている。翻訳は中心に向かうのだ――すなわち、ネイティヴ・スピーカーが例によって何か言ってもそれにおかまいなく、どんなものであれ、標準語に属していると考えられる、言語規則にかなった表現に向かうのである。したがって、「差し引かれた英語」へと編集される英語翻訳者のあり方は、翻訳の世界では例外ではない。フランス語翻訳者は、原稿整理編集者が彼らの原稿をチェックするようになる以前から、もう同じ状況にいたように思われる。

　受け手側の言語の標準形式に向かう翻訳の動きは、地域方言や社会方言〔職業別、人種別等の、特定の社会集団が使用する言語変種〕の運命によって浮き彫りにされる。フローベールの『ボヴァリー夫人』の脇役の一人、ブルニジアンは、物語の舞台が設定されている地域――一八三〇年代のノルマンディーの田舎――の滑稽なほど典型的な言い回しや語彙を使って話をする。英語には明らかに、十九世紀のノルマンディーの田舎の人たちが用いる話し言葉を表現する慣例的方法はない。理論上は、翻訳者はブルニジアンに、トマス・ハーディの小説に登場するウェセックスの農民、あるいはウォルター・スコットが創造したスコットランド人の宣教師のような英語の話し方をさせることができるだろう。しかし、起点言語の一地方方言を、目標言語のある地域方言で表現することは、翻訳ではめったに試みられない[4]。現在のところ、ほとんどの人は、バイエルン人の酪農家にテキサスのカウボーイのスラングを口にさせたり、サンクトペテルブルクの市街電車に乗っている女性にマンチェスター方言を話させて、首都および標準語からの彼女の地理的、言語的な距離を暗示したりするのは、まったく馬鹿げたことだと考えている。英語、フランス語、そのほか多くの言語に目下存在しているような形の翻訳文化では、起点言語の地域的な差異は消去されてしまう。かくして、方言による話し言葉の表現は、変換されて中心へと押しやられるのだ。

中心に向かう動きが明白な実例が、シャルル・ボードレールによるエドガー・アラン・ポー作「黄金虫」の翻訳に見られる。物語に登場するアフリカ系アメリカ人奴隷のジュピターの話し方は、たとえば次のようなものだ。'Dar! dat's it!—him never plain of notin—but him berry sick for all dat.'（「そのことですだ。どこも悪いと言ってましねえ——言ってねえことがつまり恐しい病気なんでがす」〔『ポオ小説全集4』丸谷才一訳、創元推理文庫、一四頁〕）。ボードレールは、これに合うフランス語方言を見つけようとはせず、ジュピターが言おうとしていることを標準フランス語で述べるにとどめている。'*Ah! Voilà la question!*——*il ne se plaint jamais de rien, mais il est tout de même malade*.'（「ああ、それが問題なんです。彼はけっして何も言いませんよ。でも、やっぱり病気なんです。」）

ボードレールは、ほかに何ができただろうか？　十九世紀のフランス語には、アフリカ系アメリカ人特有の話し言葉を表す英語の慣用的言葉遣いに相当するものはなかったのである。[5]

奇妙なことに、地域ではなく、社会階層に対応する形式とスタイルのヴァリエーションに対しては、概して同じ扱いはされていない。起点言語では、野心的な、尊大な、優雅な、または威厳のある言語形式は、通例、目標言語でそれに相当する、社会階層の使う言語形式に置き換えられて翻訳される。実際上の問題が生じるのは、当該の階層が低い場合、とくに原文に教育のない人たちの話し言葉の形式が用いられているときに限られる。この問題は、文学作品の訳ばかりでなく、どんな種類の訳出にも顔を出す。たとえば、訪問中の外国の首脳に話しかけている工場労働者や集団農場労働者の言葉を、下層階級特有の言葉遣いでその首脳に伝えようと考える逐次通訳者は、ひとりもいないだろう〔逐次通訳とは、話者の話の区切りごとに訳出を行う通訳方式のこと〕。それは確実に無礼と思われ、大きなスキャンダルを引き起こすことになるだろう。書かれた散文の場合も、翻訳者は訳文に本当に粗野な言語形式を用いることは避ける。理由は明らかである——文法的誤り、言葉の誤用、その他の種類の「非標準的」言葉遣いは、翻訳者の過失と見なされてはならないからだ。事実、多くの現代小説で使われる意図的に野卑で無作法な言葉遣いよりも、本物だという証明書付きの狂人の妄言のほうが翻訳しやすいのだ。十七世紀フランスで見られた、古典から下卑た部分を徹底的に排除する翻訳（一二五―一二六頁参照）は、すっかり流行遅れだが、同種のことは、ほとんどの翻訳の作業でも行われている。そうであっても、訳文（フランス語のだが、ノルウェー語、スウェーデン語、英語の訳文でも同じ）を通して明らかにされた「第三のコード」の効果や、言語の地域差に対する強い偏見は、あまり簡単には特定できないが、すべての翻訳に共通するはるかに一般的な傾向の存在を側面から示すものにすぎない。つまり、目標言語はかくあるべしという標準化された概念にどんな原典よりも強く固執する傾向である。別の言い方をすれば、翻訳はつねに、自然に書かれた文章の使用域やレベルを一、二段階引き上げるのだ。ある程度の格上げは、いまもこれまでもつねに翻訳テクストの特徴である――それもたんに翻訳者は、自らの目標言語の世界で十分洗練された作家たちに劣ると見なされるリスクを本能的に嫌うからにすぎない。重要な点は、翻訳者は自分が使用する言語の標準形式の守護者であり、驚くほどその創造者でもあるということなのだ。

18　いかなる言語も孤島ではない
——L3という厄介な問題

印刷術の発明、辞書の進歩、読み書き能力の普及、国民国家の成立は、おそらく、ひとつの言語は他の言語とは異なり、たとえば英語とイディッシュ語、フランス語とイタリア語のあいだの境界線は、現実のものであって取り除くことはできず、しっかり固定されているということを、われわれが疑いなく受け入れるようになった、主要な要因であると思われる。翻訳はつねに、L1とL2、つまり「起点言語」と「目標言語」のあいだで行われるという考え方は、この特定の言語文化のひとつの反映にすぎない。この文化では、異なる話し方は、それぞれ明確な線で区切られた、別個の存在と考えられているのだ。しかし、いつもそうであったというわけではない。

一二九八年にジェノヴァに帰還したとき、マルコ・ポーロは投獄された。独房には入れられず、さらに幸運にも、監獄で古くからの知り合いを見つけることができた。マルコ・ポーロは、古代シルクロードでの大冒険譚を、同房のルスティケロ・ダ・ピサに語り、ピサはそのすべてを書き留めた。マルコは現在ならイタリア語と呼ばれるはずの言葉で語り、ルスティケロはそれをフランス語で書き記した。「原作」の、*'Divisament du Monde'*（『世界の記述』）、英訳題名 *'The Travels of Marco Polo'*〔邦題『東方見聞録』〕は、十中八九、即興的に訳されたもので、そこにはそのことを自ずと示す痕跡が残されている。一人称代名詞の「わたしたち」が、ときにはマルコとルスティケロ、ときにはルスティケロと読者、ときにはマルコとその連れの一行を指しているのだ[1]。このような人称代名詞の指示対象の入れ替わりは、通訳に特有のものであり、このことから、マルコが自分の話をひとつの地域方言で語り、ルスティケロがべつの地域方言で書き記したのは〔イタリア語もフランス語も口語ラテン語が地域分化して成立した言語〕、かなり確かなこととなる。この「指示対象の不安定さ」と同じ現象は、クロード・ランズマン監督の『SHOAH ショア』という、一九四一年から一九四四年の期間にわたるヨーロッパのユダヤ人の絶滅政策が今日残している傷跡をめぐるフランス語の映画にも見ることができる。『SHOAH ショア』は、映画としてはきわめて例外的だ。というのも、インタビュアーのフランス語と、ホロコースト生存者や情報提供者によって話されるポーランド語、イディッシュ語、ヘブライ語、チェコ語、ドイツ語とのあいだのどちらの方向からの通訳場面も、たくさんあるのだが、最終編集版《ファイナルカット》から削除されていないのだ。(これが、この映画の上映時間が九時間もある理由のひとつである。)多くのシークエンスで通訳者は、一人称の語り方を変えずに話者の言葉を繰り返すやり方(たとえば、「わたしは列車が転轍されるのを見ました……」)と、インタビューされる人から提供される情報を間接話法で伝えるやり方(たとえば、「列車が転轍されるのをよく見たものだ、と彼は言いました……」)を切り替えている。たまに、インタビュアーのランズマンは、あいまいな返答をする証人をもっと追求しようとするとき、同じような言語状況のワナにはまってしまい、証人ではなく、通訳者に向かって「それは本当はどういう意味なんですか?」と尋ねたりする。ポーランド語通訳者は、この追求を証人に対してポーランド語に翻訳する(あなたは本当は何が言いたかったのですか?)のではなく、彼女自身がランズマンに直接フランス語で答え、証人が言おうとしたことに個人的な説明を加えてしまう。[2]このような立場の切り替えは、人工的な通訳規範からの自然な、ほとんど避けがたい離脱であり、通訳者の声を話者と基本的に一体化する見方は、無効にされる。物理的に存在する言語仲介者を利用した、双方向性をもつ人間的コミュニケーションでは、通訳者の非存在というフィクションを維持するのは、きわめて難しいのだ。国連では、プロの通訳者は、厳格な不干渉のルールを守り、念のために防音ガラスの箱に入れられているのだが、それでも時おり、ある人の発言が通常の外交スピーチの流れから逸脱するようなときには、その発言を(発言者と同じ人称代名詞と時制を使って)訳すのをやめ、三人称を用いた報告にとどめておくことがある。一九五〇年代と一九六〇年代のソヴィエト連邦の指導者、ニキータ・フルシチョフは、即興的に意味不明なロシアのことわざを口にし、ジョークを飛ばすことで悪名高く、しばしば彼の通訳者は思わず——三人称を使って——「ソ連共産党の第一書記は、ただジョークを述べられただけです」と言ってしまうのだった。

マルコ・ポーロと彼の翻訳者・筆記者は、関係はあるが異なるふたつの言語を用いて、人間社会のすばらしい多様性を世界に伝えた。彼らは、もとのひとつの共通語から分岐して、部分的には理解し合えるさまざまな方言が飛び交うなかで暮らしていたが、そのなかのひとつの言語だけが、上都〔元のフビライが築いた都。西洋ではザナドゥとも呼ばれる〕の情報を西洋にもたらすのに適していた――それがフランス語だった。中世後期の地中海に面した国々では、フランス語は大雑把に言って、今日の英語に相当する言語だった。[3]『東方見聞録』の初期写本のハイブリッドな性格は、今日世界じゅうで英語の非ネイティヴ・スピーカーによって書かれている「グロービッシュ」〔global と English のかばん語。フランス人のジャン＝ポール・ネリエールが提唱した簡便英語〕に例えるのがもっとも適切かもしれない。

しかし、『東方見聞録』の写本が流布するとすぐ、ほかの写本筆写者たちは、現代の世界で原稿整理編集者が行う仕事と同類のことをした――写本の内容を整理して、フランスの出版社が「原稿の身づくろい《トワレット・デュ・マニュスクリ》」と呼ぶ作業にかけ、それからそれぞれ「正しいフランス語」、「正しいトスカナ語」と考えられている言語に翻訳した。さらに、より広範な流通を目指し、また重訳の底本用のためにも、「正しいラテン語」に翻訳した。十四世紀の末までには、フランス語ばかりでなく、チェコ語、ゲール語〔アイルランド語などケルト語派の言語〕、ドイツ語、トスカナ語、ヴェネツィア方言の版が存在し、それらはすべてラテン語からの重訳だった。このラテン語版自体が、イタリア語のヴェネツィア方言の初期写本からの重訳であり、この初期写本が、原本として知られる稿本〔早くに散逸〕か、それにきわめて近い写本に基づいて翻訳されたものである。[4]こうしてマルコ・ポーロの物語は漸進的に修正され、オリジナル翻訳がもっていた語り手の入れ替わる〔代名詞「わたしたち」の指示対象が揺れ動く〕箇所は改められ、場面に応じて首尾一貫した物語に変えられた。こうなったのも、後の写本筆写者たちが、旅行者マルコ・ポーロの口頭による語りではなく、すでに文章となっていた物語を翻訳したからである。何かとても重要なものが失われてしまったと言うことができるかもしれない。同時に、多くの現代小説と同様、まさにプロによって書き直されたからこそ、『東方見聞録』は異境探検文学の古典となったとも言うことができるだろう。むかしもいまも、翻訳することとテクストを修正することのあいだ――「読者のために読みやすくすること」と「原典を骨抜きにすること」のあいだ――の境界線は、まったく明白ではないのだ。

翻訳と書き直しのあいだの境界線は、実際のところ、固定したものではない。それは、多くの長大なテクストの場合、起点言語と目標言語のあいだの境界線が、固定したものでないのと同様である。トルストイの『戦争と平和』は、その例としてよく挙げられるもののひとつだ。ロシア語原作では、この小説の一部はフランス語である。これは、登場人物たちの言語習慣を反映している——十九世紀初頭のロシアの貴族は、社交生活や知的生活の大部分でフランス語を使用していたのだ。実際、ピエール・ベズーホフは、あるフリーメイソンに自分の希望や欲望を話すよう要求されたとき、「抽象的なことをロシア語で話すのに慣れていないため」[5]、どう答えていいかわからないことに気づいたのである。

『戦争と平和』をフランス語に翻訳するのは、不可能であると同時に容易でもある。ロシア貴族のフランス語のセリフをフランス語でそのまま残しておけば、それがもっていた彼らの階級を示す標識としての意味がすべて失われてしまい、フランス語で口にされていたセリフが、(翻訳によって)同じくフランス語になったほかの文と異なることを本文の言葉だけで示す方法はないのである。フランス語訳のタイトルページには、たぶん「ロシア語から翻訳《トラデュイ・デュ・リュス》」と記されるのだろうが、これは全面的な真実ではない。フランス語からも「翻訳されている」のだ。

同じような翻訳の問題が、ヨーロッパの膨大な数の小説に生じる。バルザックの『ゴリオ爺さん』の最初のページには、英語の文('All is true!'(すべては真実だ!))が出てくるが、これが英語の訳文のなかにそのまま置かれると、原作とはまったく異なる環境に囲まれ、異なる意味をもつことになってしまう。だが、何ができるだろうか? 'All is true!'をフランス語に「逆翻訳」するのか? それともスペルを'*Oll eez troo*'に変えて、これがひどい訛りのフランス人が抱いた考えであることを示すのはどうか? 『ゴリオ爺さん』にも登場するアルザス出身のユダヤ人銀行家、ニュシンゲンの地方訛りを表現するため、フランス語の正書法を歪めることに、バルザックは何の抵抗も感じていなかった。現行の慣例では、翻訳者が登場人物の言葉遣いにそのようなことをするのは許されていない——しかし、バルザックの登場人物にひどい訛りを使わせてはいけない、厳密に論理的な理由はないのである。

実のところ、どの言語であれ、たくさん読めば読むほど、その言語だけで書かれた長いテクストを見つけるのは難しくなる。昨年、わたしが大いに楽しんで読んだふたつの小説が、このことを例証してくれる。マイケル・シェイボンの『ユダヤ警官同盟』は、現代のアラスカに設定された、イディッシュ語を話す特別区の人びとを描くエンターテインメントSFである。登場人物たちの英語の対話は、イディッシュ語——いやむしろ、アメリカの土壌で養分を吸い、成長してきた言語として存在した五十年間によって豊かになった想像上のイディッシュ語——からの翻訳とされている。シェイボンのテクストは、戯れ合う現実の言語と想像上の言語との見事な混成であり——それをほかのどの言語に翻訳したとしても、「英語から」のみの翻訳とはとても考えられないだろう。同様に、ウパマニュ・チャタルジーの『イングリッシュ、オーガスト』では、標準的な文語体英語にヒンディー語とベンガル語が混合され、英語寄宿学校でオーガストというあだ名をつけられている、小説の中心人物アガスティアを取り巻く言語状況が描かれている。英語のみを話す読者でも、熱心なら、この本からたくさんのベンガル語とヒンディー語の単語を身につけることができるだろう。それは、ジュノ・ディアスの短編小説の読者であれば、彼のハイブリッドな「スパングリッシュ」〔Spanish と English のかばん語〕で書かれたテクストからスペイン語をたくさん学ぶことができるのと同じである。しかし、トルストイ、バルザック、シェイボン、チャタルジー、ディアスは、たんに外国語のレッスンを行うために言語を切り替えているわけではない。彼らがそうするのは、言語の転換（これを「コード変換」と呼ぶ言語研究もある）は、あらゆる種類の言語使用に特有なものだからである。

わたしには、南西フランスの辺鄙な田舎で銀行の支店長をしている友人がいた。わたしたちは、いつもフランス語で話したが、しかし彼は、通りや畑でわたしに会うと、きまってまず「愛と平和を《ピース・アンド・ラヴ》」と言ったものだ。彼はこれを「ピッサンラーヴ」と発音していた。同じ頃、スコットランド人の医師の知り合いもいたが、彼は子どもたちをせきたてるのに、「早ければ早いほどいい子だよ《ザ・トゥーター・ザ・スイーター》」（'the tooter the sweeter'）とよく言っていた。これは「すぐに《トゥ・ドゥ・スイット》」（'*tout de suite*'）と「早ければ早いほどいい」（'the sooner the better'）という言い方をかけ合わせたものだ。どちらの知人も、ひとつの言語（それぞれフランス語と英語）の話者だったが、しかしまた、べつの言語（それぞれ英語とフランス語）も話していたのだ。

翻訳は通常、L1とL2、すなわち起点言語と目標言語だけに関係するプロセスと考えられている。ところが、これまで見てきたように、概して原典には多かれ少なかれ、L3、つまり翻訳の伝統的な双子〔L1とL2〕のどちらにも属さない言語が含まれているのだ。L3がL2であるとき(たとえばフランス語訳の『戦争と平和』)、L3は不可避的に消えてなくなる。しかし、L3がL2ではないとき(たとえばシェイボンの小説のスウェーデン語訳)、どう処理すべきかは、まったく明白ではない。厄介な話に思えるかもしれないが、これは言語の通常の使い方にとって小さな問題ではない。したがって、翻訳とも無関係ではない。異なる言語は異なったものであり、一緒くたにすることはないとどんなに固く信じていても、実際には、われわれは一緒くたにするのをけっしてやめない。たとえば、英語とフランス語のあいだの境界線は、われわれが文法書や辞書によって信じ込まされているよりもつれており、分明ではない。「サヨナラ、アミーゴ!」は、別れを告げる英語の正式な言い方ではないかもしれないが、それが何を意味しているのかわからなくて困る人はほとんどいないのである。

19 グローバル・フロー
——書籍の翻訳における中心と周縁

ハーヴィル・プレスは、一九四八年にロンドンで設立され、英語以外の言語——当初は東ヨーロッパの言語——から翻訳された上質の文学作品を出版した。この会社は、創立五十周年を迎えるまでに、四十三の異なる言語で書かれた作品の英訳を刊行したと誇らかに公表した。パリでは、イスマイル・カダレのフランス語版出版社が、本のカバーの宣伝文で、このアルバニア人小説家の作品は、「四十以上の言語」に翻訳されていると、かならず告知している。それらの言語は、ハーヴィル・プレスの挙げる言語と同じなのだろうか？　少数の例外を除けば、答えはイエスだ。今日、少しでも定期的に翻訳本の輸出入がなされる言語は、おおよそ五十しかない(1)。これは、地球上の多様な言語のほんの一部にすぎないが、それらの話者は、世界の人口の大部分を占めている。それというのも、翻訳言語は、必然的に媒介言語であり、母語として使用する人たちよりも、はるかに多くの人たちに（たとえ話されていなくとも）読まれているからである。

　しかし、残りの言語はどうなのか？　旧約聖書と新約聖書の全訳または部分訳は、おおよそ二千五百の言語版が存在する。それらの言語の一部にはまた、法的、行政的文書の翻訳があり、さらにそのなかの少数の言語には、ニュース雑誌やゴシップ誌、少量の大衆小説の翻訳も存在している。しかし、これらの数字から明らかなのは、世界の言語の半分以上は、おそらく翻訳本を受け入れたことがまったくなく、五十ほどの言語を除いたすべてが、ほとんどまったく輸出していないことだ。特別な場所でしか翻訳は印刷されない。このことは、その重要性を貶めるものではなく、地球上のさまざまな言語のあいだにつねに存在してきた異様なほどの非対称な関係を指し示しているのである。

　国際連合の文化部門であるユネスコは、創設以来、'*Index Translationum*'（インデックス・トランスレーショナム）を通じて、翻訳の世界的規模での流れ《グローバル・フロー》を把握しようとしてきた。現在、インデックス・トランスレーショナムは、検索可能なデータベースとして利用可能になっている。これは、今日の世界における翻訳の巨大な不均衡を測定する大まかな物差しとして使用することができる。

　中国語は、世界の人口の約四分の一によって話されており、バランスのとれた、互恵的なグローバル社会なら、世界で行われている翻訳の約四分の一は、中国語に訳されたものだという予想がたてられるだろう。事実はぜんぜん違うのだ。

　二〇〇〇年から二〇〇九年までの十年間の世界の七つの異なる言語を見ると、中国語は、これらの言語のあいだでなされた翻訳総数のうち、目標言語としてはかろうじて五パーセントを占める――これはスウェーデン語とほぼ同じであるが、スウェーデン語の話者の総数は、中国語の一パーセント以下である。しかし、起点言語として見てみると、数字はさらに悪くなる。スウェーデン語、ヒンディー語、アラビア語、フランス語、ドイツ語、英語を合わせて、中国語から翻訳された本は、八百六十三冊にすぎないのに対し、中国語、アラビア語、ヒンディー語、英語、フランス

起点＼目標	スウェーデン語	中国語	ヒンディー語	アラビア語	フランス語	ドイツ語	英語	起点総計
スウェーデン語		18	0	12	297	1,116	359	1,802
中国語	22		1	14	492	200	134	863
ヒンディー語	0	1		1	38	18	67	125
アラビア語	20	18	4		712	232	127	1,113
フランス語	320	554	11	536		5,945	5,463	12,884
ドイツ語	330	477	11	153	5,890		5,238	12,069
英語	6,092	5,974	181	2,130	47,512	42,231		104,120
目標総計	6,794	7,012	208	2,866	54,941	49,742	11,388	132,951

2000年から2009年の終わりまで，七つの言語のあいだで翻訳された本

語、ドイツ語を合わせて、スウェーデン語から翻訳された本は、その二倍以上の数が出版されている。

　これらの七つの言語のあいだで、十年間に行われたすべての翻訳のほぼ八〇パーセント——一三万二千冊のうち一〇万四千冊——は、英語からの翻訳である。反対に、同言語のあいだで同期間に行われたすべての翻訳のうち、かろうじて八パーセントをこえる割合が、英語への翻訳であり——これに対し、七言語のなかでフランス語とドイツ語は、すべての翻訳のうち目標言語として七八パーセントを占めている。

　以上の非対称性には、目を見張るものがあり、ある意味できわめて憂慮すべきである。出版される本が異文化間コミュニケーションの唯一の経路ではないことに加え、ユネスコによって保存されているデータが完全ではないかもしれないし、検索エンジンに独特の癖があるかもしれない。しかし、そこに示されている状況は——これは、飛行機に乗れば、だれもが今日世界じゅうどの空港の書籍売り場でも確認できるように——全体としておおよそ正しいにちがいない。英語からの翻訳は、いたるところにある。英語への翻訳は、ごくまれである。

　この一方に偏った翻訳の世界を、「全能のドル《オールマイティー・ダラー》」だけの

せいにするのは、正確ではないし、興味を引くことでさえない[2]。また、このように測定された翻訳の流れに基づいて、われわれの世紀、あるいはここ数世紀における軍事力についてとくに説得力のある見取り図を描くこともできない。イギリス英語が最初に世界じゅうに広まったのは、確かに植民地拡大の結果だった――が、英語の支配がいちじるしく加速して範囲を広げたのは、一九四七年にはじまった大英帝国の解体のあとであった。このように帝国に原因を求める仮説では、十六世紀から二十世紀にかけて、同じように広範囲に膨張し、人口密度もひじょうに高い帝国の言語であったフランス語、スペイン語、ポルトガル語、オランダ語が、なぜ今日のグローバルな翻訳のツリー型構造のてっぺん近くに場所を占めていないのかを説明できない。二十一世紀の最初の十年間に、英語に翻訳されたスペイン語の作品一冊に対し、十五冊が英語からスペイン語へと翻訳されているのだ。それでも現在、地球上にはスペイン語のネイティヴ・スピーカー（約三億五〇〇〇万人）は、英語のネイティヴ・スピーカー（約四億人）とそれほど変わらない人数が存在しているのである。

〈下〉への翻訳は、多くの場合、支配者の言語から支配下の地域に住む各民族の言語へと、主に実用的な理由でなされる。たとえば、ハプスブルク帝国では、法律、規制、公告、日々のニュースは、宮廷と帝国行政機関の言語であるドイツ語から、このいまにも崩壊しそうな国家の十七の公用語へと翻訳された。しかし、書籍の場合、これに大きく追随するということはなかった。スロヴェニア語、スロヴアキア語、セルビア＝クロアチア語、ルテニア語〔ウクライナ語の一方言〕、チェコ語などへの活気のある翻訳文学の文化は生まれなかった。なぜなら、オーストリア＝ハンガリー帝国の教養ある市民となるには、もっとずっと簡単な方法があったからだ。すなわち、ドイツ語を学ぶのである。同様に、歴史、科学、文学、芸術に関して英語で書かれた多くの堅い本は、営利目的でスウェーデン語、デンマーク語、ノルウェー語、オランダ語に翻訳することはできない。というのも、これらの言語を話す地域の読者で、関心をもった人は、英語でもう読んでしまうからだ。経済的、軍事的、文化的な支配は、明らかに翻訳の流れに影響を与えるが、それは概して直接的ないしは単純な与え方ではない。強力な軍事力と豊富な財力を後ろ盾とする支配者の言語――たとえばローマ人がヨーロッパと地中海を支配していた時代のラテン語――は、翻訳する必要もない、ただひとつの種類の言語である。人はその言語を、それなしでは将来が閉ざされるので、習得するしかない。英語は、ラテン語のような形では、世界を支配していない。なぜなら、他言語に大量に翻訳されているからである。翻訳は、帝国と正反対のものなのだ。

スペイン語、ポルトガル語、英語の話者が、十五世紀から十八世紀のあいだに、新世界に進出したとき、アメリカ大陸先住民の言語への翻訳は、いっさい行わなかった。彼らは帝国をつくり上げたのだ。しかしソヴィエト連邦は、一九二〇年代にシベリア、コーカサス、中央アジアの多くの民族に対する支配を強めたとき、はっきりと反帝国主義的な、確固たる政治的信念をもってそうしたのだった。この自発的な信念を実行に移し、その正しさを実証するため、ソ連は、「諸民族集団」と呼ばれていた人たち固有の言語――カザフ語、トルクメン語、グルジア語、アゼルバイジャン語など――とロシア語を相互に翻訳する大規模事業を開始した。ソ連の姿勢は大いに偽善を含んでいたが、しかし、理解すべき重要な点は、翻訳だけが、ほかのたいていのやり方では帝国主義的膨張の古典的例であることが明白な事態を覆い隠す、公的な隠れ蓑として役立ちえたということである。ロシア文学の古典は、カザフ語、イングーシ語、ダゲスタン語などで読めるようになったが、〈上〉への翻訳は必須の補完物であった。翻訳作品の両方向の流れが、ソ連の真に反帝国主義的な性格を立証するために必要だったのだ。

ソ連の言語政策立案者が直面した問題は、ふたつの言語間で円滑に働く翻訳関係を構築するには長い時間がかかるということであった。バイリンガル世代を教育するのに学校を設立しなければならないし、それからバイリンガル世代は、自分たち自身の翻訳の方法を案出し、約束事をつくり上げなければならない。いかに必要であっても、これは一朝一夕にできることではない。しかし、ソヴィエト連邦は、新世界への先導役となることを切望する性急な革命的企てだった。だからこそ、ごまかしをはじめたのだ。主要な非ロシア語のネイティヴの詩人を見つけるのは難しく、それを翻訳できるロシア人の詩人を見つけるのはいっそう困難だった。ソ連の取った解決策は、そのような詩人を捏造することだった。ジャンブール・ジャバーエフは、ソ連の偽翻訳のもっとも有名な例であり、なぜかというとひとつには欺瞞が延々と続いたからである。革命期の有名なカザフ族の民謡歌手であったジャバーエフは、ロシア語で書かれた愛国詩に名前を貸すよう強要された。それらの詩は、三文文士が集められた工房で書かれ、カザフ語から翻訳されたものとして公表された。ジャバーエフ作とされた詩は、ほかの多くの言語にも訳された――実際にはロシア語からであったが、公式にはつねにカザフ語からの翻訳とされた。「カザフスタンの国民詩人」は、九十九歳まで生存したので、モスクワの詩作工房は、数十年にわたって幻想を維持することができたのである。(3)

しかし、すべての帝国で、被征服者の言語が征服言語と見なされていたわけではない。被征服者の言語に威光と権威を与えた翻訳文化の例は、多く知られている。アッカド人は、紀元前二二五〇年頃にシュメールを征服したとき、新たに属国民となった人たちのはるかに古い文化と言語を根絶しなかった。彼らはシュメール文字――先を削った葦で湿った粘土に刻み込まれた楔形文字――を採用し、(言語的には同系統でない)シュメール語を文化財として扱った。法律や伝説、規約や年代記は、シュメール語からアッカド語へと翻訳され、シュメール語の知識は、アッカド文明とアッシリア文明がつづいた何世紀にもわたって、教養ある人間の証しとなった。シュメール語は、政治的、軍事的、経済的な権威との結びつきをすべて失い、その上、しだいに識別可能な民族的要素も希薄化したにもかかわらず、西暦一世紀まで、メソポタミアで神聖な、儀礼的、文学的、科学的な言語として使われつづけた――〈下〉への翻訳の起点言語としての寿命は、およそ三千年だった。英語がこれに匹敵する言語になるには、まだ長い道のりが必要だ。

紀元前五世紀から三世紀のあいだ、ギリシャ語話者の船乗りたちは、マルセイユからオデッサまでの海岸線のいたるところにある小孤立地域に彼らの言語を広め、アレクサンドロス大王はそれをはるかエジプトやアフガニスタンにまで陸路で伝えた。しかし、翻訳の起点言語としてのギリシャ語の役割は、マケドニアの軍事力とはなんの関係もない。ローマは、紀元前二世紀初頭にギリシャ半島を征服し、占領する前にもう、ギリシャの文化と思想の獲得を熱望するようになっていた。やがて、この被征服者の言語は、文化的、知的に高いプレスティージをもつ宝庫として認識されるようになった。ギリシャ語の学習は、古代ローマの公式の教育の主要内容となり、ラテン語への翻訳が、高い地位につくために必要な主要技能となった。

シュメール語とギリシャ語の歴史を見ると、今日の世界の翻訳状況に関する経済的、軍事的、政治的な説明は、疑わしいという感じを通り越して信用できないと思わざるをえない。もちろん、属国民の言語が翻訳を通じて文化的な威信を付与されたという、これらの古代の例は、ある意味で例外的である。というのも、中世や近代には、まったく好例が見つからないように思われるからだ。ノルマン人は、イングランドを征服したとき、文化の言語としてアングロサクソン語を採用しなかった――彼らはフランス語を使いつづけ、平民の人たちにはフランス語とアングロサクソン語のごた混ぜを使用するのにまかせていたが、これがやがて英語となった。ナポレオン戦争〔一七九九―一八一五〕の時代に、フランス人がスウェーデンの王位をつかんだとき〔ナポレオン麾下の将軍だったベルナドットが、一八一八年、スウェーデン＝ノルウェー連合王国の王となった〕、スウェーデン語の通訳は用いなかった。さらに言えば、スウェーデンの新王室と宮廷では、以降百年以上にわたってフランス語が使われつづけた――その子孫は、なおもニースに宮殿を保持している。

　しかし、同じくらい容易に逆の見方をすることもできる。ここ数百年のヨーロッパ圏における翻訳の一般史のほうが、より長期的な目で見れば、例外であるかもしれないのだ。さらに、その圏内においてすら、政治的、軍事的な論理に抗って保持されている文化と翻訳の言語の例があるのだ。ラテン語は、ローマ帝国の滅亡後千年以上にわたって、〈下〉への翻訳の起点言語として、また同時に多くの地域語テクストの翻訳の目標言語として支配的な地位を保った。後者の地域語テクストのラテン語訳は、互いに翻訳関係をもたないほかの地域語への重訳に供することを主な目的としていた。ユダヤ人は、ヘブライ語を三千年以上にわたって使用しつづけてきたが、この言語と手を切っていい実際的な理由が山ほどあったにもかかわらず、そうしてきたのである。

　ある言語を文化的に支配的な言語とする要因は、今日もほかのどの時代でも、その言語の後ろ盾となる百人隊長や戦車やミサイルの数、もしくは宝庫の金の量にあるのではまったくない。文化的に支配的な言語とは、それ自身と、相当数の言語――それぞれのあいだに双方向的な翻訳関係があまりない言語――とのあいだに相当の量の翻訳活動を維持している言語のことなのだ。たとえば、十四世紀のヨーロッパでラテン語が優位に立っていたのは、マルコ・ポーロの『東方見聞録』の流布の仕方によって例証されているだけではない。それはまさにその種のラテン語の使用され方、つまり双方向翻訳のスキルが事実上存在していないチェコ語とゲール語のような言語でも同じ（あるいは似たような）テクストを利用できるようにするための中間言語《インターランゲージ》〔言語Aのテクストを、その訳文である言語Bのテクストを使って言語Cに翻訳した場合の言語Bのこと〕として使われることによって、ラテン語の優位性が形成され、維持さ

以下の言語への人気起点言語トップ4	1	2	3	4
アラビア語	英語	フランス語	ロシア語	ドイツ語
中国語	英語	日本語	フランス語	ドイツ語
オランダ語	英語	ドイツ語	フランス語	イタリア語
英語	ドイツ語	フランス語	ロシア語	スペイン語
フランス語	英語	ドイツ語	イタリア語	スペイン語
ドイツ語	英語	フランス語	ロシア語	イタリア語
ヒンディー語	英語	ロシア語	サンスクリット語	ベンガル語
イタリア語	英語	フランス語	ドイツ語	スペイン語
日本語	英語	フランス語	ドイツ語	ロシア語
スペイン語	英語	フランス語	ドイツ語	イタリア語
スワヒリ語	ロシア語	英語	ドイツ語	アラビア語
スウェーデン語	英語	フィンランド語	ドイツ語	フランス語
タミル語	英語	ロシア語	サンスクリット語	マラヤーラム語

上位四つの起点言語

れたのだ。それは、「ラテン語のネイティヴ・スピーカー」の経済的、軍事的な力とは何の関係もない。そもそも当時、すでにラテン語のネイティヴ・スピーカーなど存在していなかった。

現在まで世界で行われている翻訳の大部分の起点言語および目標言語としての英語の位置は、任意に選んだ一群の言語への翻訳で人気が高い起点言語をランク付けすることによって明らかにされる。上の表は、ユネスコが記録の保存をはじめて以来の、使用人口の多い十三の言語へと翻訳された書籍の主な原語、つまり翻訳の起点言語を示している。

明らかなのは、英語、フランス語、ドイツ語が世界の翻訳で優位を占めているということである。ロシア語は、たぶん意外かもしれないが、四番目の位置についている。しかし、このランキングに顔を出すほかの八つの言語——スペイン語とイタリア語はそれぞれ三回、サンスクリット語は二回、日本語、フィンランド語、ベンガル語、アラビア語、マレーシア語はそれぞれ一回だけ、中国語はまったく入っていない——は、本の翻訳というグローバル・ビジネスにとって、あまり重要ではない言語である。

このランキングのベースとなっている翻訳本の生の数値

データは、今日の世界の翻訳がもつピラミッド構造という、いっそう驚くべき状況を示している。ランキングの集計に使用された、およそ一〇〇万冊の翻訳のうち、六五万冊以上は英語からの翻訳であり、さらに総数の一〇パーセントが英語への翻訳である。すなわち英語は、すべての翻訳行為のうちの七五・一二パーセントで、起点言語あるいは目標言語の媒体として使われているのだ。

さらにこれらの数値が示しているのは、ユネスコのデータベースに記録されている、上記一覧表の十三の言語のあいだで行われたすべての翻訳のおおよそ四二パーセントが、それらうちのたった三つの言語——英語、フランス語、ドイツ語——間の閉じた循環のなかでなされているという点だ。これは、われわれがいま問題にしている一〇〇万冊のうちの四七パーセント以上が、やはりこれら三つの言語のいずれかで出版されているという事実の不可避な結果ではない。文化は、世界のどの地域や場所の特権でもないが、書籍文化——そしてそのなかの翻訳文化——は、フランス、ドイツ、イギリス、およびアメリカにはなはだしく集中しているのである。

結果として、世界じゅうの翻訳者たちの真の代表者集会があるとすれば、その代表者の七〇パーセントから九〇パーセントは、英語以外の言語のL1話者〔ネイティヴ・スピーカー〕であるにちがいない。べつの言い方をすれば、もし自分の子どもに本当に翻訳者として生計を立ててもらいたいなら、イギリスやアメリカで子どもを育てないほうが、ずっといいチャンスを与えてやれるだろう。またこれで、英語圏の世界で暮らしていると、なぜ翻訳というものがずっと見えにくく、理解も容易でないのか説明がつく。ロンドンやシドニーやコーク〔アイルランド南西部の港町〕で普通の生活を送っていると、翻訳者に会うことはあまりない——ところがジュネーヴやベルリンでは、いたるところにいるのだ。

翻訳の流れには、つねに階層構造が存在してきた。現在の状況が、歴史的過去に何度も観察することができるパターンを再生するのだ。翻訳はたいてい、話者に対等と感じられる言語間ではなく、何らかの点で上下関係がある言語間で行われる。法律、命令、指示、条約は——古代にはシュメール語、ギリシャ語、ラテン語から、ハプスブルク帝国ではドイツ語から、地中海沿岸地域をオスマントルコが長く支配していた時代にはオスマントルコ語から——自分たちに影響を及ぼす規約や協定について理解しておく必要がある人びととの使う地域語へと、〈下〉への翻訳がなされた。小説、戯曲、哲学論考、数学論文、宗教の教典が、付随的に翻訳されることもあったが、つねにそうとはかぎらない。こうした状況から、文化的に支配的な言語の話者のあいだで、自分たちの言語こそが本質的に優れており、唯一の真の思考手段であるという考え方が世界じゅうで形成された。たとえば、イスラム世界では、過去の数世紀にわたって、どの言語がもっとも優れているかについては、ほとんど疑いの余地はなかった。

完全な言語はアラブ人の言語であり、雄弁の極地はアラブ人の話し方にあり、ほかのすべての言語は不完全である。言語のなかのアラビア語は、獣たちのなかの人間のようなものである。人間が動物の最終形態として現れたように、アラビア語は人間の言語および書体芸術の完成形態であり、以降、これ以上のものは出ていない。(4)

十七世紀のフランスの文法学者たちは、フランス語についてほぼ同じ主張を行い、またギリシャ語、ペルシャ語、ラテン語、中国語、そのほか世界で一時的に支配的となった多くの言語の優位性への確信を表明する同様の言葉は、いくらでも容易に挙げることができるだろう。

言うまでもなく、このような、ある特定の言語の優位性の主張には、何の合理的な根拠もない。すべての言語は、話者が達成したいと思うあらゆる目的に役立たせることができるのだ。しかし、難解な外国語テクストは、自分が難しいことを考えるのに好んで用いる言語に翻訳されたとき、はじめて真に正しく理解できるという感じに、ほかの点では賢明な人も、簡単に囚われてしまう。何年も前のことだが、わたしはコンスタンツ〔ドイツ南部、スイスとの国境にある観光都市〕のある図書館に座って、鉛筆を片手にヘーゲルをドイツ語でとてもゆっくりと読み、内容を理解しようとしていた。なかなか進まず、意味もけっしてちゃんとはわからなかった。わたしは隣の閲覧席でドイツ人学生が読んでいるものを盗み見た。それもヘーゲルだった――しかも、なんと英訳！　なるほど、とわたしはホッとして心のなかでひとりごちた、ドイツ語のネイティヴ・スピーカーですら、英訳をヘーゲル哲学のガイドとして使うとすれば……。このような経験をすると、人は簡単に、自分の言語のみが真の意味を見つけ出せる言語だという、ほとんど意識せざる、自己満足的な信念を抱きがちになる。しかし、外国語のテクストの明快かつ説明的な翻訳が、どんなにありがたいサービスだとしても、目標言語のほうが――それがどんな言語であれ――あれやこれやの思想を表現するのに「優れている」という誤った結論にはつねに抵抗すべきである。

英語への翻訳者は、その数こそ少ないが、書籍の国際取引では重要な役割を果たしている。英語は、世界でもっとも翻訳されている言語であるため――もとの言語が何であるにしても――もし英語版がすでに存在していれば、ほかの言語への翻訳は、はるかに容易となる。しかし、英語はけっして世界で唯一の「ピボット言語」〔中間言語と同義。そのなかでも特に中心的なものを指す場合が多い〕ではない。

フランス語は、あまり広く使われていない言語から国際的な翻訳がなされる中継点として、重要な役割を果たしつづけている。他文化に開かれた国という、フランスが誇りとする伝統は、そうなった理由のひとつに挙げられる。二十世紀では、フランスの多くの一流作家たち――たとえば、ロマン・ギャリ、サミュエル・ベケット、ウジェーヌ・イオネスコ、アンドレイ・マキーヌ、ホルヘ・センプルン――は、フランス語で書くことを選んだ移民である。しかし、文化商品の流通でフランス語の役割が継続しているもっと重要な理由は、実のところ、あまりフランス文化の守護者たちの気に入るようなものではない。それはつまり、フランス語は長いあいだ、英語圏でもっとも広く教えられている外国語であり、そのためイギリスやアメリカの出版社ならびに新人作家を探すスカウトにとって、主要な中間言語となっているからなのである。

ドイツ語もまたいぜんとして、あまり学ばれることのない言語で書かれた文学にとって、ひとつの交差路である。『狂人と呼ばれた男』、『マルテンス教授の旅立ち』そのほかのすばらしい小説を書いたエストニア人作家ヤーン・クロスは、最初にドイツ語に翻訳され、それが国際的な新人作家スカウトの注目を集めることになった。最近では、非母語の言語で書く作家にとって媒介としてのドイツ語の役割は、確実に大きくなっている。ドイツ語で書くことを選んだ、何人もの日本人、ブルガリア人、トルコ人の小説家とならんで、ガルサン・チナグという名のモンゴル人のシャーマンは、彼の作品のドイツ語訳からほかの多くのヨーロッパ言語へと翻訳されている(5)〔チナグはドイツ語作家として知られており、ここは著者の勘違いか〕。

中世では、アラビア語がピボット言語となり、そのおかげで――ヘブライ文字が用いられているものも一部あったが――ギリシャ哲学がヨーロッパの諸言語に翻訳された。一八八〇年代から一九三〇年代にかけては、日本語が、ロシア文学を中国語へ翻訳するための中継《リレー》言語となった(6)。この五十年のあいだですら、トップ3以外の言語への翻訳から、国際的な成功を収めた作品が現れたのは、ごくわずかである。そのなかには、ベルナルド・アチャーガの諸作も含まれ、最初にバスク語で書かれ、当初スペイン語に、さらにスペイン語からフランス語に訳され、広い読者層を獲得した。ゲンナジイ・アイギのチュヴァシ語〔アルタイ語族チュルク諸語の一言語〕の詩も高く評価されているもののひとつで、ロシア語の翻訳からそれぞれ別個に英語とフランス語に訳された。しかし、ピボット言語の使用には、危険な場合もある。たとえばベラルーシの小説家、ヴァシーリ・ブイコフ（Vasil Bykau）は、ロシア語に翻訳され、それが、書籍の国際見本市への最初の出品物となった。ところがソ連の翻訳者たちは、彼の言いたいことを忠実に再現しようとする大胆さはあまりもち合わせていなかった。『アルプスのバラッド』（*Alpijskaja Balada*, 1963）で、主人公は単純な外国人に自国のことを説明しようとして、次のように言う。「いつかよくなる日もあるだろうさ。いつまでもこんなひどい状態がつづくはずがない。」それが、ロシア語訳では、「集団農場は素晴らしいものだよ」となっている。このような歪曲がつづき、彼は自ら自作を、それらの出版後間もなくして自ら訳しはじめ、また自分の名前も'Basil Bykov'とロシア式綴りに改めた。それによって、ソヴィエト当局は、彼をロシア人小説家として押し出すことができるようになった。そして、彼の作品はもともと（同系統だが）べつの言語で書かれたという事実を隠しておいたのだった。ブイコフの場合、〈上〉への翻訳は、マイナー言語の作家を地域的に支配的な言語に吸収したにすぎなかった。[7]

　しかし、このような政治利用によって毒されていない場合でも、マイナー言語から支配的言語へと向かう趨勢は、あちこちで感じられるものだ。十九世紀後半、日本の日刊紙『読売新聞』のある論説委員は、富士山や琵琶湖のほかにも、日本には世界に誇るべきものがたくさんあると述べた――日本には、『源氏物語』や馬琴の『八犬伝』のような、すばらしい文学作品があるのだ。ところが、日本語とヨーロッパの言語の違いが、あまりに大きすぎるので、彼の考えでは、翻訳は不可能である。

> いかに我が国の未来の作家が偉大であろうと、その名声が国境を超えることは絶対にない。（……）だからこそ、万国の気概に富む男子は、英語を書くことに取り組むべし、と吾人は声を大にして訴えるものである。（……）当今の事情を鑑みるに、大志をもつ者は、すべからく英作文を学ぶべきこと、火を見るよりも明ら

かである。英語を学び、この言語を用い、努めて己が栄光を海外に輝かしめよ。この哀れなる列島で得たる名声など取るに足りんのである。(8)

国際的なコミュニケーションの場に対し自らを周辺的と感じる文化に属している人に典型的だが、この日本人ジャーナリストは、この百年のあいだ多くの人たちが下したのと同じ結論に飛びついている。グアドループ出身の優れたフランス人作家、マリーズ・コンデは、もし自分が五十歳若かったら、表現の言語としてたぶんフランス語ではなく、英語を選んでいただろうと認めている。彼女より五十歳若い〔実際は三十五歳差〕、ハイチ出身のフランス語圏作家・エドウィージ・ダンティカは、まさにその通りのことをしている。

もしマイナーな言語で書いているとすれば――いまやすべての言語が、フランス語さえも含めてマイナーであるる――英語に翻訳されることが、作家としての野心の頂点となる。もしイタリア語で書いているとすれば、スペイン語に翻訳される可能性が高く、もしフィンランド語で書いているとすれば、スウェーデン語をL1とする、フィンランドの相当数のマイノリティ市民のために、スウェーデン語に翻訳されるのはほぼ確実である。しかし、スペイン語やスウェーデン語に翻訳されても、作品がより広い世界に広まる可能性は低い。どの言語で書いているとしても、重要なのは英訳である。

英語がピボット言語として使われるようになった直接の原因は、明らかに、英語の話者にあるのではない。というのも、英語がけっしてピボット言語とならない唯一の人たちが、英語の話者自身だからだ。過去の中間言語の例にもれず、英語は、ほかの言語の話者によってピボット言語にされたのである。たとえば、中国の孔子学院は、古典中国語の哲学的・文学的文化財を地球上のほかの地域の人たちにも利用可能とするよう、ある国際的な学者チームに依頼した。ウー・ジン・プロジェクトは、五経（ぜんぶでおよそ二千五百ページにのぼる多くの数の別々のテクストを指す慣例的な用語）を「世界の主要言語」に翻訳することを目的としている。とはいえ、これらの難解な経典は、中国語の原文から、フランス語、ドイツ語、スペイン語、ロシア語、アラビア語、ヘブライ語、ヒンディー語、マレー語に訳されることはない。これら八つの選ばれた言語への五経の翻訳は、「英訳をベースとして」行われる。英語への翻訳が終われば、その英訳は参照テクストとして使われることになるのである。(9)

英訳を行う翻訳者のなかには、使用される地域以外で広く教えられることのなかった言語の文学作品を原典とする人がいるが、彼らの役割はユニークなものだ。その原典をターゲット読者層へ提供するプロセスを統制するばかりでなく、その上、書籍の国際商取引や、ときには重訳を介して、外の世界に通じる門戸を開けたり、閉めたりすることもあるのだ。

グローバルな本の世界は、太陽系に似た構造を示している。それは、だれによってデザインされたものでもない。全能の英語の太陽を中心に、フランス語とドイツ語と呼ばれる主要な惑星がその周りにあり、太陽から遠く離れた楕円形の環ではロシア語がときおりスペイン語とイタリア語の軌道を横切り、さらに遠方では星屑よりもはるかに軽い無数の衛星が漂っている。このシステムは、ほとんどの人びとが見たいと思うような、異文化間関係の蜘蛛の巣状ネットワークとはまったく矛盾しているだけに、なおさら注目に値する。しかし、翻訳の流れの天体軌道的イメージは、たんなる比喩にすぎない。グローバルな翻訳の構造は、自然現象ではなく、文化現象である。もし十分多くの人たちがそれを本当に変えたいと思うなら——変えることができるのだ。

20 人権の問題
——翻訳と国際法の普及

現在なされているアカデミックな翻訳研究は、書籍の流通、とくに文学的価値のある本の流通にかなり重点を置いている。しかし、全世界の翻訳に関する調査では、発行点数は六桁に及ぶと喧伝されているにもかかわらず、文学作品は今日の世界の翻訳のほんの一部を占めているにすぎない。

法律文は、書籍よりも大量に、かつ雑多な方向に翻訳されている。法律翻訳は、辣腕弁護士以外の人には退屈かもしれないが、グローバル社会の構築と維持には不可欠な要素だ。それなくしては、ビジネスも外交もあったものではない。しかも、そこから学ぶべききわめて重要なことがある。法律は翻訳不可能なテクストのまさにモデルである。なぜなら、法律言語は自己完結しており、それ自身の外部のものに言及することはいっさいないからだ。ところが現実問題として、法律は翻訳しなければならないので、翻訳されるのである。

フランスでは、困難なことであっても、なんとかやりとげられるものだ、と主張したいとき、「不可能《アンポシーブル》という語はフランス語ではない《・ネ・パ・フランセ》」〔ナポレオンの言葉と言われ、日本では「余の辞書に不可能という文字はない」という訳で有名〕と言うことがある。こと翻訳となると、「不可能」という語は、フランス語以外の言語にも存在しない。翻訳は、自発的な行為なのだ。

なぜ法律文が翻訳不可能かは、世界じゅうの法の門外漢に知られている。それは、ほとんど理解不可能な、それ自身の言語で書かれており、そして理解できないものは、翻訳することができないからだ。自分の弁護士に大金を払うのは、最後まで読みもせずにサインした契約書のなかの一群の小さな印刷文字を弁護士は理解しているのだと、自分に言い聞かせて安心するだけのためなのだ。

法律の言葉は、多くの場合、日常で使われている言葉と変わりないように見えるが、それが法律用語として用いられると、そうではなくなる。それらの用語は、法が構築する社会制度と知的システムの外にあるものはいっさい指し示さない。英語の文で、「殺人《マーダー》」という言葉を使うとき、この語の意味についてかなりちゃんとした概念をもっているのだろうが、しかし、この出来事が法律的に記述されるとなると、たんに殺人と思えるものも、第一級謀殺《ファースト・デイグリー》、第二級謀殺《セカンド・デイグリー》、非謀殺《マンスローター》、殺人《ハマサイド》〔故意・過失のすべての人殺しを含む包括概念〕、あるいはこれは例外的だが、民間人殺傷《コラテラル・ダメージ》〔軍事行動の巻き添え被害〕となるかもしれないのだ。犯された犯罪については、その人殺しが起こった場所で施行されている法体系に則って裁定される。その犯罪が何と呼ばれるかは、この法体系のなかで、この体系が区別する犯罪の定義にのみ基づき——そこに記述されている通りの法律用語で——決定されるのである。

二十世紀初頭の数年間、ジュネーヴ大学の言語学教授が、人間言語の性質について一連の講義を行った。その教授、フェルディナン・ド・ソシュールは、講義内容を書き留めてはいなかったが、一九一三年の早すぎる死のあと、学生が自分たちのノートをまとめて、『一般言語学講義』を出版した。これは、以来つづけられている言語研究の多くにとって、いわば祈祷書としての役目を果たしてきた。ソシュールの教えは、全体として言語とは何かという問題に対する決定的解答と見なすべきかどうかはさておき、彼の理論は、法律関係の言葉遣いがなぜかくも翻訳しにくいのか、その理由を理解するのに役に立つ視点を提供してくれる(1)。

ソシュールは、以前から言語史に関してきわめて造詣が深かったが、一般言語学についての講義では、ある任意の時点で、ひとつの全体をなす体系としての言語とは、どのようなものかということを説明しようとしている。その説明は、当時革命的であった新しい言語記号の定義に基づいていた。それぞれの記号は、音の連鎖あるいは文字の連なりの両方の物質的な存在を有しており、彼はこれを記号表現(フランス語ではシニフィアン)と呼んでいる。しかし、それはまた、必然的に意味する力——記号内容、つまりシニフィエ——も有している。記号は記号表現でも記号内容でもなく、その両者が結合したものであり、ひじょうに緊密に組み合わされているので、一枚の紙の両面と同様、一方を他方から切り離すことはできない。ところが、一枚の紙の両面とは異なり、この記号のふたつの面は、必然的な理由で結びつけられているのではない——ただたんにそんなふうに結びつけられているだけのことなのだ。ソシュールの教えによれば、それぞれの記号は、五つの特別な性質をもっている。それは継承されなければならない。なぜなら、けっしてその時その場でつくり出すことはできないからである。それは共有されなければならない。なぜなら、記号は、ある個人がその記号の意味だと考えているものではなく、われわれがその記号の意味だと合意しているものを意味するからである。それは不変でなければならない。なぜなら、戯れだけのために「テーブル」を「ケーブル」に変更しておいて、なおかつもとの記号を使いつづけることはだれにもできないからである。それは、話したり、書いたりするとき、ほかの記号と自由に組み合わせることができなければならない。最後に、記号表現と記号内容との関係、この両者を結合させてひとつの記号をつくるその内的関係は、恣意的なものでしかない。ほかのどれとも異なる〈テーブル〉という文字が、なぜ「テーブル」を指すことができるのかは説明することができず、ただ、そうなっているからとしか言いようがないのである。

とすれば、この記号はあの記号ではないと、なぜわれわれは認識できるのだろうか?「‘cable’(ケーブル)」と「‘table’(テーブル)」は、別個のふたつの記号だと、なぜわかるのか? それは、これらが、抽象的意味での「言語」ではなく、英語という具体的かつ特定の言語の構造的な部分である何らかのものに関して異なっているからだ。すなわち、「c」と「t」で表される音の違いは、英語の構造の基本的な要素であり――英語という言語全体の構造は、もっぱらこの種の基本的な差異や対立の諸集合から成り立っているのである。かくして言語とは、差異のシステム以外の何ものでもない。なぜならば、どんな言語の記号でも、それ以外のすべてのものによって、余すところなく定義されるからだ。たとえば、英語がフランス語や中国語と違っているのは、他とは異なる特定の差異の集合が、この言語の土台となっているからである。たとえば、上昇調や下降調のイントネーションは、どんな発話行為にも存在するが、しかし、これは英語の一部とはならない。それに対して、声調は中国語では記号である。同様に、「l」と「r」と通常表記される音の違いは、英語の一部となっているが、日本語ではそうではない。ある言語で利用される差異を特定することは、その言語の構造そのものを特定することなのだ。

ソシュールの言語研究のアプローチは、それぞれの現実の言語を「それだけで独立の種類をなす《スーアイ・ジェネリス》」存在、すなわち、ほかのどんなシステムにも満足のいくように対応させることができないような、内的に首尾一貫したシステムと見ることにある。その必然的な結果として、どんな言語のどの記号も、ほかの同様に独自な記号体系のどの記号とも完全に一致するものと見なすことはできないということになる。二十世紀を通じて、ソシュールの記号理論は、翻訳を軽視してそれが言語の機能の理解に供する情報・知識を無視する根拠をもたらしたのである。

ソシュールは、以上のような豊かな思想を構築していたとき、法律は念頭に置いていなかったことは確かだが、その記号学説は、直接これに適用することができる。法律とは、自らを構成する諸用語間に自らが立てる精密な区別に、その首尾一貫性を依存している言語の体系的な使用である。任意のどの法律言語でも、「殺人」とは、法令集と判例集が殺人であると規定するものであって――「殺人」という通常の言語記号の意味として、一般の人たちに受け取られているものではない。法律は記号体系なのだ。

法体系には、それぞれ異なる歴史、異なる規範、異なる特徴と物事の進め方がある。たとえば、イングランド法とスコットランド法のように、異なる法体系の言葉遣いが同じように見えたとしても、それらが使う用語に互換性はない。それぞれの法体系は、真に「それだけで独立の種類をなす《スーアイ・ジェネリス》」存在であり、もっぱらそれが立てる独自の区別によって構成されている。これが、法律言語を翻訳することができない理由である——翻訳しなければならない場合は除いて。

世界の多くの地域では、被告人は自身の裁判を理解する権利があり、裁判所は、どの言語であれ、翻訳者と通訳を見つけるよう義務づけられている。多くの場合、裁判所はあちこち捜し回らなければならない。三十年前、スコットランドの田舎で起きた殺人事件の裁判を担当する英語とハンガリー語の通訳の依頼状が、わたしの家に届いた。結局、この恐るべき責任を引き受けた勇ましい人物は、それまで一度も法廷を見たことがなく、何が起こっているのか、ほとんど被告人自身よりもわかっていなかった。現在、ニュージャージー州の裁判所担当部局は、何百人という、たいていがパートタイムで、大部分がスペイン語の通訳者を雇っているが、低賃金で、ほとんど監督もされていない。ニューヨーク市では、百四十もの多くの言語が使用されており、訴訟のさいの言語仲介者を探すのは、膨大な行政上の業務になっている。現在、公用語が十一ある南アフリカでも、法廷通訳は、しばしば嘆かわしい混乱状態に陥っている。(2) 言語的少数派の言語使用の権利《ランゲージ・ライツ》は、重要な成果であるが、実施には多くの課題が残されている。

この種の法廷通訳は、単一な法体系にとって本質的なものである。少数派の言語に、たとえば検察官、事務弁護士、勅撰弁護士に相当する完全な同義語がない場合は、その起点言語の用語が、実際その時点で重要となっている個人や審級にふさわしいものなので、使用されることがほとんどである。しかし、通訳者はまた、たんに言葉だけではなく、使用された表現のもつ効力や現実世界への結果が理解されたかどうかを確認するため、発言されたことを説明したり、まったく異なった用語で言い換えたりしなければならない場合もある。これはひじょうに困難で、責任の重い仕事だ。しかし、そのようなものとして認識されることはめったにない。

たとえば、カナダ、ベルギー、あるいはフィンランドのような国々では、ふたつ以上の公用語があるが、そのような国の公用語間の法律翻訳は、かならずしも簡単ではないが、翻訳者自身が法律の教育を受けていることもあって、通常は報酬もよく、ストレスも少ない。法体系同士の通約不可能性〔異なる体系間に完全な対応関係はありえないということ。もともとは科学史家クーンの用語〕という問題は、この種の翻訳業務に本当には影響を与えない。なぜなら、両方の言語で表現されているのは、同一の法律言語だからだ。それでも、ふたつのヴァージョンが、まったく同じ方法で解釈されていることが不可欠である。言語の本来的な非同形性を考えれば、それを実現するのはきわめて困難なことが多い。このような状況下にある法律翻訳は——ふたつのヴァージョンの法規を発音も形式も類似させることによって——言語の均質化に向かう傾向がある。そして、抜け目のない弁護士が、同じテクストの二つのヴァージョン間の明白に言葉の上だけの食い違いにつけ込もうとするリスクを軽減しようとするのである。

異なる言語に訳しても法律言語を同じものに見えるようにしようとする傾向は、一方では、言語の機能の仕方に関するかなり単純な考え方によって、他方では、法律はその支配下にある人全員によって同じものに見えるようにしたいという、やむにやまれぬ願いによって、推進されているように思われる。均質的かつ超国家的な、法律文独特の文体・用語へと向かう、一見して抗しがたい傾向については、もっとも適用範囲が広く、もっとも国家的であることが少ない法的原理——すなわち基本的人権の概念——を表現するために使用された言葉の歴史が、ひとつの例を示してくれる。

一七八九年フランスで新たにできた革命的国民議会は、後に有名となる人権宣言を採択し〔起草はラファイエット〕、それを‘*Déclaration des droits de l'homme et du citoyen*’（人間と市民の権利の宣言）と呼んだ。この宣言の目的は、君主政体から引き継がれた法制度の宗教的、封建的基盤を一掃し、また、カトリック教会への譲歩と見られるのを避けるため神と呼ぶことのできない〈至高の存在〉の権威のもと、新生フランス国家との関係における市民の基本的権利を確立することにあった。

完全に解放されていない市民はだれでも、これらの権利が与えられることに疑問の余地はなかった。ところが、だれもまだ女性の解放は考えていなかったのだ——一七九一年、オランプ・ドゥ・グージュが発表した‘*Déclaration des droits de la femme et de la citoyenne*’（女性と女性市民の権利の宣言）は、何世代にもわたって実質的な影響をまったく与えなかった。人権宣言に男性名詞‘homme’が使われている〔英語の‘man’と同様、この語には「人間」のほかに「男性」の意味もある〕のは、言葉遣い上の便宜のためだけではなかった。それこそ人権宣言の言わんとすることだった。この宣言は、市民でもある男性主体の権利を確立し、明示したのである。

ドイツ語には、フランス語や英語とは異なり、男女の区別なく、「人間」を意味する名詞がある——‘*ein Mensch*’〔einは英語の不定冠詞aに相当〕は、まさに人類のメンバーのだれをも指す言葉である。英語の'man'に相当するもうひとつの語、'Mann'はもっぱら男性を表し、多くのコンテクストで「夫」、「既婚男性」を意味する。だから、'*Männerrechte*'（男性の権利）は、'*droits de l'homme*'（人間の権利）の訳語には使えない——夫婦間や家庭内の問題に関係しているように受け取られやすいのだ。「人権」には明らかにそういった含みはない。したがって、ドイツ語訳では、フランス語の'*droits de l'homme*'（人間の権利）は、ごく当然のことに、'*Menschenrechte*'という語で表された。実際、人権宣言は、起草から数年してドイツ語への翻訳が必要となった。というのも、現在のドイツの大部分がフランスによって征服され、フランス共和国に、その後フランス帝国に一八一四年まで併合されたからである。

'*Mensch*'（人間）を直接英語に訳そうとしても、原語よりも多くを言うか少なく言うかどちらかしかできないので、'Rights of Man'（「人間の権利」）という表現が、トマス・ペインの一七九一年刊の小冊子で有名になってはいたが、'*Menschenrechte*'は英語では'*Human Rights*'（人権）という訳語をあてるのが通例となった。この、概括的形容詞と複数形の名詞という英語の形式（*human* ＋ *rights*）は、「人権」概念を表す第三の代替形式である。この概念は、所有前置詞で繋がれた複数名詞と単数名詞（*droits* ＋ *de* ＋ *l'homme*）という形式で成立し、さらにどちらも複数形である名詞と名詞の合成語（*Menschenrechte*）というパターンを経由して新たな形を得たのである。このような文法形式の変化から、後代になってはじめて明らかとなる含意の微妙な変更が生じた。'Human rights'は、'*les droits de l'homme et du citoyen*'（人間と市民の権利）の「翻訳」を意図して生まれた表現だが、それ以上のものであり、それ以下のものでもあった。それは、それ独自の生命——そして力——を獲得したのである。

一九四五年の国際連合の設立以来、米国大統領未亡人のエレノア・ルーズベルトは、'World Charter of Human Rights'（世界人権憲章）の成立に精力をささげ、一九四八年にそれは正式に採択された〔'Universal Declaration of Human Rights'，世界人権宣言のこと〕。公式のフランス語版では、それは'*Déclaration universelle des droits de l'homme*'と命名されている。しかし、'*droits de l'homme*'（人間の権利）という表現が一七八九年にはじめて記念碑的なフレーズとして出現して以来、ひとつの大きな変化が起きていた。一九四六年、フランス人女性が参政権を獲得し、いまや男性と同じ意味（あるいはほとんど同じ意味）で市民となったのだ。'*Mensch*'（人間）の意味で男性名詞'*homme*'（人間、男性）を用いる伝統的なやり方は、差別的と思われはじめた。一九七〇年代以前から、フランスのフェミニスト活動家は、'*les droits de la femme*'（女性の権利）の宣言も同様になされるべきと声を大にして訴えていた。ただこれは、もしそのようなことがなされたとしたら、世界人権宣言の規定から女性を排除することになった可能性が高く、控えめに言っても、逆効果の恐れがあった。

ドイツ語の'*Menschenrechte*'（人権）にすれば、すべての人にとって問題は解決しただろうが、ドイツ語は国際連合の公用語ではない(3)。かくして、形容詞を含んだ英語の形式〔'human rights'のこと〕が基本とされ、ゲルマン語派とロマンス諸語のほとんどすべてのヨーロッパの言語は、それに倣い——たとえば、イタリア語では'*diritti umani*'、スペイン語では'*derechos humanos*'、スウェーデン語では'*mänskliga rättigheter*'と表記された。

ところが、フランス語では、'*droits humains*'〔'human rights'の仏語訳〕という表現には厄介な問題があった。というのも、'*humain*'は、英語の'human'の意味〔人間の〕と'humane'の意味〔人間味のある、人道的な〕の両方を分かちがたく意味するからだ。その結果、人権を標準的なフランス語で'*droits humains*'と呼べば、この概念を人道的関心に近づけてしまうことになるが、これは人権の法の主要な目的ではない。

このような多義性の問題に触れるため、人権を扱う多くの国際的法律文書から'human rights'という表現が除外されるようになった。'International Covenant on Civil and Political Rights'（市民的及び政治的権利に関する国際規約、一九六六年）、'International Covenant on Economic, Social and Cultural Rights'（経済的、社会的及び文化的権利に関する国際規約、一九六六年）、'Convention on the Elimination of Discrimination Against Women'（女性差別撤廃条約、一九七九年）、'Convention Against Torture'（拷問等禁止条約、一九八四年）は、すべて人権という語を避けており、もともとの名称の生みの親のヨーロッパでさえも、'European Convention for the protection of Human Rights and Fundamental Freedoms'（人権と基本的自由の保護のための条約、一九五三年）のように、それを補足して完全なものにする必要を感じたのである。時が流れ、その名称が伝えた概念が広まるつれ、'human rights'（人権）は、ゆっくりと法律の用語ではなくなっていった。一般に使われるようになると、それはいつの間にか法律用語から除外されるようになった。それこそまさに、法的言語の体系的な本質から必要とされることなのである。

人権概念の普及により、フランスではこれを何と呼んだらいいかという厄介な問題が生じることとなった。一七八九年の革命的な宣言が歴史的にきわめて重要であるため、フランスは、人権概念を表す、古典的で透明性のある表現といまなお考えているフレーズを捨て去るわけにはいかないのだ。

そこで見つけた解決は、古い形式はなおも使用しつつ、表記の仕方を変えることだった。語頭に大文字を用いる‘*Homme*’は、いまや男女の両方を区別なく意味し、ドイツ語の‘*Mensch*’と正確に同義だと公式に認められている書き言葉である。一方、語頭が小文字の‘*homme*’は、男性だけを意味する。この区別は、法的強制力はあるのだが、人びとにはなかなか覚えにくいものだ。大文字と小文字の‘*homme*’が互いに代わりとして、交互に使われている新聞記事を、わたしは何度も読んだことがある。

他方、ロシア語は、現行憲法でさえ、十八世紀のフランス語にあからさまに、かついくぶんわざとらしく範をとった語句形式を保持している。すなわち、‘права и свободы человека и гражданина’、つまり‘rights and freedoms of man and citizen’（「人間と市民の権利と自由」）であり、ここでは男性名詞が人間一般を表し、それにもっとふさわしい‘человечество’、‘humanity’〔集合的に「人間」を表す語〕の代わりに、‘human being’〔「人」の意だが、動物や物と対比して用いることが多い〕に相当する語が使われている。

フランス語で生を受けながら、後になってフランス語に頭痛の種をもたらした表現の問題をフランス風に解決する方法が考案されたにもかかわらず、‘human rights’という形容詞＋名詞ヴァージョンが、ほとんどすべてのヨーロッパの言語に広まりつづけている。さらに、フランス語に関する法律の規定にもかかわらず、‘*droits humains*’（人権）は、‘*droits de l'Homme*’（「人権」の公式表現）の便利な同義語としてますます頻繁に耳にするようになっている。二〇〇七年から二〇〇九年のフランスの‘*chargée des droits de l'Homme*’（人権担当）大臣、ラマ・ヤドは、‘*droits humains*’大臣と呼ばれることが多かった（彼女自身もそう呼んでいた）。

フランス語では、‘*humain*’がこのような新しい使われ方をされているため、この語が並行してもつ‘humane’（人間味のある、人道的な）という意味が、同語源の‘*humanitaire*’（人道主義的な）という語に移動し、かくして語彙と意味の環境に小さな再編成が引き起こされる可能性がきわめて高い。

国連のもっとも小さな加盟国であるサンマリノの援助を得て、国際連合人権委員会（ＵＮＣＨＲ）は、世界人権宣言のすべての言語への翻訳を奨励し、普及させようとしている。現在、翻訳はアブハズ語〔北西カフカス語族の一言語〕からズールー語にいたるまで三百を超えており、これまでの努力から明白となったのは、ロシア語を含めた少数の例外を除いて、翻訳の起点言語は、フランス語ではなく、英語だということである。

'The human'（人間）の意味領域〔意味的に近い語のグループ〕に属する語のうちたったひとつのパターンの使用へとさまざまな言語が一様化したことによって生じる、知的、政治的、道徳的その他の結果については、本書が扱う範囲を超えている。しかしそれでも、われわれに指摘できることは、「人権」の翻訳の歴史と現状は、国際法がそれ自身の言葉遣いをつくり出す傾向にあることを明確に示す証拠を提供しているという事実だ。間違いなく典型的なこの例では、国際法の言葉遣いは――どの言語で書かれたとしても――ますます英語の規範に合わせて調整されているのである。

これを、歴史的な報復と見ることもできるだろう。というのも、イングランドは、何世紀にもわたって、フランス語の勢力下にあったからである。フランス語は、一〇六六年のノルマン・コンクエスト〔ノルマンディー公ウィリアムの率いるノルマン人によるイングランド征服〕を契機に使用を強要された法律言語だったが、支配層にのみ理解されていた。それは何世紀も法廷で用いられた。国民の大部分は、何が話されているのか、まったくわからないにもかかわらず、あるいはそれゆえに、使われつづけたのである。しかし、法律フランス《ロー・フレンチ》語は、六百年もの期間のあいだに下からの影響をこうむり、現実に支配的な言語〔当時の英語のこと〕から言回し、語彙、文法構造を取り入れながら、混成言語化のプロセスをたどった。十七世紀までには、イギリスの司法で使われる公式言語は、まるで『タイムズ』紙に書いたマイルズ・キングトン〔一九四一―二〇〇八。英国のジャーナリスト。フラングレ（仏語と英語のチャンポン）をよく題材に取り上げた〕のユーモア・コラムのような様相を呈していた。

Richardson, ch. Just. de C. Banc al Assises at Salisbury in Summer 1631. fuit assault per prisoner la condemne pur felony que puis son condemnation ject un Brickbat a le dit Justice que narrowly mist, & pur ceo immediately fuit Indictment drawn per Noy envers le Prisoner, & son dexter manus ampute & fix al Gibbet sur que luy mesme immediatement hange in presence de Court.

一六三一年夏、ソールズベリーでの巡回裁判所の首席裁判官はリチャードソンだった。そこで重罪の判決を受けた囚人による暴行があり、その囚人は判決のあと、煉瓦のつぶてを上記の裁判官に投げつけたが、危ういところで外れた。この事件を受け、その囚人に対して起訴状がただちにノイによって作成され、彼の右手は切断されて絞首台に固定され、裁判所の立会のもと、その絞首台でただちに彼本人が絞首刑にされた(4)。

法廷が異言語を使用する被告人を訴追しようとする場合だけでなく、国境を越えて権限をもつ司法組織で被告人を訴追しようとする場合にも、まったく異なる問題が生じる。国際法――どこかひとつの主権国家に決められたのではない、適法行為の普遍的規範――が存在するという考え方は、ごく最近のものである。国際法は、一八五三年から五六年のクリミア戦争で兵士たちが嘗めた苦難に対する恐怖と反省から構想され、その後、戦闘規則に関するジュネーヴ条約ではじめて具体化した。国際法という理念に基づく最初の主要な機関は、第一次世界大戦直後に設立された国際連盟であった。しかし、主権国家が歴史的特権を放棄し、それら国家すべての上に位置する司法権を確立するよう最終的に促されたのは、ようやく第二次世界大戦を経験し、ナチス国家が行った言葉で言い表せないほどの迫害を知ってからのことにすぎない。

通訳は、一九四五年の十一月、ドイツのニュルンベルクで開かれた国際軍事裁判の中心をなしていた。最初に決める必要があったのは、全体的な法的手続きとしては何を使用するかであり、それはけっして簡単な仕事ではなかった。戦争に勝利した連合国のうちのふたつ〔英米のこと〕は、コモン・ローの法体系を採用しており、ほかのふたつの国、フランスとソヴィエト連邦は、敗戦国ドイツと同じく、シビル・ローと呼ばれる法体系の、それぞれ異なるが関連性のあるヴァージョンを採用していた。シビル・ローの法体系では、被告人は冒頭陳述と最終弁論は行うが、自身の公判のほかのどの部分にも参加しない。被告人は、特別な場所に坐り、審理は予審判事によって徹底的になされたと考えられているので、それ以上の審理には付されない。審理内容は公訴チームに引き継がれる。一方、コモン・ローの慣習では、被告人は、有罪と評決が下されるまでは無罪と見なされ、したがって形式上はたんに犯罪の証人のひとりとして扱われる。アメリカの法廷ドラマが、フランスの同じジャンルのドラマよりも、はるかに面白いのはそのためだ。ニュルンベルク裁判は、両者を折衷した法体系を採用した。それは、完全に英米の法体系で行われていたら、陪審裁判になっていたはずだが、実際はそうではなく、国際的な判事団によって裁かれる法廷であった。しかし被告人は、ドイツ語で証人席に呼ばれ、反対尋問を受けることが義務づけられた。ところが、ドイツ語では「証人」は'*Zeuge*'であり、〈証人《ツオイゲ》〉は、自分自身の裁判で証言することはできないのだ。ニュルンベルク裁判でどのように審理を進めるかという議論は、言語一般についてのみならず、諸言語、諸制度、さらに種々の法律言語の慣習のあいだの通約不可能な差異についてのものでもあった。国際問題に関する法律翻訳は、つねにこの種の大きな障害に遭遇する。法律の言葉は、翻訳されると同じ意味にはならないし、それが奉仕する制度も同じものではない。

国際法は過去六十年以上にわたり、驚くべき早さで施行され、その範囲も拡大してきた。求められている結果――政治的意志によって求められているが、法律翻訳チームによってもたらされる結果は、各国の通約不可能な法体系に属する用語の種々の意味をもっと調和させること、言い換えれば、その成り行きに批判的な人たちが抗議して言うように、法の概念を均質化し、標準化することである。カレン・マコーリフの報告によれば、欧州司法裁判所に勤務する法律家翻訳官《ローヤー・リングウイスト》〔この職業については次章参照〕は、次の点を認識しているそうだ――すなわち、EU法〔欧州連合法〕とは、異なる法律文化と異なる法律言語それぞれに近似した法律と言語でなる法体系であり、それら異なる法律文化と異なる法律言語が一体となって、それ自身の言語をもつ、新しい超国家的な法体系を形成しているのである。[5]

これこそまさに、ソシュールの記号理論に必要とされるものだ。言語学者たちがほとんど考慮に入れることがないのは、十分な努力と政治的意志があれば、新しいシステムをつくることができるということなのだ。

21 これは翻訳ではない《スシ・ネ・パ・ズユンヌ・トラデュクシオン》

――EUにおける言語の平等性

この条約は、デンマーク語、オランダ語、英語、フランス語、ドイツ語、ギリシャ語、アイルランド語、イタリア語、ポルトガル語、スペイン語で唯一の原本が作成され、これらの言語それぞれの本文は等しく真正である。これは、イタリア共和国政府の公文書館に保管され、イタリア共和国政府は、ほかの加盟国の各政府に認証謄本を送付するものとする。一九九四年の加盟条約に従って、本条約のフィンランド語版とスウェーデン語版もまた真正なものとする。二〇〇三年の加盟条約に従って、本条約のチェコ語、エストニア語、ハンガリー語、ラトヴィア語、リトアニア語、マルタ語、ポーランド語、スロヴァキア語、スロヴェニア語のそれぞれの版もまた真正なものとする。

このように、欧州連合〔以降、EUと表記〕の言語に関する基本ルールの最近の版では書かれている。もともとこれは、一九五七年に調印されたローマ条約の二百四十八条に定められていたもので、この条約に基づき、はじめて欧州経済共同体（EEC）〔のちのEUのもととなった機関のひとつ〕が設立された。その言語ルールでは、欧州経済共同体、およびその権限下の部局すべては、加盟国それぞれの政府とその加盟国の言語で意思疎通を行うものとされていた。これは、控え目な要件のように思えるが、実際にはひとつの革命だった。それ以前のあらゆる帝国、共同体、協定、国際組織とは異なり、EUは、唯一の言語というものをもたず、また限られた数の言語を使用するのでもない。EUは、何であれ自らが必要とする言語はすべて使用するのだ。政治的な意志を表すひとつの法律によって、以前は非文法的だった表現――「デンマーク語、オランダ語、英語……で唯一の原本」――が、権威ある規範となったのである。

当初は、六カ国――ベルギー、フランス、オランダ、ルクセンブルク、ドイツ、イタリア――の加盟で、使用言語は四つ――フランス語、オランダ語、ドイツ語、イタリア語――だった。やがてEUは大きくなり、いまや二十三の異なる言語を使用する二十七カ国が加盟している〔本書の原典が出版されて以降、二〇一三年にクロアチアが加盟したが、二〇二〇年にイギリスが離脱したので、現在も加盟国は二十七〕。しかし、四つの言語であろうと二十三の言語であろうと、問題の基本ルールの革命的な意味は、採用されたときもほとんど理解されず、いまでも広く認知されていないが、要するに、EUが作成した膨大な文書には翻訳が存在しないということである。すべてが、すでに原本なのだ。

欧州委員会〔EUの政策、法案、予算案提出を担当する行政執行機関〕やその部局から発せられる法令、規則、指令、公文書の各言語のヴァージョンは、他と同じ効力、同じ権限、同じ有効性を有する。どれも翻訳ではない――というか、すべてが翻訳なのだ。これは前例のない言語ルールで、このルールのもとで、ますます多くの人びとが、五十年以上ものあいだ、生活し働いてきたのである。

このような状況下では、人が翻訳について抱く意見にも変化が生じたのではないかと思われるかもしれないが、ほとんど変わっていない。文学研究や言語教育の長年の伝統では、原典が複数あるというのは理論的に不可能であるため、人はEUの言語的現実を無視したり、莫大な税金の無駄遣いだと非難したり、それがもたらすリスクに大げさな警告を発したりする傾向を示してきた。しかしわたしは、言語理論上の理由で、ブリュッセル〔欧州委員会、欧州理事会等の所在地〕やルクセンブルク〔欧州司法裁判所等の所在地〕での高報酬の仕事を断ったという翻訳者にまだ会ったことがない。

ローマ条約の言語ルールは、理論家はもちろん、哲学者、言語学者、翻訳者が考え出したものでないことは明らかだ。それは、この大胆な新しい冒険的企てのすべての加盟国が互いに同じ敬意と平等な権利をもっていると感じてもらう必要性――わたしが〈上〉への翻訳、〈下〉への翻訳と名づけたものを撤廃する必要性――から生じた。それは、政治家がきわめて政治的な理由から考え出したものだ。その上、それら政治家と数世代にわたるその後継者たちは、言語に関する平等性のルールに則って円滑な運営ができるよう、相当な額の予算を充てる覚悟をもってきた。翻訳総局（欧州委員会の翻訳部門）は現在、千七百五十人の語学スペシャリストと六百人のサポートスタッフを雇用しており、巨額の費用を使って、毎年数百万ページもの行政文書や法律文書を作成している――それはおそらく、これまでいかなる共同体も翻訳に使ってきたことがないほどの莫大な額にのぼるだろう〔一〕。

一九六〇年代から、ミシェル・フーコーに触発されて、言語は権力であり、すべての権力は言語であるという考え方が流行した。EUの言語にまつわる挿話は、ジョージ・オーウェルが『一九八四年』で提示した、物議をかもす「新語法《ニュースピーク》」と同様、その考え方を完全に無効にするものではない――が、つまるところ、権力は権力であることを示す。言語は、ほかのいかなる人間の活動に劣らず、政治的な意志が目指す目的となりうるのだ。

言語の平等性のルールは、多くの興味深い結果をもたらしている。そのルールのおかげで、EU発行の公文書が、原文から正しく翻訳されていないという理由で、非難されたり、拒否されたり、疑問視されたりすることはいっさいない。というのも、すべての言語のヴァージョンが原本で、あるからだ。二十三の言語で書かれた唯一の原文を前にして、翻訳に関する議論でこれまで受け継がれてきた伝統的な問題は、どれもとっかかりを失う。これを政治的フィクションと呼ぶことができるかもしれない。しかし、これは理論的なものではない。それは存在しているのだ。

異なる言語で書かれ、それぞれが同じ効力をもつ一組のテクストというのは、実はまったく新しいものではない。ロゼッタ・ストーンには、エジプトの神殿の神官に税の免除を認めた王の徳を称えるため、紀元前一九六年に頌徳調の法律文体で書かれた布告が刻まれている。それは、コイネーのギリシャ文字、エジプト語の民衆文字《デモティック》と聖刻文字《ヒエログリフ》の三種類の文字で、玄武岩の石板に彫られている。そこに彫られた布告は、明らかに、受け手として想定される三つのグループの人たちに同じ効力をもつよう制作されている。ロゼッタ・ストーンは、一般には聖刻文字《ヒエログリフ》解読のきっかけとなった石碑として貴重なものとされているが、またEUの創立者たちが、言語平等のルールを採用したとき、不可能なことを求めてはいなかったという証拠としても銘記されるべきだろう。

初期EUの主要なふたつの言語の歴史もまた、ふたつの言語が併用された勅令からはじまっている。ストラスブールの誓いは、西暦八四二年にシャルルマーニュ〔カール大帝〕のふたりの孫によって立てられたもので、自分たちが継承した領土から長兄がふたりを追い出そうとする動きを見せたので、協力してこの長兄と戦いを交えた。その兄弟、シャルル二世とルートヴィヒ二世は、異なる言語を使用していた――一方はドイツ語の初期方言、他方は後にフランス語となる初期方言を話した。それぞれが、同盟国の言語で互いに忠誠を誓った。これは、たんなる封建的儀礼ではなかった。誓いの言葉は書き記され、写しをつくったり、もち運んだり、シャルルとルートヴィヒの軍隊を前に読み上げたりすることができるようにされた。ルートヴィヒは、自らの臣下にシャルルと戦うなと命じるために、それを必要としたのではないし、シャルルもまた、自らの臣下にルートヴィヒの家来と戦うなと命じるために、それを必要としたのではない。必要としたのは、それぞれが、もはや自分は敵ではなく、長兄ロタールを敵として、ともに戦う同盟者であると、相手側に保証することだったのである。だからこそ、彼らはふたつの言語による長文を作成しなければならなかったのだ。それには、異なる言語で書かれたふたつのテクストが平行して並べられ、それぞれが正確に同じことを述べているわけではないが、読み書きのできない兵士たちに読み聞かせたとき、正確に同じ効力をもつよう作文されていた。ストラスブールの誓約書は、ふたつの言語が形成されはじめていたことを示す文書であり、またヨーロッパ諸国がそれ以来取ってきた地理的形状の起源を解き明かす鍵でもあり、EUの言語ルールの原型となる文書でもある。

しかし、問題がひとつ残る。この誓約書のふたりの署名者が、そこに書かれた言語のどちらかで話し合うなんて、現実にはありそうもないことだ。彼らはおそらく、盟約の条件を直接交渉したときはラテン語を使用し、合意したことを（その時点まで使われていなかった）自国軍の言語に直すのは、書記たちに任せたのだろう。したがって、ストラスブールの誓いの公然たる原本は存在しないが、学習で身につけたラテン語による交渉会議の結果を記した原テクストが、暗黙のうちに存在した可能性はひじょうに高い。この原テクストは、書記や教育のある奴隷が、古高地ドイツ語と古フランス語にそれぞれ翻訳したのだろう。

EUにもまた、ベルレモン・ビル〔ブリュッセルにある欧州委員会本部ビル〕の廊下、職員食堂、内輪の会議室で、ほとんどが実際的な目的で使用される媒介言語があることは公然の秘密であり――それは英語である。しかし、EUの文書は、まず英語で書かれ、それから翻訳されるわけではけっしてない。物事の進み具合は、もっとずっと興味深いものだ。欧州委員会内部で組織される委員会や分科会が会議を開き、規則を起草する。その会議では、EUの三つの手続き言語――ドイツ語、フランス語、英語――のどれかが使用されるが、そこにはつねに他言語の起草者たちも出席している。最初の草案に関しては、内容だけでなく、ほかの作業言語でどのように表現するかについても議論される。それから草稿は翻訳され、ふたたび委員会が起草者たちを招集して開かれ、さまざまな言語ヴァージョンの問題点や不整合を修正する。起草者たちは、同じくらいの程度に言葉の専門家であると同時に、EU法の実質的な本文の作成に参加する公務員でもある。草案が委員会と起草部門とのあいだを往復運動し、最終的に、どのヴァージョンでも等しいテクストだとだれもが認めるものとなる。その意味で、EUの平等性というルールの「言語に関する虚構」は、けっして虚構ではないのである。

ルクセンブルクの欧州司法裁判所（ECJ）〔EUの最高司法機関。以降、ECJと表記〕は、EUを構成する各国の上訴裁判所では決着のつかない法律問題を解決する機関であり、欧州委員会とはやや異なるやり方で運営されている。そこで使用される作業言語はひとつしかなく、それはフランス語である。裁判所のあらゆるレベルで使用される文書は、フランス語で書かれるか、そこに勤務する語学の専門家からなる部局のメンバーによってフランス語に翻訳される。しかし、原告――加盟国、EUの機構、または加盟国内の公的機関――が、自らの望む言語で訴訟を起こすこともあり、ふつうそれは当該国の言語である。その国の言語が「裁判の言語」となり、ファイル内のすべての文書は、原文が何語で書かれているにせよ、その言語に翻訳されなければならない。法律・語学チーム（内のほかのメンバーたち）にとっていっそう仕事が増えることになるわけだが、話はそこで終わらない。裁判の判決は、加盟国それぞれがひとりずつ任命した二十七人の裁判官全員、あるいはその一部によって――八名のECJ法務官のうちのひとりが提出する意見を考慮した上で――下される。最高法廷は、法律専門家の一団で構成され、全体として見れば、EUの二十三の言語すべてを話し、書くことができる。彼らは、昼食時の会話、非公式な協議、委員会での議論には、フランス語を使用するが、審理中の裁判に関するきわめて重要な意見は、母語で述べる。たとえば、ポルトガル政府がバイエルンの酪農合弁企業に対して訴訟を起こし、かつエストニア人の法務官が意見を提出する場合、この裁判では少なくとも五つの方向への直接の翻訳が必要となる。すなわち、ポルトガル語→フランス語、フランス語→ポルトガル語、フランス語→ドイツ語、ドイツ語→フランス語、エストニア語→フランス語である。フランス語を中継言語として、さらに追加で四つ、ポルトガル語→［フランス語］→ドイツ語、ドイツ語↓［フランス語］↓ポルトガル語、エストニア語↓［フランス語］↓ポルトガル語、エストニア語↓［フランス語］↓ドイツ語の翻訳がなされることもある。あるいはドイツ語↓ポルトガル語、ポルトガル語↓ドイツ語に関しては、もっともありそうなことだが、直接に翻訳がなされる場合もある。フランス語、ポルトガル語、ドイツ語からエストニア語へという残りの三つの方向（計算については一六四頁参照）については、法務官は意見を提出するとき以外、裁判所の言語であるフランス語で業務を行うので、翻訳は必要とされない。しかし、ECJの判決は、EU全体で効力をもつので、二十三の公用語すべてに翻訳されるまでは、発表されないし、有効とされない。判決が下されるたびに、七百五十人にのぼる法律家翻訳官の強力な部隊のあらゆるユニットが、何らかの段階で関与するのである。

EU懐疑派《ユーロスケプティック》の人は、ECJのこの多方向の翻訳という大盤振舞をけしからぬ浪費——たんなる雇用創出事業——と見なしている。確かに、このようなことは、多言語国家のオスマン帝国やハプスブルク帝国の上訴裁判所でもなかったし、ECJの運営には多額の費用がかかるのも事実である。また、意図しない結果の法則〔人間の行いには意図せざる結果が付き物だという意味の言い習わし〕により、キルヒベルク〔ルクセンブルク市の一地区〕の台地に位置する、鉄とガラスの宮殿で実現されている言語の平等性から、それ独自のひどく厄介な不平等性が生じていることも事実なのだ。弁護士の教育を受け、フランス語が堪能で、さらにもうひとつほかのヨーロッパの言語に通じている、マルタ、エストニア、ハンガリー出身者にとって、ルクセンブルクで仕事を得ることは、実際ひじょうに魅力的だ。その結果、マルタ、エストニア、ハンガリーでは、そのような人材のスキルがとても必要とされているのに、国家公務員として彼らを採用するのが難しくなっている。ところが、フランス語が堪能で、かつもうひとつほかのヨーロッパの言語を習得しているイギリス人弁護士の場合、ロンドンやニューヨークでもっとずっと報酬のいい職が待っているのだ。かくして、ECJは、まさにそれら英語、フランス語等への言語への翻訳者をもっとも頻繁に必要としているのに、そのような能力をもつ翻訳者の慢性的な不足に直面しているのである。

しかし、EUはECJなしには存在できない。もしECJが言語の平等性ルールのECJ独自のヴァージョンを捨ててしまったら、EU法が加盟二十七カ国ぜんぶにどのように効力をもちうるのか定かではなくなる。だからこそ、過去五十年にわたって、その翻訳運営体制に対して、おそらく常識や財政を理由としてなされた反対は、すべて却下されてきたのである。ヨーロッパというものを押し立てようとする政治的意志は、ひじょうに強力かつ決定的なので、翻訳問題にその行く手を遮らせておくわけにはいかないのだ。ヨーロッパは本当に、根本的に新しいタイプの翻訳世界を築き上げたのである。

　しかし、ＥＣＪのかなり特異な点は、翻訳プロパーであるだけの人を雇っているのではないということである。キルヒベルクの総合ビルに勤務する語学の専門家は、同時にまた全員法律家でもあり、厳密に言葉をほかの言葉に移す業務だけでなく、さまざまなレベルで裁判所の仕事にも関わっている。

　法律家翻訳官は、機密資料にアクセスでき、弁護士と同じ手続き規定にしたがって仕事を行う。また起草される文書について、ほかの言語に直されたとき曖昧さを生む可能性のある細部に至るまで、助言を行う。法律家翻訳官の仕事は、翻訳をはるかに超えるものだ——それは、言語としての法、また法としての言語を操る業務なのである。(2)

　ＥＣＪに提訴される訴訟の多くは、ＥＣ当局によって制定された‘regulation’（規則）〔ＥＵ加盟国に直接の効力をもつ法令で、各国の国内立法を必要としない〕に関する加盟国間での解釈の違いから生じている——要するに、同じものとされているテクストの異なる言語のヴァージョンの異なる解釈のあいだの対立が原因となっているのだ。すべての言語ヴァージョンに法的効力があるとすれば、どのようにして裁判所は、こちらのヴァージョンのほうがあちらのヴァージョンよりも優先される、という賢王ソロモンの判断のような判決を下すのだろうか？

　すべてのヴァージョンが原本なので、どちらの版も翻訳とは呼ぶことはできない。その上、裁判所の作業言語はフランス語なので、ほとんどつねに三つのテクストや表現の仕方が関係する。まれに、「翻訳ミス」というタブーとなっている言葉を用いて処理しなければならないこともある——たとえば、スミノミザクラの実の輸入に関する規則のドイツ語ヴァージョンで、誤って‘*Süßkirschen*’（セイヨウミザクラの実）という語が使われていた場合である。(3) このようなミスの場合は判決も簡単だが、これは裁判所の仕事として典型的なものではない。たいていの場合、裁判所は、当該の法令が、それが言い表されている言語表現を超えて、何を達成しようと意図されているのかを決定しなければならない。単一言語を使用している国の法文化では、立法者の意図をもっともよく示す証拠は、法律の言葉にあり、法律に関する伝統的議論といえば、その多くは言葉の意味に関するものだ。EU法では、それよりもう一歩先に行く必要がある。EUの控訴審での法解釈の問題も、つねに言語についての問題であるが、その言語は二十三の異なる形をとっているのだ。

EUの'directive'（指令）〔EU加盟各国へ法整備を要請する法令で、各国は指令の内容を国内法に置き換えねばならないが、置き換え方は各国にある程度まかされる〕の起草者に予期されないような、ある現実的な状況を仮定してみよう。フランス語とドイツ語のテクストの趣旨に重大な違いがあり、そのため、ドイツがEU法を正しく適用していないという、フランスからの不服申し立てがあったとする。ECJは、フランスの言い分が正しいかどうかを決定しなければならない。しかし、より高次の権威や判断基準を与えてくれる原テクスト（たとえば、ラテン語のもの）がないので、裁判所は自らの考えを決定するのに基本的にふたつの方法しかもたない。裁判所は、法律家翻訳官の部局のスキルを用いれば、フランス側の解釈を支持する言語ヴァージョンをすべてリストアップできるし、訴訟内容に関連して、テクストの意味がドイツ側の解釈のほうに近い言語ヴァージョンもすべてリストアップできる——かくして、どちらであっても、数の多いほうに勝利を与える。しかしECJは、このような「多数評決」に訴えるまでもない。その指令の立法上の意図を、ほかのどれよりも明確かつ正確に体現していると思われる言語ヴァージョンを、ひとつ特定することもできるのだ。

どちらの手続きも、初期キリスト教教父たちが考案した、聖書のさまざまな翻訳（主としてギリシャ語訳とラテン語訳）の比較によって「神の言葉」を確立しようとする方法に似ている。EU法を解釈するための「聖アウグスティヌス的アプローチ」と呼ばれているものは、どの言語のヴァージョンも超越する意味、しかしそれらすべてに生命を与えている意味を効果的に打ち立てようとする。このアプローチは、すぐわかるように、いくつかの問題に遭遇する。

ピーターソン対ウェッデル社裁判では、トラック操業に制限を設けた規則に違反したとして、イギリス内でなされた刑事訴追が問題となった。EU規則では、'transport of animal carcasses or waste not intended for human consumption'（人間が消費することを目的としていない動物の屠殺体や廃棄物の運送）〔ただし後で見るように、べつな解釈も可能〕を、加盟国が一般的な規制の対象外とすることを認めている。イギリスで罰金を科された会社は、動物の屠殺体を肉屋に輸送しており、肉屋は人間が消費するために販売することを目的としていたのは明らかだった。ところが、トラック運送会社は、動物の屠殺体は、先に引用したEU規則条文によって規制の対象外だと申し立て、会社の行為を無罪とすることを拒否したイギリスの裁判所の判断を不服として上訴したのである。トラック運送会社の弁護士たちは、人間が消費することを目的としていない廃棄物と（人間が消費することを目的としているかどうかとは関係なく）動物の屠殺体全体が規制を免除されると主張した。これに対してイギリスの裁判所は、規制の免除は、人間が消費することを目的としていない廃棄物と動物の屠殺体のみに適用されると考えたのである。わかりにくいように聞こえるかもしれないが、問題は次のように十分明確だった。トラック運送会社は、規則に違反したのか、していないのか？

この訴訟の核心にある争点は、法律言語や言語一般ではよく知られた問題だ。つまり、名詞の列挙のあとに名詞を修飾する句、すなわち限定する句がつづく場合、それはどの名詞までを限定するのか、列挙されている名詞すべてなのか、それとも最後の名詞だけなのか、という問題である。たとえば、'children and women with babes in arms' という表現では、腕に赤ちゃんを抱いているのは、女性たちだけか、それとも子どもたちも含まれるのか？

言語の日常的使用の場では、このような曖昧さは、常識とコンテクストが解消してくれる。法律の世界では、それは細心の注意が必要な法律言語を解釈する絶好の機会を提供してくれる。ところが、この問題がＥＣＪにもちこまれたとき、法律家、語学専門家、とりわけ法律家翻訳官は、当該の免除条項の二十三カ国語ヴァージョンすべてを検討、比較することからはじめたのである。彼らはそのなかに、当該の商品への修飾句、「人間が消費することを目的としていない」が、その商品の「動物」と「廃棄物」両方の前に置かれているヴァージョンをひとつ——オランダ語版——見つけた。そういう表現になったのは、ほぼ全面的に文法的な理由による。しかし、裁判所はそれを、曖昧な同一テクストの文法的変異形としてではなく、神からの贈り物と見なした。そして、オランダ語の語順を、ほかのすべてのヴァージョンの語順よりも、その法令の真の意図を明確かつ正確に表現していると判断し——上訴は却下された。トラック運送会社は、罰金を払わなければならなかった。[4]

ある種のトラックを一般的規制から除外しようと最初に考えたEU機関は、腐って悪臭を放つ可能性のある肉を満載したトラックのことを考えていたと仮定しておこう。ここで興味深いのは、われわれも容易に同意できる、ＥＣＪ

の最終判断ではなく、その判断の根拠を示すために取った論法である。それは、ひじょうに簡単な文法に基づいている。その論法によれば、名詞の列挙の前に置かれる修飾語句は、列挙される名詞すべてを修飾する。この意味論的原則は、オランダ語ヴァージョンでは明白にされているが、文法的あるいは文体的な規則のために修飾語句を名詞の列挙のあとに置くほかのすべてのヴァージョンも、同じ考えを表現していると見なさなければならない。

この論法は、ＥＵの大多数の言語では意味をなさず、ＥＣＪの作業言語であるフランス語ではとくにそうだ。フランス語では、あらゆる種類の修飾語句が、単一の名詞に付けられる単一の形容詞に至るまで、名詞のあとに置かれ、前に置かれることはない。オランダ語の明瞭さに対するＥＣＪの洞察は、どこから来たのだろうか？　この疑問へのもっとも正しい解答と思われるのは――たとえばドイツ語やハンガリー語でも形容詞は概して名詞の前に置くにしても――、私見によれば英語の文法である。'Not-intended-for-human-consumption animal carcasses and waste'（〈人間が消費することを意図していない〉動物の屠殺体や廃棄物）のほうが、'animal carcasses and waste not intended for human consumption'（動物の屠殺体や廃棄物〈人間が消費することを意図していない〉）よりも曖昧さが少ない表現だという見方に最大の直感的支持を与えるのは、フランス語でもドイツ語でもスペイン語でもハンガリー語でもなく、まさに英語なのだ。正反対の方向に向かって多大かつ意識的な努力を重ねているにもかかわらず、ＥＣＪは、ＥＵ法を維持するために使用する諸言語の緩慢な、しかし間断なく進む均質化の流れに抵抗することはできないのである。

わたしは、この判決のあら捜しをするつもりはないし、法律と言葉の曲芸師たちがルクセンブルクで行っている、重要な仕事にケチを付けるつもりもない。しかし、ある法令の究極的な意図を明らかにするために使用される比較研究法――聖アウグスティヌスの聖書釈義の実践になぞらえることのできる方法――は、それ自体ひとつの言語のなかで用いられなければならない。語の意味、文法構造、修辞的言回しについての推測や仮定は、必然的にあるひとつの言語に根をもっており、言語を超えた法の空から留め金で吊るされているわけではない。しかし、それは、スペイン人の判事とフランス語で会話をはじめ、プラハ出身のステキな人に挨拶をするためドイツ語に切り替えるような、キルヒベルク・ビルの数カ国語が飛び交う廊下や食堂では、簡単に忘れられてしまう事実である。ＥＣＪを訪れたとき、そこに勤務するひとりの法律家がわたしに語ってくれたが、その時どきに話したり書いたりするのは、自分の使う四つの言語のうちどれなのか、実はまったく考えたことはないそうだ――まるでショルダーバックを左から右へと持ち替えるように、意識せずに言語を切り替えているのだ。このような多言語環境によって煩雑で回りくどい法的手続きの方法が無意識のうちに決定されてきた結果として、二十三の言語の意味と文法が融合し、それ独自の――ソシュールの用語では「それだけで独立の種類をなす《スーアイ・ジェネリス》」存在であり、一般的な言葉では「ユーロスピーク」と呼ばれる――ＥＣＪ言語文化となりはじめたのである。ルクセンブルクの言語迷宮を綿密に研究している、ごく少数の学者のひとりが述べているように、「ヨーロッパ法を形成しているユニークな状況的要因は、法と言語の混成を引き起こしている」のだ。わたしには――確かにわたしは、この分野の部外者であり素人ではあるが――この新しい混成の根底にある構造は、たとえそれがフランス語という媒体によって形式的には表現されているとしても、英語が提供しているように思えてならないのである。

　ＥＵ支持派と懐疑派のどちらにも、ＥＵの諸機関は英語で運営したほうがいいと考える人がいる。というのも、ＥＵの言語の平等性のルールは、つねに遅延を生む原因となっており、またこのルールのせいで、公式の決定と意見が、実際に必要とされる以上に歪曲され、曖昧になる傾向があるからである。前述したように、ＥＣＪの判決は、ＥＵのすべての公用語で同時に公表されたとき、効力を発する。したがって裁判官は、恒久的に過労状態にある法律家翻訳官から、判決書を短くしてくれという控え目ではあっても絶えず感じさせられる重圧の下にいる。そのため、ＥＣＪの判決は概して寡黙で、イギリスの貴族院〔最高法院の役目も合わせもつ〕やアメリカの最高裁判所の判決にふつう添付される、多数のページに書かれた論証や根拠は提出しない。ヨーロッパのすべての言語を平等に扱おうという政治目的は、賞賛に値するが、また一方で、ＥＣＪの判決が、時として、どの言語のヴァージョンでも理解できないほど簡潔すぎるという、望ましくはないが、ことによると不可避かもしれない結果を生み出しているのである。

22　ニュースを翻訳する

一八三八年、詩人のロバート・ブラウニングは、トリエステに向かってゆっくりと船旅をしているとき、昔、ベルギーのゲントからドイツのアーヘンへどのようにしてニュースが伝えられたのか想像をめぐらせた。

俺は馬に飛び乗った。そしてジョリスも、そして彼も
俺は疾駆した、ダークも疾駆した、俺たち三人ぜんぶ
疾駆した……〔'How They Brought the Good News from Ghent to Aix' の冒頭部分〕

しかし、彼がここで述べていないのは、馬に乗った急使たちがどのようにして、自分らが届ける知らせをフラマン語からドイツ語に訳したのか、ということである。アーヘンではドイツ語が使われているのだ。昔、ヨーロッパのA地点からB地点へと急送されるニュースは、十中八九、フランス語で発信、受信されていたと思われる。ところが、今日われわれは、出来事と報道のあいだにあまり時間差がないうちに、印刷物、ラジオ、テレビ、ウェブを通して、自分の母語で時事情報を受け取るのが習慣となっている。しかし現在、よいニュースも悪いニュースも、深圳からシカゴへ、マルセイユからメルボルンへ、リオからリャザン〔ロシアの都市〕へとどのように伝えられるのか？　その速さは電子メディアで説明がつくが、ニュースとなる政治的、人間的出来事は、われわれの母語が使われて起こることはめったにないのに、どのようにしてほとんど同時にその母語でわれわれに報道されるのかは説明がつかない。

無数の言語の形を取って地球上を駆け巡っている大量の情報は、次のことを示唆していると考えられるかもしれない。すなわち、どこかの隠れたアリ塚に賑やかな言葉の虫の大群が棲息しており、ニュースがあれば、世界のどこの言語であれ、すぐさまほかのすべての言語に変えようと常

時待ち構えているのだ、と。しかし、そんなはずはない。なぜなら、そうだとすると、四九〇〇万もの別個の言語アリ・チームが必要となるからだ（本書一六四頁を参照）――そのサイズの人間アリ塚を隠すのは難しい。かりに世界規模のニュース翻訳本部があって、これが八十の媒介言語しかカバーしていなかったとしても、なお六千三百二十もの異なる翻訳担当デスクが必要だ。それぞれの翻訳者に週四十時間勤務してもらい、パリやピオリア〔米国イリノイ州の市〕での大事件発生のような急に人手の必要性がピークに達する事態に備えておくとすれば、エンパイア・ステート・ビルディングよりも小さい建物にはこの会社を収容することはできないだろう。しかし、ニューヨーク、ロンドン、リオにも、世界ニュース翻訳センターを入れている超高層ビルはない。実際、世界じゅうどこを見ても、スタッフに翻訳者をおいている報道局はまずないのだ。欧州司法裁判所の法律家翻訳官と同様、報道ビジネスの言語仲介者たちもまた、ほとんどつねに翻訳者とは別物なのである。

　世界の言語のほとんどは、かなり小さなグループによって話されており、報道メディアはこれらの言語が使用される地域の多くには存在しない。たとえそうであっても、数百の言語――ひょっとすると千を超える言語――で、控え目なレベルではあるが、印刷物や放送によってニュースが伝えられるところもある。たとえば、ヘルシンキから毎日三十分のニュース速報がラテン語で放送されている。BBCのアルバTVには、一日七時間のゲール語番組があり、その一部はニュース報道である。ところで、ほとんどの一般向け報道メディアは、まれな場合を除いて、ニュースの取材はしない。そのほとんどは自身が、ワイヤと呼ばれる国際通信社の顧客であり、これらの通信社が、ニュースの収集を行い、それを多くとも六つの言語で配信する〔欧米では、通信社はニュースの収集・取材をし、新聞社等の報道メディアはその分析・評論を行うという役割分担が発達している〕。主要な通信社には、ロイター社（一八五一年に設立された世界初の通信社）、米国連合通信社（AP）、フランス通信社（AFP）、インター・プレス・サービス（IPS）があり、近年ではケーブル・ニュース・ネットワーク（CNN）、アルジャジーラ、BBCオン・ザ・ウェブ、そしてとくに金融情報ではブルームバーグ社が、いちじるしく力をつけてきた[1]。

　バングラデシュの氾濫やルワンダやキルギスのクーデターのニュースは、ダッカ〔バングラデシュの首都〕、キガリ〔ルワンダの首都〕、あるいはビシュケク〔キルギスの首都〕から、どこであれ、われわれのいるところへ届くわけではない。通信社から各地の報道メディアに、英語、フランス語、スペイン語、ドイツ語

（全通信社）、ポルトガル語（ロイター、AFP）、オランダ語（APのみ）、あるいはアラビア語（一九五四年からロイター、一九六九年からAFP）で配信されるのだ。そして、各地の新聞社やラジオ局で働くジャーナリストは、ひとつあるいは複数の通信社から受け取ったそのニュースを、それがどの言語で提供されていようと、ほとんど即座に書き直すのである。グローバルな伝達言語は、十九世紀の植民地帝国の言語であり、それにアラビア語、中国語、日本語、ヒンディー語、インドネシア語が加えられ、ほかのすべての言語は、このゲームの外に置かれている。

読者が読む記事や論説を執筆するジャーナリストは、語学力があることが多いが、自分を翻訳者とは考えていない。彼らは、もし自分が翻訳者だと言われたら——たとえたとえば、ロンドン発行の新聞で読むいくつかのニュース記事が、昨日の『ル・モンド』紙で読んだものと実際ひじょうによく似ていたとしても——感情を害するだろう。自分の仕事についてジャーナリストは、たんなる情報を、記事を読む読者の文化、興味、教養に合った、人目を引く、面白い、読みやすい文章に変えることだと考えており——そしてこれは、ほとんどの人が翻訳と思っているものよりも立派な仕事なのである。この上下関係は、世界じゅうで報酬と労働条件に反映されている。いたるところでジャーナリストは、翻訳者よりも地位が上なのだ。

通信社でなされる言語作業は、とりわけ興味深い。というのもその作業は、翻訳であることの完全な不可視性だけでなく、テクストの匿名性と没個性性にも基づいているからだ。言語Aで書かれた覚え書き程度の記事が、ある通信社のデスクに届くと、言語Bで書かれた配信記事へと変えられる。それは、元の覚え書きのもつ発話状況的、文体的、文化的特徴をいっさい顧慮せず、言語Bの文化での再利用にフィットするように作成されている。通信社の仕事は、元のテクストやその由来を尊重することではない。大事なのは、そこで語られることの背後にある事実だけなのだ。その結果として配信される記事は、共同制作の産物であり、特定の個人ではなく、ただ通信社によるものとしか言えない加筆がなされている。さらに、配信記事は、当該の通信社がカバーするほかの言語にも直され、CからNまでの言語で最大の明晰さと有用性を達成するため、再三にわたる書き足しや削減がなされる。こうして、記事は世界じゅうに配信され、そのサービスの顧客である報道機関が、それぞれ自らの使う言語で四度目の記事作成を行う。この四度目の編集作業で、テクストは地元のコンテクストに合うようすっかり改められ、その地元のジャーナリストの作成と見なされるような新しい記事となることもありえる。言ってみれば、新聞読者が、テヘランでなされたもともとペルシャ語の演説を英語で読む前に、その演説は、行われておよそ一時間後、イラン駐在のアルジャジーラの社員によってアラブ語に直され、次にクウェートのAP支局によって英語の配信記事として書き改められ、その後さらに、ロンドンのジャーナリストに新聞記事にまとめられているのである。同様に、もしタイで地震が発生したとすると、そのニュースは、まずAFPのバンコク支局によってフランス語で報じられ、それからAFPの英語版サービスでパリから配信され、その数分後、イランのテレビニュース用にペルシャ語に書き改められているのだ。国際ニュースを報道している熟練の専門家たちが、このように精巧なネットワークの構造を築き上げているので、所与の記事のさまざまな言語版が、正確にはけっして同じことを述べていないことは確実だ。それらは、同じ情報を伝えているとみなされているが、その伝えられ方には、受け手側の言語と文化に広く共有されている政治的、社会的、宗教的、知的感受性に関する根拠の確かな仮定に基づいて、調整がなされているのである。

　このような事情のもとでは、いったいどうやってニュースが真実であると知ることができるだろうか？　いや、それができないのだ。ただニュースを信頼するだけであって、つまり、たとえそのことを意識していないとしても、たとえディナーパーティーのおしゃべりでそれと反対のことを言うことがよくあるとしても、ジャーナリスト＝翻訳者を信用しているということなのだ、それも全面的に。そうでなければ、世界で起こっていることについて自分は基本的なことを知っていると、どうやって信じることができるだろうか？

　逆説的ではあるが、グローバルなニュースとは、ローカルな産物だと言っても不合理ではない。それは、情報の流通に言語的な障害があるからではない。そうではなく、この分野のコミュニケーションの仕事が、受け手によって課される現実の、つまり感受される制約のもとに置かれているからだ。ゲントからアーヘンに新しい重要な知らせを届けるにあたって、現代の急使は、「ニュース」と見なされるものへの言及部分のほかは、資料記事のほとんどすべてを修正し、脚色し、削除し、あるいは書き足す。比較的短い修辞的飛躍を用いて言えば、これを利用して、世界についてのあらゆる事実は、言語の構築物であり、それ以外の何物でもないというラディカルな見解をふたたび主張することができる。しかし、通信社とそこで働く人たちは、脱構築に興味はない。彼らは、自分たちがさまざまな言語、レトリックを用いて提供する情報は、言語を超えて、現実の領域にあるという確固たる信念をもって仕事に従事しているのである。

グローバルなニュース配信では、このように翻訳がほかの種類の言語作業に統合されているが、これはけっして珍しいことではない。超国家法を扱う組織(たとえばECJ)、外交、多くの国際機関の仕事では、翻訳と、ほかの言語作業、つまり文章の起草、編集、修正、書き直し、翻案——同じ言語あるいはほかの言語が用いられようと——のあいだに、正確な境界線を引くことはできない。これら多くの重要な分野で翻訳作業は、テクストの漸進的な改良およびより広範な流通に必要な一要素にすぎないのだ。

さまざまな言語、利用者のコミュニティのあいだでニュースが伝えられるプロセスから、ふたつの予想外の結果が生じていることは、注目に値する。最初の結果は、ニュースが「翻訳されたものであること」がまったく見えなくなっている点である。しかし、たとえ翻訳の介在の隠蔽が、EUの平等性の言語ルールの明白な意図であるとしても、それは、ニュースの流通にとって致命的なことではなく、簡単に埋め合わせをすることができる。たとえば、イラン大統領の最新の演説に関する報道は、テヘランからのペルシャ語のラジオ放送を聴いたアルジャジーラがそれをアラビア語で伝え、そのニュースに基づいてクウェートで作成され、配信されたロイターの英語版記事を、著名なジャーナリストが翻案してまとめた記事によってなされているのだと、完璧に筋道立てて考えることができるはずだ。メディアの報道の言語的来歴をたどろうとしない、われわれに共通する消極的な姿勢から生じる二番目の結果は、国際ニュースの提供が、衛星電話やデータ伝送のようなすばらしい機器にのみ依存する簡単な仕事だと、信じ込まされてしまうことである。そうではない。それは、厳しい時間の制約のなかで働いている、有能な翻訳者=ジャーナリストによって成し遂げられる、大変な仕事なのである。

23　自動翻訳機械の冒険

ヨーロッパの諸国民は、重要な情報を伝達するために、ラテン語の使用をつづけたり、エスペラント語のようなほかの伝達言語を採用したりすることに消極的だったので、昔には考えられなかったような時間のプレッシャーのなかで行われる、苦労が多く面倒な翻訳の仕事をつくり出してしまった。いまやニュースの伝達は、翻訳以外のほとんどすべての面において、急使ではなく、電子機器によってなされているので、この中核となる活動自体が、なぜ同じように自動翻訳機械によって行われないのかと問うのは、自然なことのように思われる。

機械翻訳は、まだ初期段階にあるが、山あり谷ありの波乱に富んだ歴史を有している。それは、劇的な歴史状況のなか、最重要の政治的要請に応えて出現した。機械翻訳の開発は、欧州連合の言語ルールのような、政治的意志を表す明確な法律によって始まったわけではないが、その背景には、冷戦開始時の恐怖という時代風潮があった。アメリカは、原子爆弾を開発、使用しており、さしあたって、この恐ろしい兵器を独占していた。この独占はいつまでつづくのか？　ソヴィエト連邦はいつ追いつくのか？　その答えを推測するひとつの方法は、ソ連で発行されるすべての研究雑誌をくまなく調べ、関連する分野の知識レベルに関する手がかりを探すことだった[1]。雑誌はロシア語であった。アメリカは、ロシア語を英語に直し、科学的知識ももつ、本当に大勢の翻訳者を養成するか、その代替として翻訳の仕事を遂行する機械を発明する必要に迫られた。

しかし、広く学ばれていない言語の翻訳者の大集団を編成するには時間がかかる。一九四五年当時、英語教育を受け、科学の素養のあるロシア人翻訳者を見つけるのは、明らかに困難だったので、当局は機械に目を向けた。ソ連の原爆設計能力を探るという切迫した課題に、機械が役立つと考えるもっともな理由があったのである。

第二次世界大戦は、暗号の作成と解読の技術に飛躍的な進歩をもたらした。暗号化された言語がわからない場合でさえ、メッセージを解読できる統計的手法が発展した。イギリスのブレッチリー・パーク〔イングランド中南東部の町ブレッチリーにある庭園と邸宅で、政府暗号学校が置かれていた〕出身の暗号解読者たちが驚くべき成功を収めたので、一部の思想家は、言語そのものを暗号として見なすことができるのではないかと考えるようになった。一九四九年の七月に書かれた有名な覚え書きのなかで、当時ロックフェラー財団の役員だったウォーレン・ウィーバー〔一八九四―一九七八。米国の科学者、数学者、機械翻訳の先駆者〕は、次のように述べている。

> 中国語で書かれた本は、「中国語の符号体系」に暗号化された、英語の本にすぎないと主張したい気持ちでいっぱいだ。もしわれわれがほとんどどんな暗号の問題でも解くことができる有用な方法を見つけているとしたら、適切な解釈をほどこせば、われわれはすでに翻訳の有用な方法を入手していることになるかもしれないではないか？(2)

ウィーバーは、情報理論と人工頭脳工学《サイバネティクス》の新興研究分野でクロード・シャノンその他が行った先駆的な仕事を知っており、もし言語を暗号として扱うことができれば、コンピュータという現代的な名前をつい最近つけられたばかりの、新しく刺激的な高速演算装置の研究に取り組む数学者、論理学者、エンジニアたちに大規模開発契約を結ぶ機会をもたらすことができるだろうということもわかっていた。しかし、「言語を暗号として」見るという誘惑は、ひじょうに頭のいい若者たちに興味深い仕事を与えてくれるというたんなる直感よりも、ずっと深いところから来るものだった。

コード、つまり暗号とは、暗号解読の（秘密の）鍵が利用できる場合にのみ受信可能な形で情報を伝える方法である。その鍵がどんなに洗練されていても、「元の情報《ソース》」を「暗号《コード》」に換える処理手順《アルゴリズム》がどんなに複雑であっても、暗号化された表現と、暗号化される表現とのあいだには発見可能な関係がある。もし言語それ自体が、その種の暗号であるとすれば、それは何を暗号化するのか？ ギリシャ人の時代以来つづいてきた、言語に関する西洋の思考の長い伝統のなかでは、答えはひとつしかありえない。すなわち、意味（ときには「思考」と呼ばれることもある）である。翻訳機械は、言語Aの実際の表現から「暗号」であるものすべてをはぎ取る必要がある。こうするのも、その言語Aが暗号化している本当のもの、すなわちその表現の実際の、それ以上単純化不可能な、簡素で基本的な意味を取り出すためである。これはまさに、言語とは思考の衣装であるという、古い考え方を反復しているにすぎない。ウィーバー自身が、次のようなアナロジーを提案している。

> それぞれ共通の土台の上に建っている、高く閉ざされた塔がいくつもあるとして、そこに住んでいる人たちのことを考えてみよう。彼らが互いにコミュニケーションを取ろうとすると、自分の閉ざされた塔からあちこちに向かって声を張り上げることになる。ところが声は、いちばん近い塔に届くのさえ難しく、話はまったく遅々として進まない。しかし、ある人が塔を降りると、自分がすべての塔の共通の土台である大地下室にいることに気づく。こうしてその人は、ほかの塔から降りてきた人たちと容易に有益なコミュニケーションが取れるようになるのだ(3)。

人間の生活の共通の土台である「大地下室」で、すべての人間同胞と「容易に有益なコミュニケーション」を取るという、この「夢」は、言語と意味に関する本来的に宗教的な、太古の見解を表しており、明白に仮説的性格を有しているにもかかわらず、この見解から逃れるのはひじょうに難しい。人間はどのような言語を用いて、「大地下室」でコミュニケーションを取るのだろうか？　純粋な意味からなる言語である。それは、機械翻訳と近代言語学の冒険の後の段階で、「インターリンガ」——すなわち、どんな言語でなされていようと、コミュニケーションが暗号化している意味や思考の「不変の核」——と呼ばれるようになった。したがって、機械翻訳の先駆者たちが自らに課した任務は、多くの現代の理論家や哲学者が指摘する翻訳者の任務とほとんど変わらない。つまり、あらゆる人間が自らの魂の大地下室で実際に話しているという、純粋に仮説上の言語を発見し、実地に用いることである。

どうやれば機械がそれをできるようになるのか？　その目的の達成のために工夫されたと思えるような知的装置が、すでに多く存在していた。ローマ人がギリシャ語の読み書きを若者に教えはじめて以来、西洋の言語を学習する人はつねに、基本的な課題がふたつあると言い聞かされてきた。その異言語の語彙を覚えること、文法を習得することであり、文法書とはべつに二言語辞書があるのはそのためである。文法書は、語彙のなかから「単語」を選んで組み合わせ、容認可能な文をつくるための一群のルールを教えてくれる。これが、われわれの古臭いが威光の衰えない言語神学では、言語というものなのだ。それはメカーノ〔金属部品組み立て式子ども用玩具〕のようなものであって、一方にナット、ボルト、桁、梁、はめば歯車、穴あき棒（たとえば、前置詞、動詞、名詞、形容詞、不変化詞、決定詞）があり、他方には、それらの組み立て方のルールがある。ナットは、ボルトと組み合わせて用いられるが、歯車とは用いられない。それはちょうど、動詞が前に主語を置き、後に目的語を置いて用いられるのと同じことなのだ。

　機械翻訳の冒険の開始時には、一群の語を、ギリシャ人やローマ人が考案した文法カテゴリーに分けてコンピュータに保存するのは、理論的に可能であった（しかも、すぐに実際に可能となった）。一方にロシア語、他方に英語という二群の語を保存し、どの英語の単語がどのロシア語の単語に相当するのかをコンピュータに教えるのは、同じく可能であった。実現が危ぶまれたのは、人びとを別々の塔から共通の地下室まで連れてくることができるという、ウィーバーの例え話に含意されている事柄――すなわち、文の形式それ自体からその包装を解いて、文の意味を取り出すために何をすべきかをコンピュータに指示することであった。そうするためには、コンピュータはまず、その言語の文法全体を知る必要がある。それがどのように成り立っているのかを、教えてもらわなければならないのだ。しかし、だれが英語の文法全体を知っているだろうか？　語学の学習者はだれでも、体系的規則性は恣意的タイプの例外によって頻繁に覆されることにすぐ気づく。母語を話すときはだれでも、自分が文法の「ルール」を（頻繁に）破りかねないことを知っている。どの言語でも完全な言語学的記述というのは、願望に留まり、現実ではない。これが、機械翻訳が最初の飛躍期で座礁に乗り上げた、ふたつの理由のうちのひとつである。二番目の理由は、自分の言語の文法を完全に知っていると見なしうる人ですら、どんな表現の意味であれ、それを確定するためには、なおも世界に関する大量の知識が必要であり――任意のある文が何についてのものなのかを、どうやってコンピュータに教えたらいいのかだれにもわからないことにあった。コンピュータが解答できなかった古典的な難問は、次のふたつの文のなかの語の正しい意味は何か、というものだ。その文とは、'The pen is in the box' と 'The box is in the pen' である。それらの意味を解するには、現実世界における物の相対的な大きさについての知識（前の文の‘box’は‘pen-sized box’（ペン・サイズの箱）、後の文の‘pen’は‘sheep-pen’（羊小屋）のこと）が必要となる。これは、辞書の意味や統語規則を参照しても解答できない。一九六〇年代、著名な言語学者のイェホシュア・バー・ヒレルは、マサチューセッツ工科大学（ＭＩＴ）に雇われ、頭文字語でＦＡＨＱＴと呼ばれる‘fully automated high-quality translation’（全自動高品質翻訳）の開発に主に従事していたが、不機嫌そうな撤退宣言を行っている。

> わたしは、ＦＡＨＱＴという理想は幻想であり、それは所与の起点言語の文の統語的構造を機械的に確定することについてすら言えることだと、繰り返し指摘しようとしてきた。（……）英語には極端に単純な文があり――同じことは、ほかのどの自然言語にも当てはまるのは確実だが――そのような文は、関係するふたつの言語の知識を十分もっている人ならだれでも（……）ある一定の言語的コンテクスト内では、ほかのどんな言語にも明快に翻訳することができるだろう。ところがわたしは、完全に恣意的で場当たり的《アドホック》な処理手続きによるのでないかぎり、機械がこれと同じただひとつしかない訳を見出すことを可能にするプログラムが存在するということを、寡聞にして一度も聞いたことがないのである[4]（……）。

これにより、助成金を交付する財団からの楽な資金獲得にはほぼ終止符が打たれた。しかし、一九五七年の欧州連合設立によって〔この年に調印されたローマ条約に基づき、翌一九五八年、欧州連合（ＥＵ）の前身であるヨーロッパ経済共同体（ＥＥＣ）設立〕、バー・ヒレルが不可能と考えた機械の開発に新たな政治的モチベーションが――それに新たな資金源も――与えられた。野心はスケールダウンし、ＦＡＨＱＴからもっと実現可能なものへと変わった。コンピュータの性能が向上し、サイズが小さくなるにつれて、ある用語が長い文書のなかで毎回同じように翻訳されているかどうかをチェックするような、人間が退屈だと感じる作業をもっと安心して任すことができるようになった。またコンピュータは、技術用語だけではなく、成句や表現全体の辞書を編集、保存するためにも使用できるようになった。全自動翻訳に代わって、ＣＡＴ――つまり‘computer-aided translation’（コンピュータ支援翻訳）――の時代がはじまったのだ。民間企業もプロプライエタリーシステム〔特定のメーカーの製品のみで構成されたコンピュータシステム〕の開発をはじめた。というのも、翻訳機械の大口需要者は、EUのような超国家的機関だったとはいえ、世界じゅうで販売される航空機、自動車、その他の商品を生産している大企業のあいだでも、そのようなツールが切実に必要とされていたからだ。

CATの場合、入力は、現在使用されている生の状態の自然言語ではなく、ある制限された記号体系、つまり使用範囲の定まった、一言語内の下位グループに準拠したほうが、よい結果が得やすくなる。航空機の整備マニュアルでは、英語で可能な表現全範囲のなかの一部分しか使用されない。そのマニュアルのおよそ百の言語版を自動翻訳装置によって作成しなければならない場合、レストランのメニュー、歌詞、パーティーでの雑談まで機械で処理できるようにする必要はない——航空機の整備言語だけ処理できれば十分なのだ。これを行うひとつの方法は、入力するテクストをコンピュータプログラムが処理できる定式化されたフォームへと事前に編集し、事後に有能な翻訳者に、アウトプットされた訳文が対象言語で意味をなすものになっているか(またその意味は適切か)確認し、不備があれば修正してもらうようにすることだ。もうひとつの方法は、航空機整備分野で見られる曖昧さや間違いやすい点を取り除くよう工夫された、特殊で限定された言語——いわばボーイングリッシュ('Boeinglish'〔Boeing と English のかばん語〕)——を整備マニュアルの制作者に教えておくというものである。これは今では世界じゅうで行われている。グローバルに販売活動を展開している企業の大多数は、コンピュータによる自社資料の翻訳に役立てることを目的とした独自の文章作成ハウススタイルをもっている。人間が翻訳するのをコンピュータが支援する段階から、コンピュータが翻訳するのを人間が支援する段階まで進んだのだ。これはまさに、言語が本当はメカーノの組み立てセットのようなものではけっしてないことを示す、翻訳に関する真実のひとつにすぎない。言語はつねに、人間のもつニーズ——たとえそれが言語をコンピュータが処理できる形式に押し込むことであったとしても——に適合するよう圧搾したり、形をととのえたりすることが可能なのである。

コンピュータに支援された人間による翻訳、人間に支援されたコンピュータによる翻訳は、ともに重大な成果であり、これがなければ、過去数十年の貿易と情報のグローバルな流れは、これほどスムーズにはいかなかっただろう。最近まで、そのような形の翻訳は、語学のプロの領分だった。彼らがさらに行ったのは、もちろん、膨大な量の翻訳物(翻訳文と原文を対にしたもの)を機械が読み取れる形式にすることだった。一九九〇年代以来、インターネットの発明と爆発的な成長により、この巨大なコーパスは、端末さえもっていればだれでも無料で利用できるようになった。そして、グーグルが登場したのである。

グーグルは、もともと一九八〇年代にＩＢＭ〔アメリカのコンピュータ会社、International Business Machines Corporation〕の研究者たちが開発した数学的枠組みをもとに作成されたソフトウェアを使用して、他にまったく類を見ない自動翻訳ツールをつくり上げた。それは、ウォーレン・ウィーバーの知的前提に基づいてはおらず、インターリンガや不変の核とは何の関係もない。それは意味をまったく扱わないのだ。Google Translate（グーグル翻訳〔以降、ＧＴと表記〕）は、言語表現を、解読が必要なものとしてではなく、以前おそらく使われたものとして捉える。それは、圧倒的な処理能力を駆使して、瞬く間にインターネットを探索し、対応する翻訳と一緒に存在するテクストのなかで使われている当該表現を探し出す。それが精査できるコーパスには、一九五七年以来ＥＵが公表してきた二十四の言語による文書すべて、国連とその機関が六つの公式言語で公表してきた文書すべて、そのほか国際法廷の記録から会社の報告書まで、さらに個人、図書館、書店、著述家、教育機関がウェブ上で公表してきた二言語併用形式のすべての記事と書籍に至るまで、膨大な量の資料が含まれる。ＧＴは、多言語や二言語で発表された、これら何百万もの文書間ですでに確立された一致パターンを利用し、統計的手法を駆使して、抽出された候補のなかからもっとも可能性の高い容認可能なヴァージョンを選択するのである。たいてい、これはうまくいく。実に驚くべきことだ。そして、この成功が大きな原因となって、もともとウォーレン・ウィーバーによって絵に描かれた餅であるＦＡＨＱＴの実現可能性に関して、新たに楽観的な空気が漂いはじめたのである。

ＧＴは、すでに存在している途方もない量の翻訳のコーパスがなければ機能することはできない。ＧＴは、それが探索するテクストを作成した人間の翻訳者の膨大な労働時間の上に築かれている。グーグル自身によるプロモーションビデオでは、この点についてまったく触れられていない。目下、五十八の言語間の双方向翻訳、つまり、これまでの人類の歴史でもっとも多い三千三百六通りの別個の翻訳サービスを提供している。これらの翻訳関係のほとんど——アイスランド語→ペルシャ語、イディッシュ語→ベトナム語、そのほか多数——は、ＧＴの新しいサービスである。それらの言語のあいだで翻訳はなされておらず、したがって対になった原文と訳文のテクストは、ウェブ上にもそのほかのどこにもまったく存在しない。グーグルによる翻訳サービスのプレゼンテーションでは、プログラムが最適の訳を見つけるためにスキャンできる翻訳資料の量に言語間で大きなばらつきがあるため、翻訳の質は、関係する言語のペアによって異なると指摘されている(5)。そのプレゼンテーションで強調されていないのは、GTもまた、われわれ全員と同じくらい翻訳のグローバルな流れの捕らわれの身だという点である。その確率計算システムは、すばらしく優秀であるにもかかわらず、異文化間コミュニケーションをつねに支援してきたのと同じ道具、すなわちピボット言語、つまり中間言語を使って、三千三百六方向の翻訳サービスしか提供できない。英語が主要ピボット言語であるのは、グーグルがカリフォルニアを本拠地としているからではない。これまで翻訳で一度も直接にマッチングされたことのないふたつの言語のあいだで、もっとも可能性の高い一致を割り出すため統計的手法を用いる場合には、目標言語と起点言語の両方で一致が検知できるピボット言語を使わなければならないからなのだ。

グーグルが提供するサービスは、EUの言語の平等性のもっとも熱烈な支持者たちですら夢にも思わなかったほど、言語間の関係を平準化し、多様化しているように見える。しかしそれは、翻訳テクストの世界電子データバンクのなかでもっとも広く翻訳されている言語が果たす中心的役割を利用し、承認し、増大させることによってのみ可能となったのであり、そのような言語は、ほかのすべてのメディアでもまた、翻訳されることのもっとも多い言語にならざるをえないのである。

たとえば、おそらく多くの英語の探偵小説が、これまでアイスランド語やペルシャ語に翻訳されてきた。それらの翻訳は、したがってこのふたつの異言語の文のあいだの一致を見つけるためには十分な資料を提供している。ところが、アイスランド語に翻訳されたペルシャ語の古典は、フランス語やドイツ語のようなピボット言語からの重訳を含めても、間違いなくはるかに少ない。ということはつまり、ジョン・グリシャム〔一九五五―。米国のベストセラー作家〕のほうが、ジャラール・ウッディーン・ルーミー〔一二〇七―七三。ペルシャ語詩人〕やハルドル・ラクスネス〔一九〇七―九八。アイスランドのノーベル賞作家〕よりも、グーグルのアイスランド語―ペルシャ語翻訳サービスの品質向上に大きな貢献をしているということだ。また、ハリー・ポッターの真の魔法は、たぶんヘブライ語から中国語への翻訳を支える、彼の秘められた力にあるのだ。

ＧＴによって作成される訳文自体が、ウェブ上にアップされ、それが探索するコーパスの一部となり、こうしたフィードバックが繰り返されるうち、もとのグーグルの訳文の容認可能性の確率が高まっていく。しかし、それはまた、人間の翻訳者を自らの性能向上の糧としている。というのもＧＴは、自身が提供する訳文より優れた訳文を提案するよう、つねにユーザーに求めているからである。こうしてユーザーによる逆方向からのフィードバックが繰り返され、グーグルの訳文はさらなる洗練へと牽引される。これは並外れて巧妙な装置だ。たとえば、わたし自身、スウェーデン語の文をだいたい正確に理解しているかどうかをチェックするため、それを使ったことがあり、だれかが検索エンジンを利用するたびに、それは自動的にウェブページの翻訳者として使用されるのである。もちろん、グーグルはナンセンスな訳文を作成することもある。しかし、翻訳機械が生み出すナンセンスな訳文は、通常、人間のやらかすへまほど危険ではない。ＧＴが失敗したとき、その訳は意味をなさないので、たいていすぐにわかる。だから、無視してしまえばいいのだ。（そういうわけで、あまりよく知らない言語への翻訳にＧＴはけっして使うべきではない。ナンセンスを認識できると確信している言語への翻訳にだけ使用すべきだ。）これに対して、人間の翻訳者は、特徴的に流暢で意味をなす訳文を生み出す。そして、翻訳者が間違っているかどうかは、原文も理解していなければ本当はわからない――しかし、原文が理解できるくらいなら、はじめから翻訳は必要ないのだ。

言語はまさに語とルールからなり、意味はそれらと演算可能な関係をもっているという考え方（多くの哲学者がいまだに執着している幻想）にいぜんとして固執している人にとって、ＧＴは翻訳装置ではない。それは、ほかの人の仕事を剽窃することが許容された電子ブルドーザーが演じる手品芸にすぎない。しかし、もっと開かれた心をもつならば、われわれはそれから何かを学ぶことができるのだ。

国際会議の通訳者は、スピーチする人が口にすることを先回りして推測できることがよくある。というのも、そういう人たちは、毎度同じ紋切り型の表現を使うからだ。同様に、自分の精通した分野で仕事をする経験豊かな翻訳者は、テクストには自分が標準的翻訳をはめ込める特定の部分が相当あることを無意識のうちに知っている。もっと基本的なレベルでさえ、翻訳者ならだれでも、自分が作業しているふたつの言語のあいだには、型どおりの訳し方ができる表現がかなりあることを知っている――たとえば、フランス語の不定代名詞“on”は、英語に訳すとき、ほとんどつねに受動態にしなければならないし、フランス語で名詞のあとに置かれる形容詞は、英語にした場合、名詞の前に置かれなければならない、等々。これら自動的な訳し方のパターンは、実践と経験から生まれる。翻訳者は、毎日困難な問題に取り組むとはかぎらないし、また、「フランス語の“on”→英語の受動態構文」という訳し方を、“on”に遭遇するたびに編み出すわけでもない。翻訳者はGTのような作業の仕方をする――猛烈なスピードで自身の記憶を検索し、いま直面している問題にもっともうまく対処できる解決策を見出すのだ。GTの基本的な作業モードは、初期の機械翻訳開発者が夢に描いていた、純粋な意味からなる「大地下室」へのゆっくりとした降下よりも、はるかにプロの翻訳に近いのである。

GTはまた、近代の言語研究の大神話のひとつに対するすばらしく大胆な返答でもある。自然言語の何がこれほど特別なのかといえば、それはその基本構造が、有限の数の単語とルールによって無限の数の異なる文が生成されることを可能にしている点にある、と主張されていたが、この主張は何十年ものあいだ、ほとんど異議をさしはさまれたことがない。それではまるで、一台一台がどこか異なる不具合をかかえている、無限の数の車を生産できるイギリスの自動車工場と何ら変わらないではないかと、指摘する才人も幾人かいたが――この異議は、オックスフォードの外では、たいした影響力をもたなかった。GTは、すべての文は異なっているということではなく、自らが翻訳するすべての文は、おそらく以前に使われたことがあるという前提をもとに作業を行う。言語は、原理上何であれ、実際には同じことを何度も何度も言うために用いられることがもっとも多い。それにはちゃんとした理由がある。言語活動を含む人間の全活動の土台である大地下室には、「純粋な意味」のような抽象的なものはいっさいなく、人間に共通する欲求や欲望があるだけである。すべての言語は、これら同じ欲求を満たし、同じくちゃんと役立っているのだ。われわれが、もし同じことを何度も言うとすれば、それはいたるところで同じ欲求を抱き、同じ恐怖、欲望、感情を味わうからだ。翻訳者の技能とGTの基本設計は、われわれに共通する人間性を、それぞれのやり方で、相等しく反映しているのである。

二〇〇九年九月、ホワイトハウスの新政権〔オバマ政権のこと〕は、「アメリカのイノベーション戦略」と題された、科学政策のロードマップを発表した。この文書の最後のセクションでは、科学技術を活用して二十一世紀の「大いなる挑戦」に取り組むことが求められており、ペンキのように安価な太陽電池、インテリジェント義肢〔電子制御の義手、義足〕など六つほど例があげられている。戦略に関するこの文書全体の最後の行では、これらの国家科学政策の長期目標のなかに、「高精度でリアルタイム方式の世界主要言語間自動翻訳装置を開発し、国際的な交易、協力の障壁を大幅に取り除くこと」が入れられている。(6) すべての科学政策の目標が達成されるとはかぎらないが、一九六〇年以来はじめてアメリカ政府の本格的な支援を得て、機械翻訳は現在の段階をはるかに超えて進化する可能性が高い。

24 耳のなかの魚

──同時通訳小史

話し言葉は書き言葉よりもずっと大昔から存在し、口頭翻訳〔通訳〕は文章翻訳よりもはるかに、はるかに古いものだ。話し言葉はひじょうに儚いもの──一緒に吐かれる暖かい息のなかで消えてしまい、物質的な意味で言えるのはそれだけ──なので、話し言葉の訳出については、その歴史の流れのほぼ全体にわたって何も直接に知ることはできない。ふたつのことが二十世紀に大きな変化をもたらした。一八六七年のアレクサンダー・グラハム・ベルによる電話の発明と、政治的な第一級の緊急要請である。

一九四五年に行われた、ナチスの戦争犯罪人に対するニュルンベルク裁判は、近代史のなかでもっとも重要な司法裁判のひとつであり、また通訳の歴史のなかでも前例のない出来事であった。裁判官団と検察チームは、三つの異なる言語を話す四つの連合国――アメリカ、イギリス、フランス、ソヴィエト連邦――から派遣されており、被告人たちは、四番目の言語であるドイツ語を話した。このようなことは、かつて起こったことがなかった。国内管区にある裁判所では、通訳者は逐次、被告の外国人が述べたことを裁判所で使われる言語で言い直し、裁判官その他の法廷の人が被告人に述べたことを本人の言語で繰り返す作業を行う（被告人が直接話しかけられていないときは、低い声でシュショタージュ、いわゆる「ささやき通訳」をすることもある）。この種の通常の双方向通訳がなされる場合、裁判の進行は当然遅くなる。とすると、四方向の通訳では？　十二方向の通訳となると、どうなってしまうのか？　逐次通訳がなされれば、この国際軍事法廷はあまりにも長引いて、議論の筋道がわかる人はだれもいなくなってしまうにちがいない。ニュルンベルク裁判には、何か新しい手立てが必要だった。

多言語でのコミュニケーションのスピードを上げる科学技術はすでに存在していた。一九二〇年代にジュネーヴの国際労働機関（ＩＬＯ）で、ファイリーン－フィンリー音声翻訳システム〔米国の実業家エドワード・ファイリーンと英国の電気技師アラン・ゴードン・フィンリーが共同開発〕が数回試験的に使われていた。システムの利用者である各国代表の前には、電話機が置かれ、何が話されているのかわからないときは、受話器を手に取り、交換機にダイヤルし、べつの言語でスピーチを聞いた（当時はフランス語と英語のふたつだけだった）。通訳者は、奥の席に座ってスピーチを聴きながら、電話交換機に直結したハッシュアフォンと呼ばれる防音遮蔽物〔当時の燭台型電話機の送話口に装着して、周りの人に声を聴かれないようにする装置〕に向かってそのスピーチを通訳していたのである。この最初の音声翻訳システムはまた、一九三四年にニュルンベルクで行われたナチス党大会でのアドルフ・ヒトラーの演説でも、フランスのラジオの実況放送のために使用された。(1)

音声翻訳システムは、多言語で速やかになされる双方向コミュニケーションではなく、準備した文書を音読するスピーチ――ドイツの言語学者が'*gesprochene Sprechsprache*'、すなわち「口述される音声言語」と呼んだ、つまり世界じゅうの政治家や著名人の標準的ジャンル――のために企画され、宣伝販売された。一九三〇年代に、ファイリーン－フィンリー装置の権利はＩＢＭの手にわたり、同社はニュルンベルク軍事法廷に一部中古ではあったが大幅に機能が改良拡張された装置一式を無償で提供した。この気前のよい行為は、われわれがいま、国際的なコミュニケーションの可能性を考える上で、画期的な出来事となった。

被告人を含め、裁判に関わる人たちには、ヘッドフォンとマイクロフォンが用意されており、それらから配線が法廷の床を通って交換機へと延びていた。それはさらに交換機から、ガラスで仕切られた四つのブースにそれぞれ陣取った四つの通訳チームに繋がっていた。そのため、配線はきわめて複雑になっていたが、しかし真の魔術は、通訳者たちのブースで起こっていたのである。

出廷者たちは、切り替え用のダイヤルで、自分の聞きたい言語を選ぶ。通訳は、それぞれ三人の通訳者がいる四つのチームによってなされた。英語チームには、ドイツ語通訳者、ロシア語通訳者、フランス語通訳者がおり、三人は並んで座って、話されていることをヘッドフォンで聴き取りながら、それを英語で言い直した。やり方はほかの三つのブースでも同じだった。裁判所、検察チーム、弁護団に雇われた三百人の語学のプロのなかから、全部で三十六人の通訳者が起用され、即座に口頭翻訳を行うという、このまったく新しく、明らかにうまくこなすことが困難な仕事に就いたのである。十二の強力なチームはそれぞれ、三日のうち二日、八十五分シフトで勤務し、その合間に休息することになっていた。同時通訳というこの新しい専門職は、生まれた当初から、人間の頭脳を使ってなしうることのうち、もっとも心身を疲労困憊させる活動のひとつであると認識されていた。

難しいのは、言葉を素早く変換することだけではない。自分自身の音声によって、ほかの人が言っていることを聴き取る能力が低下してしまうことにもある。だからこそ、われわれは会話するとき交替してしゃべるし、人がしゃべっている最中に重ねて話すのは、その人の言うことを本当は聞きたくないときだけなのだ。同時通訳者は、話しているときは聞かず、聞くときは話さないという自然な傾向を抑えることができるようにならなければならない。同時通訳が存在するのは、ある種の卓越した能力をもつ人が、そのような不自然なことをするよう自らを訓練することができるからにほかならない。これは自分でやってみればわかる。テレビのニュース番組でニュースキャスターの言うことを自分の通常の音量で正確に繰り返してみよう。それをひとつも文を抜かさず十分以上つづけることができれば、あなたも同時通訳者になれるかもしれない——もうふたつ、母語とはべつの言語にきわめて堪能という条件つきで。通訳者になれるくらい三つの言語が上手にできる人は何百万といるが、そのうちのごく一部の人にしか、自分の言っていることと聞いていることの両方に――一語ももらさず――注意を向けるという、神経の消耗する芸当はできない。

迅速な言葉の変換のいちばん厄介なところは、政治家や外交官は、短くて簡単な文でもかならず従属節を付けたり、文と文のあいだに長い間を入れたりするという特徴をもっているという点だ。彼らは、腸に詰められて一続きになったソーセージのように、だらだらと捕らえどころなく回りくどい表現を用いて話しつづける傾向がある。「わたしが大使から権威ある本会議へご報告申し上げるよう言いつかりましたのは、すなわち資本主義的な報道機関のひとつによって報じられた噂に反して、わが国のいかなる認可代理業者も、何であれ国際条約が適用される原料を、どの国であれ他国へと故意に輸出したことはないということでありまして……。」残念ながら、冗漫な話の輸出に関する条約は存在しないので、通訳者はこの種の話がどこに向かうのか、口に出される文の本当のポイントは何なのか、文の終わりが開始点の構造にどんな変更をもたらすのか、はっきりとはわからないまま通訳をはじめなければならない。文の真の主題が最終的に袋から取り出されるまで、暫定的表現で意味の特徴を「つなぎとめておく《ホールド》」ためには、ひじょうに高度な精神的スキルが必要とされる。通訳者が（通常の会話ではだれもがするように）文を口にしはじめたあとに、それを修復〔発話中に生じた問題に対処すること〕しなければならないようでは、貴重な時間を失ってしまう。瞬時に適切な解決策を選び、次に出てくるかもしれないことを処理できるよう文の意味を曖昧に保つ能力は、経験と訓練によって身につく――それに加えて、文法的にも文体的にも遠く離れている文の型のあいだに即座に一致するものを見つける能力が並外れて発達していることも必要である。

ニュルンベルク裁判の準備に携わった関係者のほとんどは、このような目新しい通訳方式はうまくいかないと思っていた。現代の会議通訳の世界が存在するのは、検察官、裁判官、語学プロの熟慮のうえでの判断よりも、戦争に勝ったアメリカ陸軍の意欲的な態度のおかげだ。なかでもとくに成功を疑っていたのは、米国検察チームの翻訳業務責任者、リチャード・ソンネンフェルト〔一九二三―二〇〇九。ドイツ出身のユダヤ系アメリカ人。エンジニア、企業経営者〕だった。彼は、ザルツブルク駐留の陸軍自動車修理部から「ワイルド・ビル」ドノヴァン少将〔一八八三―一九五九。

米国の軍人、弁護士、ＣＩＡの前身ＯＳＳの創設者〕に引き抜かれ、裁判に先立って行われる被告人への長い取り調べの通訳を務めていた。彼は、陸軍大将連に代わってナチの大物たちを尋問していたので、裁判そのものの同時通訳チームを監督するよう依頼された。ソンネンフェルトはこの仕事を辞退した。スピードが要求されること、また法律用語に精通していないこと、こうした理由でおじけづいたのである。しかし、世界初の同時通訳業務の管理運営を断念した最大の理由は、人かシステムか、あるいは両方ともがつぶれてしまうという彼の専門家としての意見だった[2]。

　ちょっとした問題が生じたという点では、彼は正しかった。マイクロフォンやヘッドフォンは故障するし、（アメリカ首席検事ロバート・Ｈ・ジャクソン〔一八九二—一九五四。米国の司法長官、最高裁判所判事〕を含む）法律家や証人は、あまりにも早口でしゃべった。また通訳者が、アウシュヴィッツ強制収容所の冷酷無情な所長、ルドルフ・ヘス〔一九〇〇—四七。ナチ党親衛隊中佐〕の証言を聴きながら、わっと泣きだしてしまうことも一度にとどまらなかった。しかし、こうした障害にもかかわらず、システムはうまく働いた。ヘルマン・ゲーリング〔一八九三—一九四六。ドイツの政治家、国家元帥〕は、法廷通訳者のひとり、シュテファン・ヘルンにこう言ったと伝えられている。「きみらのシステムはひじょうに効率がいいが、そのおかげでわしの人生も長くなさそうだよ[3]。」

　ニュルンベルク戦争犯罪裁判で導入された音声翻訳システムの成功によって、国際コミュニケーションの新時代がはじまった。通訳者たちの偉業は、新しいスキルと新しい職業を生み出しただけでなく、即座に世界情勢に広範囲にわたって影響をおよぼすことになった。何よりもまず、新しい国際機関はどこも、ただちに同時翻訳システムをほしがり、店舗で簡単に購入できると考えた。一九四九年二月、ニュルンベルク裁判の音声翻訳システムがかろうじて試用されはじめていたころ、設立されたばかりの国際連合の第一回総会では、第二の決議として「安全保障理事会の六つの公用語のいずれかでなされたスピーチは、ほかの五つの言語に通訳されなければならない」ことが採択された[4]。それ以来、国連と連携する専門機関すべて——ＩＬＯ（国際労働機関）からＦＡＯ（食糧農業機関）まで、ＵＮＥＳＣＯ（ユネスコ）からＩＢＲＤ（世界銀行）まで——が機器を入手した。そして、人材の確保に努め、あらゆる代表がつねに、ほかのどの国の代表が発言している最中でも、その発言を理解できるようになるという魅力的な幻想が生み出された。

そのため局外者は、言語の多様性は、もはや国際的な集団行動や世界の調和を妨げるものではないと考えるようになった。内部関係者たち――国連の新しい連携機関で仕事をする外交官や交渉者は、そのような幻想はまったくもっていなかった。ある国際法学者が指摘するように、早いスピードで多言語に通訳された発言やスピーチは、文法的には正しいかもしれないが、かならずしも首尾一貫したものにはならない。代表たちは、議論の最中に小さな食い違いがいくつも生じるたびに、それについて何時間もぶっ続けで論争しなければならず、そのため「通訳の重要性に対する共通の意識が高まる」こととなった(5)。しかし、同時通訳がはじまった初期はまた、それまでの数十年にわたる「戦争につぐ戦争《ウォー・ウォー》」に代わって、「討議につぐ討議《ジョー・ジョー》」が支配する新しい世界秩序に大きな期待がかけられた時期でもあった。このような状況下にある一般市民は、会議場の奥にあるガラス張りのブースで、言語体操のアスリートたちの小グループが、束の間の、神秘につつまれた偉業を成し遂げていることを、簡単に忘れてしまったのである。

　なぜ同時翻訳が幻想かということを説明する必要はほとんどないだろう。何が話されたのか聴いてしまうまで、何も通訳することはできない。通訳はつねに、「あとで話す」ものなのだ。同時的という感じは、強い印象を与える、いくつかの言語トリックによってつくり出される。第一に、多くのスピーチは、準備されたテクストから読み上げられる。外交官はときに、会議に先立って通訳チームにテクストを提供することがある――たいていは、ちょうど会議開始直前にすぎないが、数分前であってもストレスをだいぶ軽減してくれる。第二に、国際会議では、かなり予測可能なタイプのスピーチが圧倒的に多い。そこでどんな事柄が話し合われるのか、どんな定型的な言い回しが使われるのか、そうしたことに関する経験を積めば、スピーチをしている人の現時点での話を先読みして、若干でも心の余裕をつくり、その人が触れるかもしれない最重要な箇所を待って耳を澄ますことができる。縮約や方位変更は、話の非定型的な脱線への処理にも使用される。たとえば、言っている本人だけが面白がる退屈な長話は訳さず、「ソヴィエト代表は、いま冗談を言いました」と、一言でまとめてしまえばいいのだ。しかし、そうは言っても、会議通訳者(「口頭翻訳者」、「同時通訳者」、「音声翻訳者」に代わって使われるようになった用語)の技能には、高度な集中力と知的な機敏さが必要とされることに変わりはない。このような通訳業務ができる人はほとんどいないし、来る日も来る日もそれをやりたいと思う人はもっと少ない。

六十年の歴史を経ていても、ある個人が会議通訳者になることができるかどうかを予測するのは、ぜんぜん容易にはなっていない。現在ですら、通訳者養成課程に入学した学生の四分の三は、この職業に就けていないのだ[6]。当初、第二次世界大戦直後の時期、二十世紀の不幸な歴史によって、六つの公的な国際語（スペイン語、英語、フランス語、中国語、ロシア語、アラビア語）のうちのいくつかで傑出した言語能力をもつ何千もの人びと――ロシア革命による難民の子どもで、上海で育ち、フランスの国立高等学校《リセ》で教育を受け、そこで英語も学んだ人、あるいはドイツ占領下のフランスからの若い難民で、ニューヨークの大学に進む前にアメリカのビザがおりるのを待ちながらキューバやメキシコで数カ月ないしは数年暮らした人――が生み出された。通訳専門職の第一世代のエリートは、この種の背景をもつ若い人がほとんどで、三十年以上にわたってその職にとどまった。これら会議通訳界の創設者たちは、いまではもう引退しており、その職を引き継ぐのは難しい状況となっている。人手不足は、今日の世界情勢上もっとも必要とされるふたつの言語――アラビア語と中国語――でとくに深刻である。ロシア語とフランス語を英語に通訳するブースでさえ、埋めるのが難しくなってきている。

国連とその専門機関、そのほか国際的な集会の会議通訳の仕組みは、現在かならずしもニュルンベルク裁判のときのようなものではなくなっている。この最初の試みのために考案されたルールは、すべての通訳者は自分の「母語」（現在ではA言語と呼ばれる。「A」は「アクティブ」の略）にのみ訳すこと、すべての訳は「原語」からなされることであった。国連では現在六つの言語が使用されているため、一回の会議に対応するには、五人の通訳者からなるチームが六つ、つまり合計で三十人必要となる。この職務はいまや、航空管制官の仕事と同じくらいストレスが多いと考えられており、ニュルンベルクで採用されていた八十五分という時間枠は、一日三時間または六時間の労働のあいだ三十分ごと（中国語とアラビア語のブースは二十分ごと）に交替する勤務制に変えられている――そのため、元のルールがまだ適用されていれば、国際会議に対応するには三十人ではなく、実際には六十人必要となる。世界のどこであっても、ニューヨークですらも、あのように高度で多様な技能をもつ人を一度に六十人も集めることなど、とてもできる相談ではない。ところが、以下の方法を用いれば、ひとチームほんの十四人で言葉を切れ目なく伝えてい

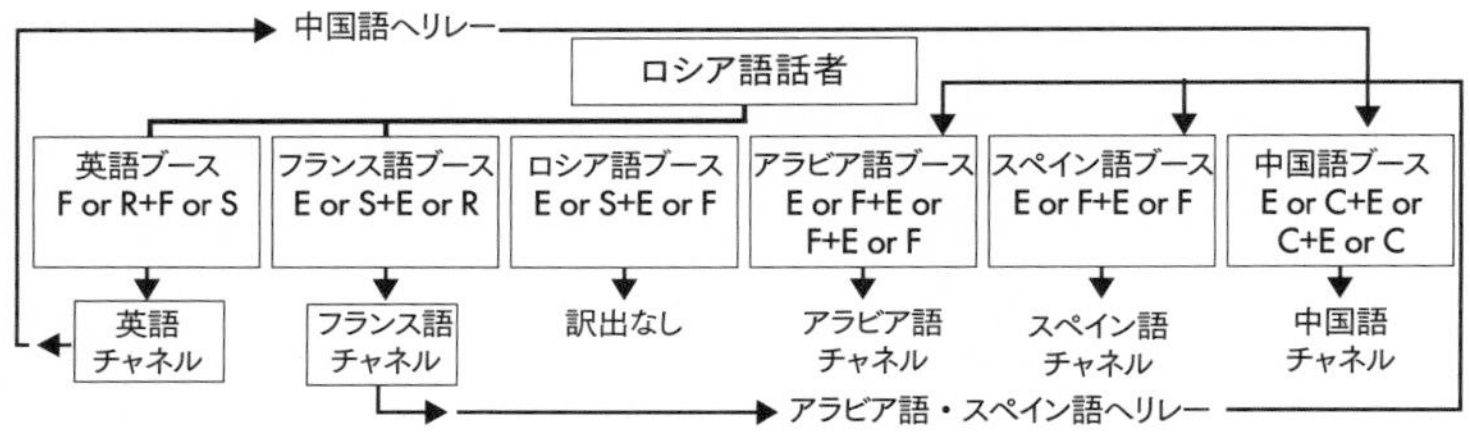

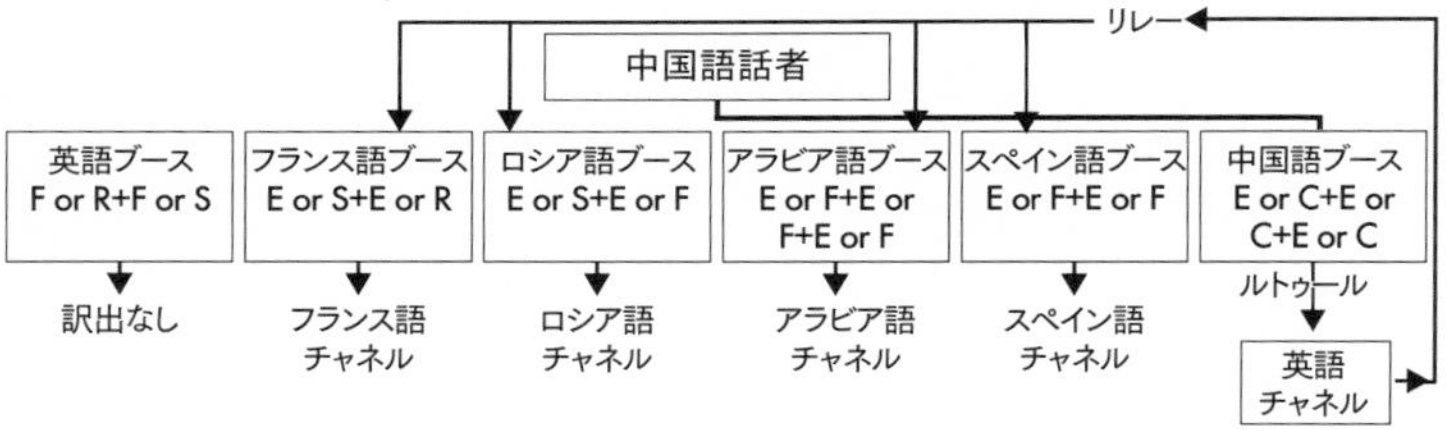

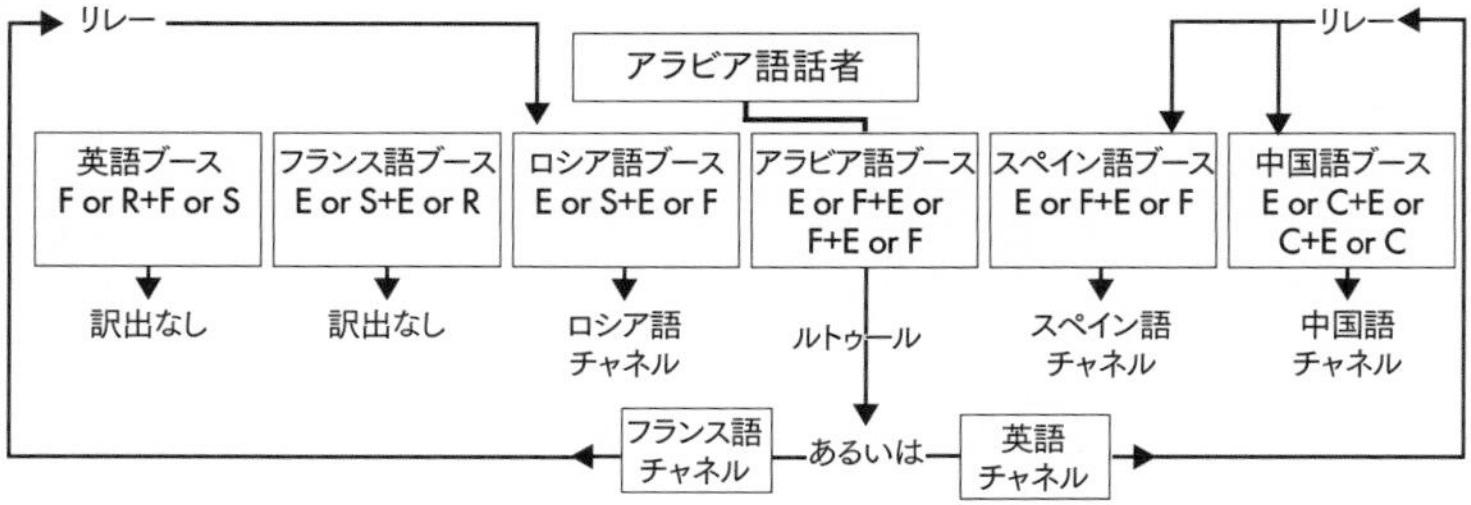

＊　E：英語, F：フランス語, R：ロシア語, A：アラビア語, S：スペイン語, C：中国語

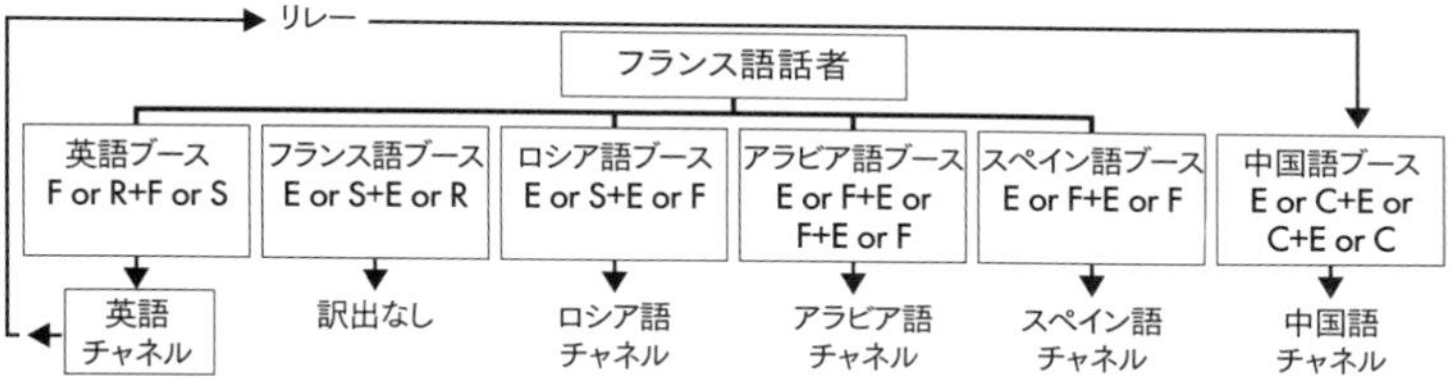
リレー
フランス語話者
英語ブース
F or R+F or S
フランス語ブース
E or S+E or R
ロシア語ブース
E or S+E or F
アラビア語ブース
E or F+E or
F+E or F
スペイン語ブース
E or F+E or F
中国語ブース
E or C+E or
C+E or C
英語
チャネル
訳出なし
ロシア語
チャネル
アラビア語
チャネル
スペイン語
チャネル
中国語
チャネル

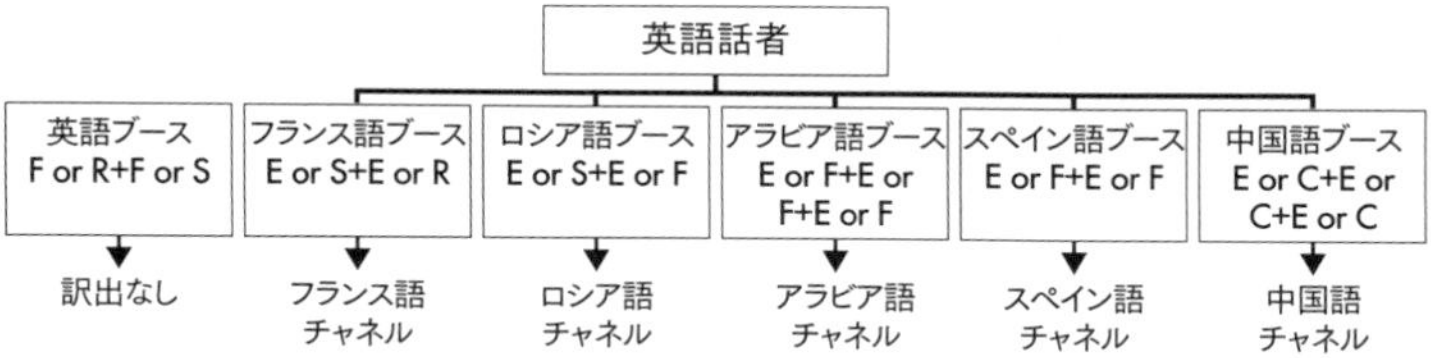
英語話者
英語ブース
F or R+F or S
フランス語ブース
E or S+E or R
ロシア語ブース
E or S+E or F
アラビア語ブース
E or F+E or
F+E or F
スペイン語ブース
E or F+E or F
中国語ブース
E or C+E or
C+E or C
訳出なし
フランス語
チャネル
ロシア語
チャネル
アラビア語
チャネル
スペイン語
チャネル
中国語
チャネル

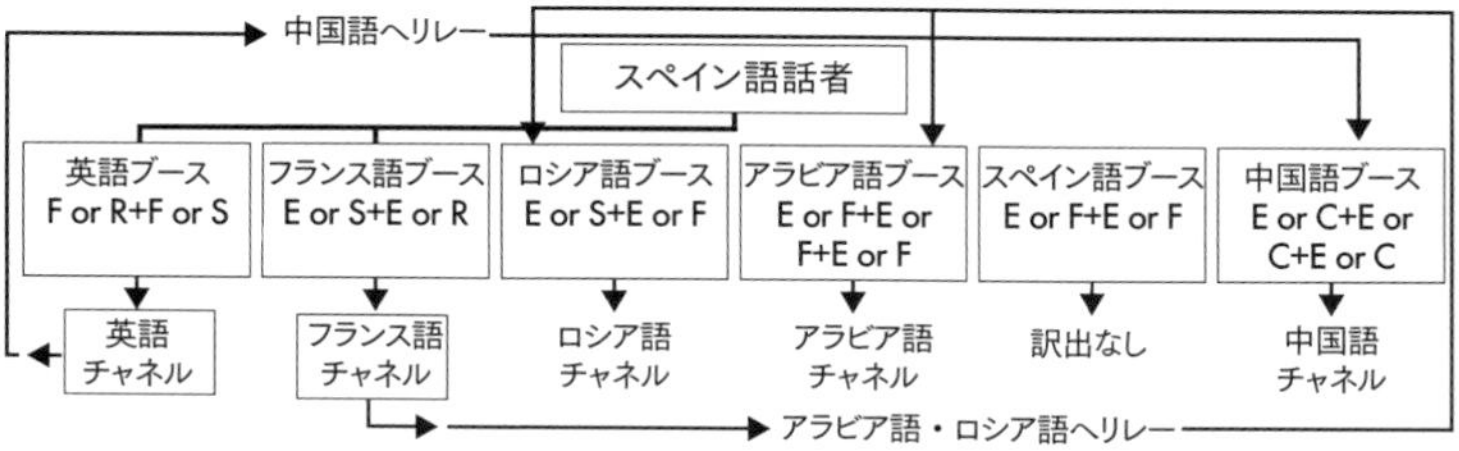
中国語へリレー
スペイン語話者
英語ブース
F or R+F or S
フランス語ブース
E or S+E or R
ロシア語ブース
E or S+E or F
アラビア語ブース
E or F+E or
F+E or F
スペイン語ブース
E or F+E or F
中国語ブース
E or C+E or
C+E or C
英語
チャネル
フランス語
チャネル
ロシア語
チャネル
アラビア語
チャネル
訳出なし
中国語
チャネル
アラビア語・ロシア語へリレー

るという幻想を与えることができるのだ。

フランス語のブースでは、通訳者がふたりいて、一方がスペイン語と英語を聴き取り、他方がロシア語と英語を聴き取り、両者ともフランス語でそれを伝える。

英語のブースでは、通訳者がふたりいて、一方がフランス語とロシア語を聴き取り、他方がスペイン語とフランス語を聴き取り、両者とも英語でそれを伝える。

スペイン語のブースでは、通訳者がふたりいて、両方とも英語とフランス語を聴き取り、スペイン語でそれを伝える。

ロシア語のブースでは、通訳者がふたりいて、両方とも英語、およびスペイン語かフランス語のどちらかを聴き取り、ロシア語でそれを伝える。

中国語のブースでは、三人の通訳者が交替で仕事をしていて、英語と中国語を聴き取り、中国語と英語でそれを伝える。

アラビア語のブースでは、三人の通訳者が交替で仕事をしていて、フランス語か英語、およびアラビア語を聴き取り、アラビア語、および英語かフランス語でそれを伝える。

言い換えれば、中国語は、英語の経路《チャネル》の中継でスペイン語、フランス語、ロシア語に変えられ、アラビア語は、英語チャネルあるいはフランス語チャネル（これがもっとも多い）の中継でスペイン語、ロシア語に変えられる。スペイン語とロシア語は、英語チャネルの中継で中国語に、フランス語チャネルの中継でアラビア語に変えられる。もし英語ブースのロシア語通訳者がトイレに立ったら、ロシア語も、フランス語ブースの中継で英語に変えられる。同様に、フランス語ブースのスペイン語通訳が鼻血を出したら、スペイン語は、英語ブースの中継でフランス語に変えられる。

中継《リレー》、すなわち二重の通訳は、誤訳の可能性が高まるし、また代表の発言とヘッドフォンでそれを聴き取るまでの時間差が大きくなるので、原則として望ましいものではない。

さらに、中国語とアラビア語の通訳者たちが、自らの「A」言語へ、そこから英語へと両方の言語に訳すのも、好ましいことではない——同時的に両方向に通訳すれば、それに伴って精神的ストレスも二倍以上になってしまう。

しかし、中継（二重通訳）とルトゥール（ひとりの翻訳者が二方向に訳すこと〔フランス語で「帰還、反復」の意〕）という方法は、会議の円滑な運営を職務とする国連職員にとって天のたまものである。中継とルトゥールなしでは、システム全体ではるかにコストがかさむだろうし、いまのままでもかならずしも安いとはいえないのだ。

欧州連合（EU）では、二十三の公用語が使われる機関での会議にうまく対処することができるように、なおいっそうの改良が加えられている。もしニュルンベルク・ルールに基づく完全に対称的な通訳方式――すなわち、通訳の方向それぞれにそれ専用の通訳者があてられること――を採用すれば、五百六人の通訳者が必要となり、そこで行われるどんな会議にしても、それに参加する代表の数をはるかに超えてしまい、これは明らかに実現できるようなものではない。EUのシステムは、次のようになっている。

会議参加者全員が、EUの主要言語（英語、フランス語、ドイツ語あるいはイタリア語）のうち少なくともひとつができれば――ほとんどの場合、これは当てはまる――非対称的言語制度が使用される。「非対称的」とは、参加者は公用語のいずれかで（事前にどの公用語か通訳担当部局に伝えておけば）話すことができるが、三つの作業言語のうちのひとつでしか聞くことができないことを指す。このような会議のやり方は、「二十三対四」言語制度と呼んでもいいだろう。もし通訳の方向それぞれをそれ専用の人が担当すれば、会議ごとに最大八十人まで必要となるが、これでもまだあまりにも多すぎる。

必要人数は、「A」言語をふたつもつ通訳者が、その両方の言語へと訳すこと（シュヴァル〔フランス語で「馬、馬力のある人」の意〕と呼ばれる方式）によって、またもっとも重要なことに、ルトゥール――通訳者が自分の「A」言語だけでなく「B」言語も担当すること――によって、さらに削減される。いちばん経済的な方式は、中継によるものである。リトアニア代表が発言すると、リトアニア語を「B」言語とする通訳者が、それをドイツ語に同時翻訳し、ドイツ語―英語、ドイツ語―フランス語、ドイツ語―イタリア語それぞれの通訳者が、それを自分担当の作業言語に訳す（二十三対四制度では、それ以上の言語への翻訳は必要ない）。この例では、中心言語《ハブ》、つまりピボット言語はドイツ語だが、同じ架空の会議でほかの言語が使用される場合、ハブ言語は英語、フランス語、あるいはイタリア語であるかもしれず、二十三対四制度による会議ひとつに対応するのに必要な実際の総人数は、最大で二十七になる。しかし、（たとえば）フランス語がハブ言語の場合、ポルトガル語からフランス語に訳す通訳者がスペイン語も、あるいはドイツ語がピボット言語の場合、スウェーデン語からドイツ語に訳す通訳者がデンマーク語も担当すれば、総数ははるかに少なくてすむ。ＥＵの通訳者は全員、「Ｂ」言語がふたつなければならないので、シュヴァアル、ルトゥール、中継を併用する非対称的制度を採用すれば、ブリュッセルやルクセンブルク、またストラスブールの欧州議会では、余裕をもって同時通訳を準備することができるのである。[7]

国連では、通訳の仕組みが、利用者の目につかないことが多い。通訳者は、会議場の奥か側面にある、わずかに着色された防音ガラスの遮蔽物の向こうに配置されている。会議に十数回出席しても、通訳者が物理的に存在していることに気づかないほどで——したがって、彼らの存在の有難味が見逃されてしまうのは、しごく当然のことだ。しかし、通訳マジックが隠蔽されていること以上に人の目を瞞着するのは、自分の話すことはみな、ほかのあらゆる言語で同時に伝えることができるという印象である。会議通訳は、魅力に満ちてはいるが、言葉のやり取りの洗練された、ほとんどサーカスそこのけの妙技の下に、言語変換の真の困難——と真の興味——を埋もれさせているのだ。そのため人びとは、われわれ全員が自分の耳に差し入れる装置（『銀河ヒッチハイク・ガイド』のバベル・フィッシュ〔ダグラス・アダムズ作ＳＦコメディ小説に登場する小さい魚のことで、耳に入れると、どんな惑星の言語でもたちどころに通訳してくれる〕）を入手して、地球上のすべての国民と同時的に言葉のやり取りをすることが可能となるのは、時間の問題だと思うようになったのである。

会議通訳者は、文章翻訳者のほとんど、また逐次通訳者の多くとは異なり、何らかの特定分野の専門家であることもめったになく、純粋な語学専門家にもっとも近い。特定分野の組織は、有給職の通訳者を雇い入れるほど規模の大きいところはほとんどなく、ＡＩＩＣ（国際会議通訳者協会）の会員を常勤職員として雇っている組織は世界でも六十七にすぎず、十人以上を雇用している組織は四つ（ジュネーヴとニューヨークの国連、ハーグの国際刑事裁判所と国際司法裁判所）のみである。その結果、三千人のＡＩＩＣ会員のほとんど（そして大雑把に言って同じく三千人の非会員）が、自由契約《フリーランス》で働き、あらゆる種類、あらゆる分野の論題を扱いながら、会議から会議へと移動して回るのである。通訳者は、早口でいながら聞き上手、敏捷でいながらリラックスし、言語に絶するほど退屈な長談義に耐えながらも、まったく新しいことが議題に上れば、すぐに要点を捉えることができなければならない。彼らは稀有な種族の人たちなのだ。

この種族の生存に対する脅威がいくつかあるだけに、通訳者はさらに稀有な存在になるかもしれない。第一に、英語圏では過去五十年のあいだに、異言語の教育時間が急激に減少しており、そのため英語を「A」言語とする人が、通訳の職に就くことはかつてないほど少なくなっている。男の子に自転車をもたせないようにしたら、トゥール・ド・フランス〔二十一日間でヨーロッパ六カ国を走る自転車ロードレース〕は、十年後、二十年後には老人向きフィットネスの祭典となり、その後、廃止されてしまうだろう。若いうちに英語ネイティヴ・スピーカーに、スペイン語、ロシア語、中国語、アラビア語、フランス語のうち二言語を集中的に教え、その能力を高いレベルにまで引き上げておかないと、十年か十五年以内に、通訳養成課程への志願者はいなくなってしまうだろう。もちろん、英語とスペイン語のバイリンガルはたくさんいるが、さらに国連公用語のどれかひとつを、必要とされる程度に流暢に話せるという人はほとんどいない。もし英語を「A」言語とする人に対する異言語の要件が二言語から一言語に引き下げられれば、通訳システムは中継やルトゥールでしのいで保持でき、人手不足の問題は、それほど深刻とはならないだろう。しかしながら、通訳者養成学校への志願者十人に対して入学者はせいぜい五人、卒業生のうち優秀で通訳の職に就く人がかろうじて三分の一という現状では、英語圏全体で語学教育に対する大規模な投資が急務となっているのである。それがなければ、たぶん次世代の政治家や外交官、ビジネスマンやコンサルタント、人権運動家、国際的な弁護士、政策通は、両耳に魚を詰め込む羽目になるだろう。

　国際機関における現行の通訳システムの維持を脅かしかねない第二の点は、一部の国が、グローバルな媒介言語でなくなりつつある言語への同時通訳に対して資金提供に消極的となる可能性があることである――しかし、（たとえば）ロシア語の代わりを見つけるのは、まだ政治的に何十年も不可能であるかもしれないし、フランス語のあとを継げる言語は何かとなると、だれもはっきりした考えはもっていないのである。

　しかし、おぼろげに見えはじめているもっと大きな脅威は、ニュージャージー州そのほかの研究所でまさに現在進行中のものだ。今日の自動応答装置を機能させている音声合成システムに加えて、広く利用されているワープロが音声からテクストを生成することを可能とする音声認識技術を使用すれば、現在のアメリカの科学政策で開発が奨励されているＦＡＨＱＴ（全自動高品質翻訳）が、ＦＡＨＱＳＴ――'fully automated, high-quality speech translation'（全自動高品質音声翻訳）――となる可能性も十分あるのだ。市販からそう遠くない試作段階の機器がすでに、スペイン語で声を出して話すと、同時的にその英語版のテクストを作成できるのである。わたしは自動通訳機が完成するまで生きていないだろうが、本書の読者の多くは長生きをして、おそらくそれを見聞きなさることだろう。自動通訳機は、予測可能な国際的外交スピーチ原稿の第二次口承性〔文字や書記の使用を基盤としている口承性を意味し、ここではスピーチ原稿の読み上げのこと〕、またホテルのレセプションデスクでの観光客との問答に、さらにおそらくそのほかの用途のためにも使われるだろう。

そのとき、人びとは第三次口承性〔全自動高品質音声翻訳機のような新しいコミュニケーション・ツールの使用によって特徴づけられる口承文化〕の時代に入るはずである。それはきっといまとはべつの世界になるにちがいない。

25 できるものならあたしにぴったり合う訳《マッチミーイフ》を見つけてごらん《ユーキャン》

――ジョークを翻訳する

翻訳が何をするかについて、比較的異論を呼ばない言い方をすれば、次のようになる。それは、異言語でなされた発話にぴったり合う容認可能な訳を共同体に提供することである。これは、あまり役には立たない定義だが、会議通訳、マンガ、適法契約、小説にも等しく当てはまるので、これから議論をはじめるのが妥当だろう。

この定義では、三つの大問題が手付かずのまま残されている。

1　ある訳を容認可能なものにするのは何か？

2　あらゆる発話のもつ無限の特質のうちのどれに、翻訳＝通訳はぴったり合う訳を見つけることができるのか、あるいは見つけなければならないのか？

3　「ぴったり合う《マッチ》」とは、いったいどういう意味なのか？

これらは翻訳＝通訳研究が、ときにはアカデミックな重々しい体裁のもとに、つねに答えようとしてきた問いである。たとえば、「翻訳の質評価基準」は、問題1への解答だということを示す標識のひとつだ。しかし、これらの三つの問いをどんなふうに立てようとも、答えを出すのは簡単ではない。

個々の訳の容認可能性について、さまざまな人たちに、さまざまな時代になされる判断には、たぶんあらゆる種類の基準——理論的基準、または実用的、社会的基準、または文化的基準、ときにはもちろん（たとえば、翻訳者が有名な賞をもらっている人なので、ちゃんと原文を理解しているにちがいないというような）恣意的基準——が関わっていることだろう。これらの基準をランク付けしたり、当てはまりそうな状況の種別に分類したりすることは、あまりにも煩雑なように思われる。搦め手から攻めることとし、一般にぴったり合う訳を見つけるのが極度に難しいと考えられている表現領域から考察するほうが、よい結果を生むかもしれない。

翻訳を論じるほぼすべての識者が、しっくりした訳があまり見られないと指摘するひとつの領域が、笑いや笑顔を誘う発話である。スターリンをタネにした旧ソ連時代のジョークを次に挙げてみよう。

スターリンとルーズベルトは、どちらのボディーガードのほうが忠実かで口論し、それぞれ十五階の窓から飛び降りるよう命じた。ルーズベルトのボディーガードは、「わたしは家族の将来のことを考えていますから」と言って、きっぱりと拒否した。ところが、スターリンのボディーガードは、窓から飛び降り、墜死してしまう。ルーズベルトは驚愕した。

「教えてくれ、何でまた、あの男は飛び降りたんだ？」と彼は訊いた。

スターリンはパイプに火をつけてから、こう答えた。[1]

「あいつも、家族の将来のことを考えたのだよ。」

さて、これは（ロシア語からの）翻訳だが、ロシア語版ですら、すでに翻案であった。というのも、まさしく同じジョークが、ピョートル大帝にはじまる、いく人もの残忍な支配者をタネにして何世紀にもわたって語り継がれてきたからだ。このジョークの形式は、話のオチとともに、たんに偶然に言語的でしかないふたつの条件のもとで、どんな言語でも保存できると考えて差し支えないだろう。ひとつは、目標言語には「家族のことを考える」に相当する表現があり、その表現がわずかに異なるふたつの意向（妻子を扶養すること、および迫害から妻子を守ること）の両方を表すことができなければならないということだ。もうひとつは聞き手が、邪悪な支配者は言うことを聞かない家来を、その身内への迫害という形で罰することを理解しているか、あるいは想像できるということである。これらふたつの条件は、世界のすべての文化と言語で満たされるとはかぎらないが、幅広くかなえられることも確かである。「ユーモア表現の翻訳不可能性」説は、まさに最初の分析段階から覆されてしまうのだ。

上記ふたつの条件が満たされれば、スターリンをタネにした飛び降りジョークは、同じ言語やその他どの言語でも、多種多様な歴史的、地理的舞台に合わせて翻案できるし、それでも同じジョークでありうる。この種の、いろいろな場面に移動可能で、書き換え可能なジョークのパターンは、ひじょうに多くある——そのなかには、フランス人がベルギー人を、スウェーデン人がフィンランド人を、イギリス人がアイルランド人をタネに構造的に同じ形式を用いて口にする、政治的に正しくない、近隣民族蔑視的なジョークも含まれる。

以上のような、よく人の口にのぼるジョークを翻訳するとすれば、そのジョークのオチを構成する、前提と意味の相互作用によってつくられるパターンと一致するものを見つけ、それに合わせて残りのすべてを書き換えることになる。そのような一致の存在に気づく能力はまれではなく、ほぼ万人に共有されるものだろう。しかし、上質の一致を思いつく能力は、一部の人しかもっていないものだ。ところで、以上とはやや異なる形で効果的な働きをする、言語のユーモラスな使用法を見つけるために、遠くまで探しにいくには及ばない。

ブルックリンのパン屋の主人は、ある小柄な老婦人にひどく苛立っていた。主人は店の窓に、火曜日の午前中にはベーグルはありませんという掲示を出しているのに、その老婦人は、火曜日の朝にベーグルを一ダースほど買おうと列に並びつづけていたからである。彼女が五度目に列の先頭にたったとき、パン屋の主人は、怒鳴り声や金切り声を上げたりせず、次のようなやり方で自分の言いたいことを伝えることに決めた。

「お客さん、ちょっと聞くけど、‘cat’のスペル、知ってます？——たとえば‘catechism’（教理問答）のなかで使われているような」

「もちろん、C-A-Tよ」

「けっこう」と主人は答えた。「じゃ、また聞くけど、‘dog’のスペルは？——‘dogmatic’（教条的な）で使われているような」

「そんなの簡単。D-O-Gだよ」

「すばらしい！　それじゃ、‘fuck’（性交）のスペルは？　‘bagels’（ベーグル）で使われているような」

「おや、‘bagels’に‘fuck’なんかありゃしないよ！(But there ain't no ‘fuck’ in ‘bagels’!)」と、小柄な老婦人は驚きの声をあげた。

「まさにそれですよ！　あたしが朝からずっと、あんたに言おうとしていたのは」

このジョーク——確かに下らないが——のオチがどんなものかについては、いろいろな言い方がある。これは、登場人物に自分が理解できなかった真実を大声ではっきりと言わせている。同じやり方でだれかをからかおうとしても、一致するものがどの言語にも見つからないと考えなければならない理由はない。このジョークのオチ全体は、書き言葉と話し言葉の違いを利用した洒落で出来上がっている。音声を不完全にしか表せない表記システムをもつ言語ならどれでも、構造的に同類の洒落をたぶん見つけることができるし、自分でつくることもできるだろう。しかし、ひとたび本腰を入れて、これらふたつの特徴を取り合わせようとすると、ぴったり合う表現を探し求める作業は、はるかに困難となる。タブー語の現在分詞〔‘fucking’（くそいまいましい）〕が、その語の語幹プラス前置詞‘in’〔つまり‘fuck in’〕と同じ発音になりうるのは、前者と後者の識別マーク——つまり‘fucking’の最後の子音‘g’——が、たんに英語の口語表現では習慣的に発音されないからである〔したがって、老婦人のセリフ、‘But there ain't no “fuck” in “bagels”!’は発音されると、‘But there ain't no fuckin' bagels!’（でも、くそいまいましいベーグルはない！）と耳には同一に聞こえる〕。これは、特定の言語〔英語のこと〕の低レベル、かつその言語にしか見られない特徴であり、話し言葉と書き言葉のあいだのわずかなズレに基づいている。ほかのどの言語での構造的一致も、十中八九、音声的、文法的に異なる特徴を利用しなければならないだろうし、それによって同じオチ——愚か者を綴り字当てゲームで故意にだまし、問題から注意をそらせて、自分の理解したくないことを自ら言わせてしまうこと——が、再現できるかもしれないし、できないかもしれない。

この種のユーモアで通常問題になると考えられているのは、あらゆる言語がもつ、自己に言及できる能力、したがって言葉遊びができる能力である。メタ言語的表現——それ自身の言語形式のある側面に言及する句や文——は、定義上、その表現を伝達する媒体である当の言葉に関わる意味をもつ。‘There ain’t no “fuck” in “bagels”’ は、下品で馬鹿ばかしいかもしれないが、メタ言語的表現の例として十分通用する文である。それは、ベーグルについて述べているのではない。記号としてではなく、もっぱら語として見られた、英語という言語のなかの一単語のスペルと発音だけに言及しているのだ。「記号表現《シニフィアン》で行う言葉遊び」は、伝統的に言語の暗部と見なされている。そこでは、翻訳がパラドクシカルかつ不可能な挑戦とされてしまうのである。

容認可能な訳の基準に、記号表現それ自体のマッチングを強制的に含めれば、記号表現での言葉遊びを翻訳するという考え方も、妥当となるかもしれない。しかし、明らかにそうはなっていない。翻訳で考え出される訳のなかに、記号表現そのものが含まれることはけっしてない。もしそうしたら、それは翻訳とは見なされなくなってしまう。

一部のジョークのみが、言語のメタ言語的な機能を利用しているように、すべての自己言及的な表現が面白いわけではない。とくに言語哲学者が例文として用いるものは、次に挙げるように、面白おかしいものではない。

1. There are seven words in this sentence.

1　この文には七つの単語がある。

ドイツ語でぴったり合う訳を見つけるのは、いとも簡単である。

2. *Es gibt sieben Wörter in diesem Satz.*

2　この文には七つの単語がある。

しかし、この特定の言語横断的な訳文は、偶然の産物——

特殊なケースにおける恣意的かつ不合理な一致——と考えられている。1のような文で通常問題視されるのは、ほかの言語に確実な翻訳をすることができないということである。したがって、そのような文は、表現可能性の公理——すなわち、人が抱きうるあらゆる思考は、あらゆる自然言語でなんらかの文によって表現することができるし、またある言語で表現できることはすべて、べつの言語でも表現できるということ——と矛盾するように思える（本書一五一頁参照）。

上記1のような文の真の問題は、英語にも翻訳できないことである。'This sentence consists of seven words.'（この文は七つの単語からなる）は、1の言い換え（「翻訳」）だが、これは事実に反しており〔六語しかない〕、1は事実そうである。同様に、この文をフランス語に言い換えても、翻訳とは記号表現をひとつずつポケット辞書に載っている同意味の記号表現で置き換えることだと考えるならば、真実でない文を生み出すだけである。

3. Il y a sept mots dans cette phrase.

3　この文には七つの単語がある。

問題の主な原因は解決にあると、かつてあるアメリカの才人が述べたことがあるが、あらゆるコンテクストから切り離された自己言及的な文を翻訳することによって生じた謎かけ〔上記3のこと〕は、その好例だろう。フランス語で1を言い表すことができるのは、3だけではないからだ。3は思いつける訳文のなかで、実際のところ、ほぼ最悪のものだろう。次のほうが、もっとマシな訳になっていると思う。

4. Cette phrase est constituée par sept mots.

4　この文は七つの単語で構成されている。

しかし、哲学は翻訳者ではなく、哲学者によって書かれるので、1と3との不一致は、もっと広範で一般的な真実を示すものとして捉えられている。

言語間の翻訳では、指示対象（文が言及しているもの）、自己言及（文が自らについて述べること）、そして真理値（文が正しいか、誤っているか）を同時に保持することはできない[2]。

この指摘は、ダジャレや言葉遊び等、自らの表現媒体である言語の特定の特徴を利用するあらゆる種類のジョークが、なぜ翻訳できないかを簡潔に説明している。これは一般的な主張として提示されているので、ひとつでも説得力のある反例があれば、それを挙げて論駁できる。しかし、その指摘が誤っている理由は、どのような反例にも記載されているわけではない。この公理の弱点は、「翻訳する」ということが何を意味するのかを述べていないところにある。だから、翻訳についての真実にもっと近づいているわたしの考えをここに挙げておこう。

頭を掻きむしって刻苦しながら、知的に機敏でありつづければ、言葉の職人は、幸運に恵まれ、自らの言語で多元的にぴったり合う表現を考え出すことが可能となったとき、発話の指示対象、自己言及、真理値を同時に保持できるかもしれないのである。

ペレックの『人生 使用法』の第五十二章では、鬱状態に陥ったグレゴワール・シンプソンという名の青年が、パリをさまよい、何時間もショーウィンドウをじっと眺める。アーケード小路にぶらりと入り、印刷屋の商品ディスプレイ——レターヘッドの見本、結婚式の招待状、ジョークグッズの名刺——を見つめる。その名刺のなかに次のようなものがある。

Adolf Hitler
Fourreur

アドルフ・ヒトラー
毛皮商人／総統《フラール》

*'Fourreur'*は、'furrier'（毛皮商人）に相当するフランス語だが、発音はドイツ語の*'Führer'*（フューラー、総統、指導者）をフランス語風に声を出して読んだときの音によく似た語でもある。もし読者が、ヒトラーとはだれで何者であったかを知っており、さらに毛皮商と独裁者は別物であることも知っており、その仏単語をあたかもドイツ語であるかのように静かに唇で発声でき、その逆も可能であれば、このジョークは、メタ言語的であり、かつ自己言及的なものとなる。このジョークを訳すためにぴったり合う表現を必要とするのは、フランス語で表されている個々のもの

〔'Fourreur' が意味する「毛皮商人」および暗示する「総統」のこと〕のどちらでもなく、それらのあいだの関係――ふたつの言語（そのうち一方はドイツ語でなければならない）間におけるミスマッチな音と意味の組み合わせ――である。

わたしは次の訳を思いついた。

Adolf Hitler
German Lieder

アドルフ・ヒトラー
ドイツの指導者《ジャーマン・リーダー》／歌曲

考えるのに時間がかかったが、わたしは思いがけず幸運に恵まれた。これはたぶん、ペレックのジョークグッズの名刺の翻訳として、唯一のものでもなければ、最良のものでもないとしても、重要な次元で十分ふさわしいものとなっている。それは、英語とドイツ語の発音で遊んでおり、オリジナルのものと同じ一般的な知識分野を支えとしている。かならずしもオリジナルのすべての次元を保持しているわけではない――そんなことがそもそも可能だろうか？――が、わたしの率直な、あまり控え目でない意見では、自己言及的で、メタ言語的な言語間ジョークの悪くない翻訳と見なすのに十分なほどぴったり合っているのである。

「翻訳」を記号表現それ自体の低レベルの置き換え〔単語を一対一で他言語の同意味の語に置き換えるだけの作業〕として理解することに固執する場合にかぎり、ユーモラスな評言、滑稽譚、気の利いた逸話、たわいないジョークは、翻訳不可能となる。翻訳は明らかにそのようなものではない。翻訳が提供するぴったりした表現は、発話のさまざまな次元に関連しており、それらの次元が全体として、発話がなされたコンテクストのなかでその発話の主要な意味を生み出しているのである。

以上によっても、「ぴったり合う《マッチ》」という言葉が何を意味しているのかは、まだ明らかではないが、その核心に近づいてはいるようだ。

26　スタイルと翻訳

翻訳はたいてい、原典の多くの特徴を改変するが、それは、原典のもつコンテクスト内で重要な諸次元の特徴にぴったり合うものを創り出すためである。しかし、伝統的に感覚で捉えられてきた書き言葉と話し言葉のひとつの特質で、発話のどの特定の次元とも同一視されず、それら次元間の関係全体と見なされているものがある――発話のスタイルだ。

スタイルはジャンル以上のものである。料理のレシピは、「英語」のような茫漠とし、分化されていないものに翻訳されるのではなく、料理のレシピがわれわれの言語で有している慣例的な諸特徴で構成されるジャンルである「料理レシピ」へと翻訳されるのだ。

同様に、アメリカの詩人、翻訳家、C・K・ウイリアムズが主張したように、フランス語詩を「英語」に翻訳するのではなく、詩に翻訳するのだ。詩とは、言語の独特な社会的、文化的使用法であり、したがって、われわれの感覚では、ひとつのジャンルと見なされるが、しかし詩には、多くの異なる形式がある。ジャンルを超えて、詩の翻訳者は、自分が使用する特定のスタイルを選び取らなければならないのである。

二十年前、エリオット・ワインバーガーとオクタビオ・パスは、『王維を見る十九の方法』と題された興味深いエッセイ付きアンソロジー――八世紀中国の詩人の書いた一編の詩の十九の英訳集――を出版した。これらの「王維を見る方法」のどれが好ましいかという、パスたちの議論はさておき、きわめて明白なのは、それらが、英語で詩を書く異なる十九の方法、容易にそれとわかる十九の「スタイル」（エリオット調、アッシュベリー調、自由詩風など）を示しているということである。その十年後、佐藤紘彰は、*One Hundred Frogs*（『百匹の蛙』）――それまですでに刊行された、実際は百以上にのぼる、次の松尾芭蕉の有名な句の英語版の集成を含む俳句・連歌の解説書――を出版した。

古池や蛙飛び込む水の音

I

The old pond
A frog jumped in,
Kerplunk!

古池へ
カエル飛び込む
ポッチャンと！

II

pond
frog
plop!

いけ
かわず
ちゃぽん！

III

A lonely pond in age-old stillness sleeps…
Apart, unstirred by sound or motion… till
Suddenly into it a lithe frog leaps.

往古からの静寂のなか、人里離れたところに池が眠る
……
孤絶し、音や動きにもかき乱されることがない……そこに
突然、小さな蛙が飛び込むまでは。

「スタイル」とは、これら芭蕉の俳句の三つのヴァージョンの違いを区別する主要な方法を指す用語だとすれば、それは、たとえばアレン・ギンズバーグ、ジョン・メイスフィールド、オグデン・ナッシュの詩の個々の特性ではなく、

そのスタイル――いわばギンズバーグ調、メイスフィールド調、ナッシュ調のスタイル――で書かれた詩の集合的な特性を意味する（実際、それらのうちのひとつはアレン・ギンズバーグによって書かれている）。この意味でのスタイルは、大いに模倣しうるものだ。コミカルな効果を出すためだけのものではない。作曲を学ぶ学生は、モーツアルトやバッハの流儀で曲を書くことでスキルを磨き、作家もまた、フロベール(1)やプルースト(2)のように書いて、文章の練習を行う。次に挙げるのは、ウィリアム・ワーズワース、T・S・エリオット、あるいはJ・D・サリンジャーの作品ではない――が、それぞれどれがエリオット調、サリンジャー調、湖水詩人〔ワーズワースのこと〕調であるかわかるには、学校で学んだことの漠然とした記憶以上のものをあまり必要とはしないだろう。

There is a river clear and fair
'Tis neither broad nor narrow
It winds a little here and there—
It winds about like any hare;
And then it holds as straight a course
As, on the turnpike road, a horse,
Or, through the air an arrow

澄んできれいな川が流れている
広くも狭くもない
ここかしこで少しばかり蛇行する――
野ウサギのようにあちらこちらで曲がる
それから、まっすぐに流れつづける
ちょうど街道を走る馬、
それとも空を切る矢のごとく

Sunday is the dullest day, treating
Laughter as a profane sound, mixing
Worship and despair, killing
New thought with dead forms.
Weekdays give us hope, tempering
Work with reviving play, promising
A future life within this one

日曜は退屈きわまる日
笑い声を冒涜的な音と見なし
崇拝と絶望を混ぜ合わせながら

死んだ形式で新しい思想を抹殺する
平日はわたしたちに希望を与えてくれた
再生の遊びで労働の厳しさを和らげながら
現世の生に来世を約束してくれた

Boy, when I saw old Eve I thought I was going to flip. I mean it isn't that Eve is good-looking or anything like that, it's just that she's different. I don't know what the hell it is exactly—but you always know when she's around. All of a sudden I knew there was something wrong with old Eve the minute I saw her. She looked nervous as hell. I kinda felt sorry for her—even though she's got one of my goddam ribs, so I went over to talk to old Eve.

"You look very, *very* nice, Adam," she said to me in a funny way, like she was ashamed of something. "Why don't you join me in some apple?"

いやあ、イブのやつにはじめて会ったとき、僕は気絶するんじゃないかと思ったよ。イブが美人とかなんとかいうんじゃないんだ、ただどっかしら独特なんだな。それがいったい何だか、僕にはわからないけどね——でも、彼女が近くにいれば、いつだってピンとくるのさ。顔を合わせたとたん、イブのやつ、なんだか様子がおかしい、と僕は感づいた。ひどく神経質になってるみたいだったんだ。僕はかわいそうになってきた——たとえこっちが、彼女にいまいましい肋骨を一本取られていてもね。で、僕は話しかけようとして彼女に近づいた。

「あなた、とっても、とってもステキよ、アダム」とイブのやつ、まるで何かを恥じているみたいに変な感じで言った。「一緒にリンゴ食べない?」

これらの例を見れば、スタイルの翻訳とは、ひとつの模倣行為であり、翻訳者の仕事とは、目標文化〔目標言語が使用される文化圏〕にある既存のスタイルをひとつ選び、それを「もう一方の」原文のスタイルにおおよそ相当するものとして用いることだと思いたくなる。多くの文学の翻訳者は、まさにそのようにして仕事に取りかかる。たとえば、フランス語で新作を読みはじめると、すぐにわたしは頭のなかでそれと合う英語のスタイルをきまって探しはじめるし、新しい翻訳の仕事に取りかかると、本棚の本をくまなく調べてイメージした「適合するスタイル」の特質を頭に刻みつけておく。しかし、作者、時期、文学的ジャンルや流派に特徴的な、文化的に構成された言語的資源としてのスタイルという概念は、「スタイル」とは何かに関するべつの、やはり一般に広まった概念と対立する。その概念によれば、スタイルとは、各個人に固有な言語形式の、縮小不可能な、他との差異である。つまり、こういうことだ。スタイルが「真似のできない」ものであるならば、どうして真似ができるのだろうか？

　スタイルとは何かについての混乱は、アカデミー・フランセーズの金箔をきせたホールからはじまった。アカデミー・フランセーズは、フランス語の振興と保護のためルイ十三世の治下に設立された学術機関だ。一七五三年、ある自然科学者が、このアカデミーに招待され、「不死の人」と呼ばれる、四十人のアカデミー会員のひとりに選出された。その人物、著名な植物学者にして、数学者、博物学者でもあるジョルジュ＝ルイ・ド・ビュフォンは、すばらしい入会演説を行い、以来それは、「文体論」として知られるようになった。そのなかで彼は、一介の科学者がこのような高い地位に就いても、フランス文化の頂点に正当な位置を占めているレトリックを蹴落とすことにはならないと述べて、聴衆――彼を選任したばかりの三十九人のアカデミー会員――を安心させようとした。彼はまったく本気で言っていたのかもしれないが、それは期待しないでおこう。よく引用されるが、たいてい誤解されている結論部で、ビュフォンは、何よりも重要なのは言語の技能なのだと強調した。科学的発見は、彼の断言によれば、実はかなり簡単にできるものであり、優雅さと気品をもって説明されなければ、たちまち消え去ってしまう。というのも、たんなる事実は、人間が勝ち取ったものではなく――自然界のものであり、したがって、'*hors de l'homme*'、つまり「人間の外部」にあるからだ。それに反して、雄弁は、人間の力、人間の才能を示す最高の証である。要するに、'*le style est l'homme même*'、すなわちスタイルは人間そのものなのだ。

　この意味での「スタイル」は、優雅さや品格と同義語であり、その意味は、スタイルという語およびその同源語のたいていの現代的な用法の源泉となっている。スタイリッシュな衣服といえば、あるグループの人たちにエレガントと見なされているものであり、かっこうよく《イン・スタイル》スキーをしたり、ダンスしたり、キュウリサンドイッチ〔イギリスでは、キュウリが高価だった時代の名残で特別なものとされている〕をふるまったりするのも、同様にファッショナブルな優雅さでこれらのことを行うことなのだ。ビュフォンのいうスタイルとは、社会的価値である。スタイリッシュとは何かについて自分自身の概念を勝手に考案することはだれにもできない。ほかの人たちにそれを認めてもらうしかないのだ。同様に、スタイリッシュな文章は、話し方や書き方で、何がファッショナブルで、適切で、社会的に格が高いのか等々について、どんなに漠然としたものであっても、共有されている概念に準拠しているのである。

　階層的な社会構造に対応する言語形式をもつ文化で使用されている言語間の翻訳を行う際、上品な言葉を上品な言葉で置き換えるのは、ぜんぜん難しいことではない。起点文化〔起点言語が使用される文化圏〕の社会構造が、目標文化の社会構造より複雑である場合、フラット化がある程度生じる。たとえば、スペイン語のフォーマルな手紙の書き出しで使われる‘*Estimado señor*’と‘*Apreciado señor*’がそれぞれもつ異なる社会的含意は、英語では表現できない。英語では、‘Dear Sir’（拝啓）としか言えないからだ。この種の不備は、たとえば日本語とフランス語のような互いに遠い文化間で翻訳が行われるとき、はるかに重大となる可能性があり、その不備を補おうとして翻訳者は、原文の社会的世界に属する区別を目標言語で表現する類同語を創り出し、そのため珍奇だとか、原語への譲歩だとか忠誠だとか、さまざまな非難を受けることがある。しかし、原文で使用される言語の社会的使用域《レジスター》が低い場合、さらに扱いにくい問題が生じる。起点文化内で、地方的とか、粗野とか、無教養とか、あるいは禁忌すべきと認識されている言語形式を、目標言語で社会的にぴったり合う言語形式で表現することに躊躇を感じるバイアスが翻訳者に働くのは避けられないようだ――それはたぶん、そうすれば、翻訳者がまさにそのような周縁的または従属的な集団の一員と見なされる危険性があるからだろう。その結果、翻訳では通常、原文の社会的使用域が一段か二段上げられることになる。「スタイル」の社会的次元は、言語から言語へと容易には移植されないのである。

　小説家のアダム・サールウェルは、「スタイル」という言葉の意味は、一八五七年に変わったと主張している。彼の説得力ある説によれば、スタイルは、表現の全体的様式のエレガンスさを示す用語から、散文を構成するただひとつの下位要素――つまり文――についての用語へとほとんど一気にひっくり返ってしまったのだ。スタイルをこのように徹底的に矮小化した犯人は、ギュスターヴ・フロベール、また彼の小説『ボヴァリー夫人』、および彼が愛人のルイーズ・コレへの部分的にからかいを含む手紙のなかで文について行った多くの論評であった。サールウェルの議論によると、一八五七年頃から、批評家や読者は、作家のスタイルという概念を、大文字とピリオドのあいだで網羅的に確認できる文法や韻律の低レベルの特徴に不必要に限定するようになった。第二次大戦直後、「フランス語の文体の富」について書いたアンリ・ゴダンは、スタイルと統語法は同じものであり、このふたつは、ある作家の著作のなかで完全なハーモニーに到達していると確信していた。その作家とは……フロベールである。(3)

文法形式、個々の単語の音、特徴的な音声リズムは、どのふたつの言語のあいだでも一致しないので（もし一致するなら、それらは同じ言語と呼ばれるだろう）、スタイルは、「フロベール的転回」によってただちに翻訳不可能なものになった。サールウェルの主要な目的は、それはナンセンスであり――そして小説は、真に国際的で言語横断的な芸術形式であることを明らかにすることにある。(4)

十九世紀のある時点で、「文の美学」としてのスタイルという概念は、ドイツの大学からフランスとイギリスに伝わった、まったく異なる伝統と完全に一体化した。ロマンス語文献学の学科に所属する学者たちは、偉大な作家たちに注目し、そういう作家の作品が、言語共同体の規範とは異なる特別で革新的な言語使用法の典型を示しており、したがって言語変化の重要な要因となったという理由で、自分たちの関心を正当化する傾向があった。詩人は、彼らの主張によれば、たんに言語の使用者であるばかりではなく、その創造者である。言語は滑らかで丸みをおびた統一体ではなく、創造の歴史が刻み込まれた隆起とへこみで際立つ、でこぼこのジャガイモなのだ。「スタイル研究」、すなわち*Stilistik*は、約百年にわたって熱心に取り組まれ、レオ・スピッツァーの著作によって輝かしい頂点に達したもので、刺激的だが、まったく循環論法的な分析を行っている。「偉大な作品」の言語は、ある偉大な作家の「自己」のもつ、いわく言いがたい個性の詳細な案内図となる。しかし、その「自己」、たとえばラシーヌの本質は、彼の言語を通して確認できるものによってもっぱら構成されており、その確認には彼のスタイルの綿密な分析が必要なのだ。この意味でのスタイルは、定義上、真似できない――これがスタイルの核心をなす。そして、同じ言語で真似できないのであれば、それを翻訳しようとしても、まったくの時間の無駄でしかないのである。

しかし、これは真実ではない。たとえば、スピッツァーがラシーヌの「自己」の重要な側面として特定した言葉の特徴のほとんどは、同じ文学ジャンルで書いていた、ラシーヌの同時代人の文学作品のなかにも見出されるのだ。それにもかかわらず、偉大な作家はすべて、ユニークで、真似できないスタイルをもつという文献学者たちの原則には驚くべき生命力があり、そのため人びとは、「スタイル」という概念の歴史そのものを新たにつくり直すことになった。かくして人びとは、ビュフォンの有名な「文体論」に立ち戻り、*'le style c'est l'homme même'*（「スタイルとは、われわれを人間にするものである」）という金言を取り上げ、最後の語*'même'*（……そのもの）を切り取ってその残り――*'le style, c'est l'homme'*（スタイルは人である）――を再生利用した。そうやって、「文は人なり」ということをはっきり示そうとしたのである。著名なオクスフォード大学の学者、R・A・セイスも、『フランス語の散文におけるスタイル』（一九五三年）の研究で述べているように、「スタイルの細部に至るまでの全体は（……）作家の深い意図と特質を明らかにするし、それは、何らかの内部の理性に決定づけられているのに相違ない」。

　このように「スタイル」には、ひじょうに好奇心をそそる歴史がある。文学的な雄弁の擁護として一七五三年に口にされた文が、だれも同じ人間ではないので、まったく同じように話したり書いたりしないという考えを示す簡潔な表現として、あちこちで推奨されるようになったのである。

　どの言語でもそのすべての話者が、個人言語、すなわち、ほかのどの人とも異なる独特な一群の（不）規則的言葉遣いをもつことは、議論の余地がない。なぜそういう言葉遣いをもつのかは、本書の最終章で議論されるが、ほかのだれかと同じ話し方をすることを妨げる知的、心理的、実際的な障害は存在しないことも明らかなはずだ（物まね芸人やパスティーシュの作家は、いつもそうしている）。しかし、個人的レベルで言葉遣いに差異があるという事実には、ひじょうに実用的な利用法――たとえば、偽造文書を見破るとか――がいくつかある。コンピュータの人文科学への初期応用には、疑わしい文書の作成者を特定するための、統計を利用したプログラムがあった。このプログラム自体は、「スタイル」とは何かに関して競合する仮説に基づいていた。そのような仮説には、語彙、動詞、そのほかの品詞を個人が使用する際の典型的パターンは、ほかのだれにも偽造できないというもの、あるいは「まれなペア」（一緒に使用される頻度が高いふたつの単語）に着目して、異なる著者を識別し、区別できるというもの、あるいは文中での常用語の位置によって、著者が特定できるというものがある。この最後の理論は、「位置計量文体学《スタイロメトリー》」と呼ばれ、一九七〇年代にエディンバラ大学のA・Q・モートンとシドニー・マイケルソンによって展開された。彼らのコンピュータプログラムで調査した結果は、多くの訴訟事件の法廷で証拠として認められ、またヘブライ語聖書のさまざまな部分の出所に関する学術的仮説を立てるためにも使用された。

この個人のものという意味での「スタイル」は、翻訳の対象にはとてもなりえない。たとえば、フランス語の原文中の否定を表す小辞 ‘pas’ の統計的に不規則な配置を、英語で真似ようとしても、無意味だろう。

以上から、ふたつの興味深いことが結果として生じる。「スタイル」が、書いている作家本人もコントロールできないほどの個人的な属性であるならば（だから、刑事が偽造者を発見できるわけだ）、すべての翻訳者は、目標言語でその種の「スタイル」をもっており、自分の訳したすべての著作のスタイルは、その著者たちのスタイルに近づこうとしても、自らのスタイル自身のほうに近似してしまうはずなのだ。実際、ジョルジュ・ペレック、イスマイル・カダレ、フレッド・ヴァルガス、ロマン・ギャリ、エレーヌ・ベール――それぞれフランス語の特徴的な使い方が明らかにまったく異なっている――の作品の拙訳による英語ヴァージョンはみな、スタイル的に見て、ベロスの例にすぎないのだろうか、としばしばわたしは思う。どうやら、そうでしかないようだ。コンピュータ文体論は、その点でまったく容赦ないのだ。もっとも内心では、わたしはそうであることがまったくうれしいのである。なにしろ、それらの翻訳は、結局わたしの仕事なのだから。しかしそれは、大コンピュータプログラムの調査結果を待って、はじめて確実にわかることだ。

とはいっても、そう簡単にスタイルの問題を片付けることはできない。確かにわれわれは、文学や翻訳の話をするとき、ビュフォンのように「エレガンス」のことを話しているわけではない――たとえ服やキュウリサンドイッチのことを話すときは、そうであっても。同様に、われわれの不定冠詞の置き方の統計的規則性のことを話題にしているわけでもない――たとえ自分の伯父の遺書とされている文書のスタイルは、当の伯父のものではないという裁判所の判断をありがたく受け入れるにしても。

われわれは、何かべつのこと、スタイルの話をしているのであり、そしてそれが何かは、表現するのがさほど難しいものではない。スタイルとは、ディケンズの小説がまさにディケンズの小説である理由をなすものであり、P・

G・ウッドハウスの一編が――たとえほかのだれかが書いたものであっても――なおもその本質において、ウッドハウスの一篇である理由をなすものである。スタイルが人でないとすれば、それはものなのだ！ これあればこそ、いかなる作品も、比類なくそれ自身となるのである。

わたしも、ディケンズの作品を読めば、すぐそれとわかる。しかし、それは取るに足りないことだ。問題は、ディケンズのテクストのディケンズらしさは、どのレベルにあるのかということである。語にか？ 文にか？ 段落にか？ 余談にか？ エピソードにか？ 人物描写にか？ それともプロットにか？ というのはわたしでも、翻訳者としてプロット、人物、エピソード、余談を読者に伝えることができるからだ。原文の段落のイメージだって再現できるし、たいていの場合、文についてもそうとう近似した訳を提供できる。ところが、語は伝えられない。これに関して、読者は英語を学ぶしかないのだ。

アダム・サールウェルにとって、小説の「スタイル」とは、「その作家特有の世界観」と「その作家独特の小説の書き方」のあいだのどこかに位置する全体論的実在の名称である。文の構造や音のパターンの特徴的な使用法は、間違いなく後者の一部だが、ことによると前者の一部でもあるかもしれない――が、ほんの一部である。サールウェルの言う意味――もっとも使い勝手がよく、奥深い含みのある意味――でのスタイルは、ほかの意味でのスタイルより何かずっと大きなものだ。もしそうでなかったら、それは翻訳から消え失せていることだろう。世界じゅうのすべての媒介言語に小説が次々に訳され、議論の余地なく互いに対話を交えていることは、スタイルが翻訳で生き残っていることを明白に示している。それを確実にするために翻訳者が用いる手段は、すべての翻訳の作業でふつうに使われる技能だけなのである。

要するに、スタイルは翻訳できないという一般に広まった考え方は、翻訳は原作の代わりにはならないという俗説のヴァリエーションにすぎない。それが真実でないのは、ユーモアは同じ言語であれ、他言語であれ、言い換えられると生き残ることはできない、という考え方が真実でないのと同様である。

しかし、ジョークの翻訳とスタイルの翻訳には違いがある。前者は通常、集中的努力によってなされる。後者は、テクストから少し距離をとり、第二の言語で原文を書き直すなかで、その根底にあるパターンが自らの力で現れ出てくるようにするほうが、よい結果が得られる。両者に共通するのは次の点だ。ジョークにぴったり合う訳を見つけるのも、スタイルにぴったり合う訳文を見出すのも、両方パターン・マッチング技能と呼ぶのがもっともふさわしい、もっと一般的な能力の現れだということである。

まだぴったり合う《マッチ》とは何かという問題に回答する段階には達していないが、それでも以前より近づいてはいるようだ。

27 文学テクストの翻訳

英語圏の世界では、文芸翻訳者の求人はなく、志望者の募集もほとんどない。いやしくも文芸翻訳も仕事である以上、出来高払いで報酬は出るが、ベビーシッターの時給と同額程度である。主として、ほかに収入源があって、家賃や食料雑貨店への支払いができる人が、この仕事に従事している。少数の例外はあるものの、英語への文芸翻訳は、大部分がアマチュアによって行われているのである。

それでも、それは新しい文学作品の国際的な流通で中心的な役割を果たしている。グローバルな場での役割の重要性とローカルな場での社会的評価の低さとの不均衡は、ことによるとこの業界全体でいちばん珍奇な現象かもしれない。どの言語への文芸翻訳にも、ほかのたいていの種類の翻訳作業とは区別される特徴がある。そもそも、商業、法律、工業技術の分野と比べて、時間の制約があまりない。翻訳者はまた、それほど重い責任を負わされることはない。法廷や病院や整備マニュアルでの訳出ミスは、ただちに人に害をおよぼす恐れがある。傑作を台無しにしてしまったら、それはそれでよくない結果が待っているだろうが、ほかの分野と同じようには翻訳者や依頼者を脅かすことはない。ドイツ語やスペイン語で語られた物語を訳して流麗な散文を仕上げるのも、バレンツ海〔北極海の一部〕領有権の問題に関するロシア語文書の英語版要約を作成するより楽しいことだ。これらすべてのことを考慮に入れれば、なぜ外国の小説を英語で書き直す翻訳者たちが低賃金で、地味な存在なのかが理解される。彼らはあまり苦労していないのだ。

　日本では、翻訳者の役割と評価とにこれ以上の不均衡が存在することは、まずないだろう。柴田元幸は、疑いなくこの国でもっとも有名な英語翻訳者である。彼の出版社〔スイッチ・パブリッシング〕は、「柴田元幸翻訳叢書」を発行し、その叢書のためにコーナーを用意している書店もある。本のカバーには彼の名が表示されているだけでなく、作者の名前と同じ活字サイズで印刷されている。

　日本の文芸翻訳者は、英米の作家とほぼ同じ社会的地位にある。多くの作家・翻訳者はよく知られており、彼らを取り上げた、著名人ゴシップ本的要素をもつ『翻訳家列伝101』〔小谷野敦編著、新書館〕まで刊行されている。

　英米以外の多くの国では、翻訳者は、この両国よりも大きな象徴的、物質的な報酬を得ている。ドイツでは、文芸翻訳者は通常、翻訳した本に対してかなりの額の印税を受け取っている。フランスの文芸翻訳者にも、アメリカの同業者より高い報酬が支払われている。英語圏では、ほとんどの文芸翻訳者は、生活費を稼ぐ仕事をべつにもち、余暇を翻訳に当てているが、フランス、ドイツ、日本、そのほかの国では、翻訳を本職とすることが可能であり、それで生活しながら――自分の小説を書くなどの――第二の天職に余暇を当てることができるのだ。

　極東、大陸ヨーロッパ、英語圏では、文芸翻訳の社会的、経済的コンテクストに以上の差異が見られるが、これは翻訳本のグローバルな流れの非対称性を反映している。文芸翻訳が置かれた状況から生じるコンテクストは、〈上〉への翻訳と〈下〉への翻訳〔一六四―一六五頁参照〕――パスカル・カザノヴァの用語で言えば、中心に向かうものと周縁に向かうもの[1]——ではひじょうに異なるので、翻訳の仕方に広範な影響を及ぼさずにはおかない。

文学作品の世界的な流通の周縁にある文化で求められているのは、中心との接触である。翻訳文学作品の文化的プレスティージは、まず外国的なるものにアクセスさせてくれるという単純な事実によって決定されている。これに対して、中心の言語では、新刊が舶来のものかどうかは、とくに重要なことではない。外国の新しい作品が中心文化内で所を得るには、ほかの手立てによらなければならない。しかし現在のところ、中心言語はたったひとつしかないので、翻訳のあり方には、英語とそれ以外の言語のあいだに越えがたい溝が存在する。

新作が英訳されるとき、たいていの場合、流暢な、なかなか翻訳とはわからないスタイルが用いられる。これは明らかに、それまで知られていなかった文芸書の翻訳者は、作家の卵と同様、作品を引き受けてくれる出版社を見つけるのに苦労するという事実と関連している。実際、翻訳者の努力の直接的結果として、本が英語で出版されることはごくわずかしかない。出版される国際的な文学作品は、それ担当の編集者によって選ばれるが、彼らの意見は、有望な他言語作家を探すスカウトや外国の出版社からの売り込み、国際書籍見本市でのうわさ話を基にしている。文芸翻訳者は、出版社が次の本を出すと約束してくれた場合、たいていその本に関する情報を聞くことができるわけである。

英米には、出版社幹部でフランス語以外の外国語を読める人はあまりいない。このかなり具合の悪い状況の結果、フランス語への翻訳は、世界文学の仲間入りをしようとするどの他言語の作品にとっても、完全に前提条件ではないにしろ、ひじょうに役に立つ紹介となっている。[2]たとえば、イスマイル・カダレやハビエル・マリアスのような作家の国際的成功は、出発点で彼らの作品の仏語翻訳版が英米の出版業者に読まれるかどうかにかかっていたのである。しかし、多くの作品は、もっぱら評判や「うわさ《バズ》」だけを頼りにしている編集者によって翻訳権が取得され、関係者のなかで、その本や著者のことをともかくも本当に詳しく知っているのは、英語の翻訳者だけということもよくある。これは翻訳者にとってつらい状態で、その責任の重さたるや、自分の訳した作品が受け入れられ、人に感銘を与えるという、ただでさえ困難な職責をはるかに超えるものがある。

往時と現代の「古典」の新訳は、以上とはまったく性質の異なる、一連の実社会の制約のもとで行われる。そこからは、翻訳のあり方を規定する翻訳者の責任に関して、新作翻訳とは異なる議論が生じる。

第二次世界大戦直後、ペンギン・ブックス社がE・V・リュー〔一八八七―一九七二。出版業者、古典学者、翻訳家、ペンギン・クラシックスを約二十年間編集〕の新訳によるホメロスの『オデュッセイア』を出版した。これが思いがけず成功を収めた。同社のウェブサイトで述べられているように、リューの生き生きとしたスタイルは、「これはだれもが――すべての人が――読むことができるし、また読むべき本だとはっきり表明しているのである」。古典は、もはや一部の特権階級の人たちに限定されたものではなくなったのだ。

ここで言う「古典」とは、ギリシャ・ローマ文学を指している。以前の翻訳は、ほとんどの場合、上層階級の子弟の学校でラテン語やギリシャ語の学習の参考に供されるものだったので、リューの口語文版は、それほど特権的でない階層の人たちにとって啓示であったのだ。この本の成功とまたそれを受け継いで長くつづくことになるシリーズ〔ペンギン・クラシックスのこと〕は、戦後イギリスの社会的要請――これまでよりはるかに大きな教育の機会を広く一般に設けること――を反映していた。初期のペンギン・クラシックスは、ネヴィル・コグヒル〔一八九九―一九八〇。英文学者〕によるチョーサーの有名な翻訳をはじめ、主として古代と中世の作品で構成されていたが、このシリーズは、まもなくして古代エジプトから十九世紀末までの文学を含むようになった。この種の共同事業は、意識的かつ明確な翻訳文化によって支えられていた。「編集者としては、次のような翻訳者に依頼するつもりである。すなわち、自らの模範に倣い、現代の英語、つまり不必要な難解さと博識を排し、多くの既存の翻訳を現代の好みに合わないものにしている古風な趣味と外国風の言い回しを取り去った英語で、偉大な書物の読みやすく魅力的な版を一般読者に届けることができる翻訳者だ。」このリューの進軍ラッパは、自由訳型スタイルの方向を断固として指し示している。当初、彼は学者に声をかけようとしたが、自分が評価するような英語を書ける人はほとんどいないことがわかったので、ロバート・グレイヴス、レックス・ワーナー、ドロシー・L・セイヤーズのような、学者タイプから変人タイプまでさまざまな個性をもつプロの作家に目を向けたのだった。しかし、彼らの翻訳には厳格なペンギン独自の様式《ハウススタイル》が課せられ、その結果、最初の二百冊のペンギン・クラシックスを読むと、まるで同じタイプの言語――一九五〇年頃の流暢な気取りのないイギリス英語――で書かれたかのような印象を受ける。それは注目すべき偉業であった。このシリーズは、確実に何百万という人を啓発し、疑問の余地なく、これが原因の一端となって、自由訳的で、標準語化または自国語化されたスタイルの英語翻訳が強く好まれるようになったのである。

しかし、これらの初期の新訳を生んだ社会的、文化的要請は、かならずしも後の新訳プロジェクトの要因となるものではない。一九四五年（あるいは、マクシム・ゴーリキーが「世界文学」出版所を立ち上げたロシア革命直後）のような特別のとき以外は、新訳はほとんどの場合、もっぱら商業的な業務である。

著作権は、一七〇九年にさかのぼる近代の発明品だが、国際著作権となると、なおいっそう近代のものである。まず一八五〇年代の相互条約で概要がつくられ、文学作品の翻訳に関する近代的取り決めが、一九二〇年代にはじめて集大成された。ベルヌ条約〔一八八六年締結の国際著作権協定〕は、その後に成立した万国著作権条約〔一九五二年締結〕とともに、出版業者が原典の著作権所有者から翻訳権を獲得せずに翻訳を刊行することを認めていない。しかし出版業者は、外国作品を翻訳で刊行する権利を取得した場合、版が絶版にならないかぎり、その翻訳作品の唯一の権利保有者となり(3)――原典の著作権が消滅して公有のものとなるまで――目標言語で印刷されたその作品の独占権をもつ。

現在、国際著作権の保護期間は、著作者の死後、あるいは遺作の場合は初版から七十年と定められている。マルセル・プルーストは、一九二二年に亡くなり、『失われた時を求めて』の最終巻は、一九二七年に出版された。フランツ・カフカは、一九二四年に亡くなり、彼のもっとも有名な作品は、一九二五年（『審判』）、一九二六年（『城』）、一九二七年（『アメリカ』）に刊行された。これら永続的生命をもつ作品の英語版出版社は、二十世紀末頃に独占権を失った。フロイトは一九三九年に亡くなったので、彼の著作もまた、現在「著作権消滅状態」になっている。出版社はたいてい、新訳を依頼して、これらの丈夫で長持ちする作品の市場シェアの一部を保持しようとする。だからこそ、ここ二十年間、プルースト、カフカ、フロイトの新訳が次々に出版されているのである。

第一次世界大戦以降にはじめて出版された作品の大多数に翻訳がたったひとつしかないのは、文学テクストの国際的流通に対して法的制約があるからだ。二世代前〔一世代は約三十年間を指す〕の人たちの誕生後に創作されたほとんどの世界文学には、新訳はなされていないのである。

新訳を担当する翻訳者は、古い作品を訳す場合でも、七十年の保護期間が過ぎて著作権が消滅したばかりの作品を訳す場合でも、曖昧で矛盾する要請に応えなければならない。新訳が新しいテクストとして版権が認められるためには、ある程度まではっきりと他の訳文と異なっていなければならない。独自性を確保するいちばん簡単な方法は、以前の翻訳を見たりしないことだ。というのも、ふたりの翻訳者が偶然に同じ目標言語の訳文をつくる可能性は、ゼロだからである。一方、新訳を行う翻訳者はまた、なぜその新訳が既訳よりも優れているのかを説明できる必要があり、そうするためには、既訳を読んでおかなければならない。以前の訳は参考になるかもしれない——実際、とても役に立つこともある——が、つねに原典のもっとも訳しづらいところで斬新な解決策を考え出す妨げとなる。わたしは、現代の古典の新訳をする翻訳者をちっとも羨ましいとは思わない。彼らは、一方はうっかりやってしまう剽窃、他方はやってもいない剽窃に対する非難のあいだにそびえ立つ崖の上の小道を歩んでゆかなければならないからである。

原作は検閲で一部削除された原稿あるいは不完全な原稿に基づいて初出版されたが、その後、完全原稿、無修正原稿または補正原稿が発見されたり、出版されたりした場合、それに基づいて新訳を出すのは十分正当と見なされることがある(ミハイル・ブルガーコフの『巨匠とマルガリータ』のようなケース)。数十年にわたって徹底的に研究されてきた作品の場合は、初版では利用できなかった知識や解釈を、新訳では役立てることができるかもしれない。しかし、こうした個別のケースがあるからといって、古い翻訳は「一世代か二世代ごと」に改訳する必要があるという一般原則が、ちゃんと守られているというわけにはならない。新訳は、著作権法とそれが生み出す商業的利益を算術的な正確さで考慮したうえで、実行に移されるのである。

それでも、初訳と新訳、さらに英語への翻訳とほかの言語への翻訳に以上のような大きな相違が存在するにもかかわらず、すべての種類の文学作品の翻訳には、ほかのすべての翻訳の仕事と異なる特徴がひとつある。われわれの信ずるところでは、文学作品は、真に文学であるかぎり、ほかのすべてと違う点があるのだ——すなわち、それはユニークであり、型通りのものでなく、本質的にただそれ自身である。このことから、現実問題がひとつ生じる。

本格的なノンフィクションの翻訳には、文芸翻訳とは異なり、(当該分野の学識をはじめとする)技能や知識が必要とされるが、訳文をどのような言語規範に合わせるべきかについて頭を悩ますことは、とくに求められない。考古学の本は、受け手側の文化で高く評価されている考古学の本に似たものにしたいと、翻訳者は当然思うはずだからだ。〈上〉への翻訳を行うとき、ノンフィクションの訳者が準拠する言語規範は、目標言語の話者が自らの言語で書いた同分野の著作で準拠しているものなのである。

ところが、ノンフィクション作品が属している特定分野が新しかったり、分類が容易でなかったりする場合、難しい問題が生じる。文芸翻訳なのか、それとも情報翻訳なのか、はっきりしない点にかけては、ジークムント・フロイトの著作ほどの好例は、もしかするとほかに見つけることができないかもしれない。

フロイトは、世界的名声を博しているにもかかわらず、全集は、英語、イタリア語、スペイン語、日本語にしか全巻が訳出されていない。一九四二年ロンドンで出版されたドイツ語版全集を底本としたジェームズ・ストレイチー訳の英語版は、多くの人に翻訳の傑作として評価され、ほかの人からはフロイトへの裏切りと見なされている。フロイトの書いたものをどのような英語で翻訳するべきかという問題に関する長年の論争は、フロイトの著作は、どのジャンルに属するのかという問題に帰着する。それは社会科学に属しているのか？　それとも文学作品と考えるほうが適切なのか？

ストレイチーは、精神分析が科学であるのは当然だと思っていた。英語の科学用語は、伝統的にラテン語やギリシャ語の語根を使って、新たな概念を表す新造語をつくる。しかし、当のフロイトは、自然科学や社会科学の分野で、まったく日常的な語をふたつ以上結びつける複合語を用いた言語で書いた。たとえば、英語ではギリシャ語の断片を利用して、‘hydrogen’（水素）、‘oxygen’（酸素）を表すところを、ドイツ語では、‘*Wasserstoff*’（水素）は「水＋原料」であり、‘*Sauerstoff*’（酸素）は「酸性＋原料」であるように、「平易な言葉」だけを使用するが、そのような用語は、ギリシャ語をベースとした英語の相当語と同様、専門的で厳密である。その結果、フロイトの言う‘*Anlehnung*’（「寄りかかること＋～に」、委託）に対し、ストレイチーは‘anaclisis’（アナクリシス）という新語を当て、‘*Schaulust*’（「見る＋喜び」、窃視症）、の対応語として‘scopophilia’（スコポフィリア）という語を考案している。現在ではふつうに使われている多くの英語の語——‘ego’（自我）、‘id’（イド）、‘superego’（超自我）、‘empathy’（感情移入）、‘displacement’（置き換え）——はすべて、ジェームズ・ストレイチーによるフロイト翻訳ではじめて創り出されたもので、同様に専門的ではあるが、それほど深遠な感じのしない原文の新造語——'Ich'（自我）、'Es'（イド）、'Überich'（超自我）、'Einfühlung'（感情移入）、'Verschiebung'（置き換え）——の訳語として用いられた。(4)

ストレイチーの訳し方は、フロイトの著作が社会科学や医学への貢献と見れば、ぜんぜん異例のものではない。この点は、逆翻訳で確認できる。フロイトは、もし英語の造語'scopophilia'（窃視症）に対応する新語をドイツ語でつくりたいと思ったら、どんなものにしただろうか？ 彼の時代のドイツ語による科学的著作の規範に従い、不可避的に'Schaulust'のような複合名詞を思いつくことになっただろう。

一方、『夢判断』のような作品は、科学ではなく、文学的創造だとすれば、ストレイチーの英文は、調子の上でもスタイルの上でも原典からは遠いヴァージョンであり、たぶん原文を誤って伝える訳と見なされることだろう。

フランスでは一九八〇年代から、組織的に編成された大チームが、最初のフランス語版「全集」出版の仕事に携わっている。この事業は、フロイトを新しい科学の創始者というよりも、むしろある特別な（そして一風変わった）タイプの文学的散文の書き手と見なし、彼のドイツ語の特異性を復原することを目指している。実際、チームの代表者たちは、フロイトはドイツ語を書いたのではまったくなく、「フロイト語」、つまり「ドイツ語ではなく、フロイトによって創られた言語である、ドイツ語の一方言」を書いたのだ、と宣言している。その結果、彼の全集は、フランス語で読んでも理解できないと広く考えられている——が、もし「フロイト語」がドイツ語でないとしたら、原文でも容易く読めるものではなかったのだろう(5)……。

フロイトをめぐるフランス語側と英語側間の込み入った対立は、彼の著作をどの分野に分類すればいいのか明確だったら、起こりようもなかったと思われる。ほとんどの社会科学系の翻訳では、こうした問題は起こらない。社会科学の最高の成果はアメリカで収められていると多くの場所で信じられているため、英語からの社会科学系翻訳は、原典の質を保証するため、通常、原語の言語的特徴をいくつか保持しておく。しかし文学では、「最高のモデル」がどこにあるかについて、だれもが認めるそのような合意はない。新作の外国小説の翻訳は、既存の一部英語散文作家の作風やスタイルを見習うべきなのか？ ある人は、もちろんそうじゃないと言うだろう。わたしたちが求めているのは、フィリップ・ロスの亜流じゃなく、彼の見慣れたパターンとは違うものなんだ。またある人は、もちろんそうだと言うだろう。われわれは、英語散文の小説的スタイルについてすでに自分たちがもっている概念とぴったり合うものを読みたいのだ。翻訳される本は、アルバニア語や中国語で執筆されたかもしれないが、もし優れた小説なら、優れた小説——われわれが知っている優れた小説——らしく書かれているはずだよ。

この対立を解消する術《すべ》はない。文芸翻訳は、とどのつまり、自分の好きな訳し方ができるので、容易だと言うことができるだろう。あるいは、どんな訳し方をしても重大な異議が出るので、不可能だと言うこともできるだろう。文芸翻訳は、ほかのすべての種類の翻訳とは違うのだ。それはかなり特殊な形で読者の役に立つ。読まれるたびに、控え目に、しばしばそれと意識せず、しかし必然的に、翻訳とは何かを読者に教えてくれるのである。

28　翻訳者が行うこと

どの自然言語の話者も、自分や人の述べたことをつねに繰り返し述べており、そうするために多様な手段を講じながら、自身が生来もつ言い換えの才を発揮する。

——話者は、ある語を同じ意味をもつべつの語に置き換えることができる（同義語）
——話者は、表現の一部を選び、それをもっと長く、もっと精緻なものに置き換えることができる（詳述）

——話者は、表現の一部を選び、それを代役記号《ダミー》、略語、または短縮形に置き換えるか、それとも取り除くことができる（縮約）

——話者は、表現の一部を選び、それをべつの位置に移動させ、その変化に合わせてほかの語を調整し直すことができる（トピックの移動）

——話者は、自分が使える手段のうち関連するものを用いて、表現の一部をほかの部分よりも重要なものとして際立たせることができる（強調の変更）

——話者は、自分（または話している相手）がちょうどいま言ったことを明確にするため、その発言に含意されていた事実、事情、見解に関係のある表現を加えることができる（明確化）

——しかし話者は、発言されたことを同じ口調、音の高低、単語、形式、構造で正確に繰り返そうとしても、成功しない（ただし、話者もまた、天賦の才があり、鋭い耳をもち、訓練も十分積んだ物まね芸人であり、たぶん演芸館で雇われている場合は、話がべつである）

翻訳者は、ほかの人の言葉を再生するとき、以上とまったく同じことをしており、その「事後の発話」つまり翻訳が、他言語と呼ばれるものでなされているからといって、翻訳者がそのさい用いるさまざまな手段に違いが生じることはまったくない。

　とはいえ、翻訳者がこれらの手段を用いるのは、同じ言語でなされる会話で意図的、あるいは不注意になされる繰り返しとはかならずしも関係がない、最重要の目標の達成に役立たせるためである。彼らは、元の発話の意味をとどめようとしているのだ——発話されたことの意味全体だけでなく、その発話行為の意味をも、その訳が聞かれたり、読まれたりする特定のコンテクストに適合した形で伝えようとしているのである。翻訳者は何かを変えようとしているのではない——だが一方われわれは、翻訳することなく何かを繰り返し言うとき、通常それに対して小さな、または大きな変化をもたらそうとしているのである。

　翻訳者が、あまり変化が生じないようにするため、どんな変更を加えるかを、次のささやかな例で見てみよう。ユーロスター〔ロンドンとパリ・ブリュッセルを結ぶ国際旅客列車サービス〕の乗客に提供される多言語「車内雑誌」のなかの一ページが、英仏海峡トンネルを通る高速鉄道の事業全体の規模と業績を紹介する説明図に当てられている。欄のひとつには、「時速三三四・七キロメートル」とあり、英語で'The record breaking top speed (208 mph) a Euroster train reached in July 2003 when testing the UK High Speed 1 Line'（「二〇〇三年七月、イギリスの高速I号線のテスト中にユーロスター列車が達成した記録破りの最高速度（時速二〇八マイル）」）という注釈が付けられている。その後に次のフランス語テクストがつづく。

Le record de vitesse d'un train Eurostar établie en juillet 2003 lors du test d'une ligne TGV en Grande-Bretagne

二〇〇三年七月、イギリスのTGV〔超高速列車〕路線のテスト中に打ち立てられたユーロスター列車の速度記録

フランス語訳で「時速マイル」の速度が削除されているのは、たんなる慣例と見られるかもしれない――が、この省略は明らかに、「時速マイル」がフランス人読者にとって何の意味もないからだ。一般のフランス人は、一マイルがどのくらいの距離か知らないのである。もっと興味深いのは、フランス語では、時速三三四・七キロメートルがテストを行った列車の最高記録だったと言っているのに対し、英語では、列車のその最高速度が記録を破ったと断言していることだ。しかし、また何の記録か？　それはまあ、イギリスでのほぼぜんぶの記録だろう――英国の鉄道線路では、それまでこれ以上に速く走った列車はないのだ。ところがフランスでは、これは記録破りとはならない。フランスの新幹線TGVは、何度もその速度を超えているからだ。だから翻訳者は、フランス語訳があからさまに事実に反しないように、言い換えと再文脈化を必要としたのである。しかし、再文脈化の真の精妙さが見られるのは、「イギリスの高速I号線」が「イギリスのTGV路線」となっているところである。フランス人の読者は、フランスでは多くの高速路線があるのに、イギリスではまだたった一本しかないという恥ずかしい事実を知る必要はないからだ。だから彼らはまた、もっぱらイギリス英語でのみただひとつしかない、鉄道運営に必須の軌道を指し示す固有名詞を告げられないほうが望ましいのである。現在では高速列車でかつてないほど緊密に結びついたイギリスとフランスでも、きわめて簡単な表現ですら、いまだに読まれるコンテクストがまったく異なる。当然、翻訳はメッセージを言い換え、べつの読まれるコンテクストに適合させる必要があるのだ[1]。

文芸翻訳家は、自分の訳した著作の「読まれるコンテク

スト」について、ほかのあらゆる分野の翻訳者ほど明確な考えはもっていない。実をいえば、最終的に読まれるのかどうかもはっきりとはわからないのだ。多くの翻訳作品（なかにはひじょうに優れた作品も多数ある）は、哀れなほどの小部数しか売れないまま、ブラックホールのなかに姿を消してゆく。文芸翻訳の唯一の「顧客」といえるのは、本当のところ、架空の読者——それぞれの翻訳者が頭のなかに創り出す〈読者〉——である。

それこそ、文化財たる本を訳出するとき、翻訳者が自分は等価効果〔原作が読者に引き起こしたのと同じような反応〕を生み出そうとしているのだと、自らに言い聞かせる本当の理由なのだ。

よく言及されるこの翻訳技術の評価基準には、しかしながら、ふたつの難点がある。「等価」と「効果」である。翻訳は実際に効果を及ぼす。読者を笑わせたり、泣かせたり、あるいは同じ類いの本をもっと見つけようと図書館に駆け込ませたりすることがある。次の歴史上のエピソードが示すように、まったく災いとなる効果を及ぼすことさえあるのだ。

一八七〇年、プロイセン首相オットー・フォン・ビスマルク〔一八一五―九八。一八七一年、ドイツ統一を達成。初代の帝国宰相〕は、国王がフランス大使からの要請に否定的な考えを示したという声明を報道陣に発表した。大使からの要請とは、プロイセンの王族はスペインの王位を絶対に継承しないと確約すべしというものだった。声明ではまた、国王はフランス大使と二度と話をすることを望まないので、「当直の副官」を伝令にたて、伺候を控えるようにというメッセージを大使に伝えたことも触れられていた。

Seine Majestät der König hat es darauf abgelehnt, den französischen Botschafter nochmals zu empfangen, und demselben durch den Adjutanten vom Dienst sagen lassen, daß Seine Majestät dem Botschafter nichts mitzuteilen habe.

国王陛下におかれましては、今後フランス大使に謁見をお許しになることを拒否され、当直の副官にお命じになり、陛下は大使に何も言うことはないと通告させました。

「当直の副官」——*'Adjutant vom Dienst'*——は、高位の廷臣であり、貴族の副官を指している。ところが、これはフランス語のある単語——*'adjudant'*——にたまたまそっくりなのだ。ビスマルクの声明は、パリに伝えられると、即座にアバス通信社〔AFPの前身〕によって翻訳され、電報で全新聞社に送られた。各社はそれを直ちに号外に載せ、販売した。アバス版の訳文では、「副官」は訳されておらず、原語のままになっていた。そのたったひとつの言葉が及ぼした効果は、途方もないものだった。フランス語の‘*adjudant*’は、‘sergeant-major’（曹長、アメリカでは‘warrant officer’〔准尉、特務曹長〕）を意味する。したがってフランス大使は、国王からのメッセージをそのような下級軍人の使者から伝えられ、耐えがたい無礼な扱いを受けたように思われたのだ。フランス人は激怒した。六日後には、宣戦が布告された。

全体的効果――戦争の勃発〔普仏戦争。一八七〇―七一。プロイセンの圧勝〕――は、たぶんビスマルクが当時狙っていたことだろうが、フランス語に存在するドイツ語の偽りの同語源語〔発音や意味が似ているため同語源の語に見えるが、実はそうでない対の語〕を利用し、誤解を招くような声明を起草して、戦争を引き起こそうとしたのだとは、ちょっと考えにくい。何といっても、フランス語の訳文にドイツ語の‘*Adjutant*’を残すことに決めたのは、ビスマルクではない――アバス通信社なのだ。

われわれは人生一般、とくに翻訳では、自分の言動が及ぼす効果を計算するのはあまり得意ではないのである。

わたしは、フレッド・ヴァルガスのミステリを翻訳しているとき、直接話法でヴィクトル・ユーゴーの有名な文章を利用しつつ書かれたコミカルなほど仰々しい一節に出くわした。この場違いな誇張法と等価に思われる効果を生み出すため、わたしはユーゴーの文の代わりに、ウィンストン・チャーチルの演説からほとんど変更を加えず引用した文を使用した。これはうまくいかなかった。ある書評家からは、わたしが原文にありもしないチャーチルの言葉を付け足していると、叱責を受けた。なぜそういうことをしたのか理解していないと言って、わたしはその書評家を非難することができるだろうか？　もちろんできない。「ユーゴー」の代わりに「チャーチル」を使ったのは、たんに面白く頭の体操をするためのゲームにすぎない。その代用が等価効果を生むはずだったことに気づくよう、読者に要求することはできない。というのも、それがそのような効果を生むのかどうか、判断のしようがないからだ。

等価効果という教義への遵守が同様に不首尾に終わってしまった例が、アカデミー賞外国語映画賞受賞作『ぼくの伯父さん』でジャック・タチが使用した録音テープを保管している箱のなかに見られる。この映画の公開前に、タチは英語版を自身で制作しようという野心を抱いた。彼は、公共の標識が写っている数シーンを、たとえば‘*Ecole*’（学校）や*‘Sortie’*（出口）という標識を*‘School’*や*‘Exit’*に塗り替えて撮りなおした。ところが、目に入る言葉が変わったため、物語が実際どこで展開されているのか混乱が生じるという指摘があった。この問題に対して彼が取った処置は、英語版のＢＧＭトラックをもっとフランス風の音楽に変えることだった。タチ・アーカイブには*‘ambiance française pour version anglaise’*——「英語版のためのフランス的雰囲気をもつ音楽」——というラベルをはった箱があるのはそのためだ。ところが、これもうまくいかなかった。『マイ・アンクル』は、苦労して制作されたにもかかわらず、「等価効果」をけっしてあげられなかった。なぜなら、配給業者や観客は、フランス語のオリジナル版が大好きだったからだ。「フランス風味」の英語版は、ニューヨークで数週間、たったひとつの映画館で上映された。その後五十年のあいだ、姿を消したのである。

　翻訳者は、「等価効果」というイデオロギーに従順に従うと、読者を引きずり回すことになり——もし効果を生んだとしても——それは予期せぬものになってしまう。『五十三日』と題された、ジョルジュ・ペレックの未完の「文学的スリラー」の中心人物である捜査者は、セルヴァルという名のスリラー作家の失踪事件を調査している。彼はセルヴァルが書いた未完の最後の小説を手に入れ、そのなかの少なくともひとつの章は、べつの本から写したものだと作家のタイピストから聞かされる。捜査者は、ふたつのテクストを綿密に調べ——ペレックは原作から二ページ引用するが、この原作なるものは彼の創作である——盗作のほうのヴァージョンでは、一部の単語が変えられていることに気づく。奇妙なことに、それらはすべて十二文字の単語であり、しかも十二語ある。彼が元の語と変更後の語をそれぞれ大文字で書き出してみると、それらは当然ながらふたつの単語のペアで方形を形づくることになる。

LAMENTATIONS　RESURRECTION
CALLIGRAPHIE　STENOGRAPHIE
SECHECHEVEUX　TAILLECRAYON
SACHERMASOCH　ROBBEGRILLET
MITRAILLEUSE　KALEIDOSCOPE
READERDIGEST　HEBDOMADAIRE
CARICATURALE　PAROXYSTIQUE
INTEMPORELLE　METAPHYSIQUE
FOOTBALLEUSE　OCEANOGRAPHE
HAMPTONCOURT　CHANDERNAGOR

QUELQUECHOSE　JENESAISQUOI
FORTDEFRANCE　SALTLAKECITY

悲　嘆　再　生
書　道　速　記
ヘアドライヤー　鉛　筆　削　り
ザッヘル＝マゾッホ　ロブ＝グリエ
機　関　銃　万　華　鏡
リーダーズダイジェスト　週　刊　誌
戯　画　的　発　作　的
非　時　間　的　形　而　上　学
女性サッカー選手　海　洋　学　者
ハンプトンコート　チャンダルナゴル
あ　る　物　何かよくわからないもの
フォール＝ド＝フランス　ソルトレークシティ

捜査者は、しばらくのあいだ、この二列のリストをじっと見つめるが、何の意味も見いだせず、考えるのをやめてしまう。行き詰まり。

　ある日、すでにこの小説の翻訳をはじめていた頃だが、マンチェスター大学のわたしの研究室にひとりの大学院生が飛び込んできた。そして、なんとあの悪魔のように油断ならないペレックが、上の左側の列に印刷された単語リストに大きな手掛かりを残しているのに気づいたかどうかをわたしに尋ねたのだ。彼女の説明によると、左のいちばん上から右のいちばん下まで斜めに一字ずつ読んでいくと、フランスの南東部の山塊〔シャルトルーズ山地〕の名前が現れる。そしてそれはまた、スタンダールのある有名な小説のタイトルの最初の単語でもあるのだ〔『パルムの僧院』のこと。原題 'La Chartreuse de Parme'。なお、ペレックの小説のタイトル『五十三日』は、スタンダールのこの作品の執筆日数にちなんだもの〕。読者もいまや、おわかりだろう。ところが当時は、だれもこの事実に——ペレックのこの遺作の校訂者や出版社でさえも——気づいていなかったのだ。「ブラボー！」とわたしは、鋭い目の持ち主、わが教え子のヘザーに言った。となるとさて、わたしはどうしたらいいのか？

　等価効果の理念を愚直にも実現しようと、わたしが行ったのは次のことである。つまり、リストとして書き出してみると、ペレックの左側の列に関して、指示対象、自己言及、真理値を保持する十二個の十二文字単語を含むように、原文とされるテクストの抜粋に手を加えたのだ。

LAMENTATIONS

CALLIGRAPHER
FACUPROSETTE
SACHERMASOCH
MORTARBARREL
NEWYORKTIMES
EXORBITANTLY
CRAFTYARTFUL
HUNDREDMETRE
HAMPTONCOURT
CLEARLYGUESS
FORTDEFRANCE

悲嘆
書家
FA杯のばら飾り
ザッヘル゠マゾッホ
迫撃砲の砲身
ニューヨークタイムズ
途方もなく
狡猾巧妙な
百メートル
ハンプトンコート
明快に言い当てる
フォール゠ド゠フランス

しかし、人目につかないような手がかりを植え込むことができ、ひとり悦に入ったわたしは、さらに一歩進め、セルヴァルが原文の言葉を隠すために使用した十二語の代わりに、まったく架空のリストを創りだしたのである。これらの語は、盗作版テクストの同じ個所にもっともらしく納まるものでなければならなかったので、リスト2へのわたしの語の選択は、リスト1に遡及効果をもたらし、その結果、原文とされるテクストの翻訳の文章のイメージにも影響を与えることになった。ローマは一日にして成らず。実際、なかなかに厄介な仕事だったので、個人的にわたしは自分の訳にフランス語版にはないアドバンテージ一点をあげることにした。英語版のふたつのリストは次の通りである。

LAMENTATIONS BENEDICTIONS
CALLIGRAPHER PENCRAFTSMAN
FACUPROSETTE KALEIDOSCOPE
SACHERMASOCH CARLOFRUGONI

MORTARBARREL DEDIONBOUTON
NEWYORKTIMES SMITHSWEEKLY
EXORBITANTLY TOOEVIDENTLY
CRAFTYARTFUL STUPIDFUTILE
HUNDREDMETRE TRAMPOLINING
HAMPTONCOURT TRIPOLITANIA
CLEARLYGUESS ALMOSTINTUIT
FORTDEFRANCE NORTHDETROIT

悲嘆 祝福
書家 ペン職人
FA杯のばら飾り 万華鏡
ザッヘル＝マゾッホ カーロ・フルゴーニ
迫撃砲の砲身 ド・ディオン・ブートン
ニューヨークタイムズ スミスス・ウィークリー
途方もなく あまりに明白に
狡猾巧妙な 無分別無能
百メートル トランポリン競技
ハンプトンコート トリポリタニア
明快に言い当てる ほぼ直観
フォール＝ド＝フランス 北デトロイト

以上の全作業の結果、効果は「等価」となっただろうか？　わたしは、ペレックが行った遊びに倣った自分の訳が、読者に効果を及ぼしたとは承知していない。もし及ぼしていたなら、ファンレターが届くのが二十年遅れているのだ。

等価効果という考え方の明らかな難点は、等価性を測るための尺度がないことだ。「効果」、とくに翻訳作品が与える全体的な印象は、人から取り出して、互いに測定し合うことはできない。さらまた、ひとりの読者が、同じテクストのふたつの言語ヴァージョンからもたらされる効果をそれぞれ別個に測定することもできない。なぜなら、テクストの読みはつねに――言語と言語のあいだではなく――あるひとつの言語内で生じるからだ。言語Aと言語Bの区別という概念は、かなり疑わしいものだが、ひとつだけ確かなことがある。AB間の真ん中に言語的中間地帯はないということだ。それはちょうど、ドーバー〔フランスにもっとも近いイギリスの港町〕とカレー〔イギリスにもっとも近いフランスの港町〕のあいだに、海上に立ってフランス語と英語を同時に外から観察できる中間地点がないのと同様である。

バイリンガルの読者は、翻訳が原典と同じ意味を伝えているかどうか、完璧に信頼できる判断を下すかもしれない。

しかし、いくら頭がよく感覚が繊細であっても、そのような人が、このボードレールの詩のドイツ語訳は、そのボードレールのフランス語原詩と等価な効果を自分に与えていると合理的に言い表すことができるだろうか？　そのような主張は、根本的に立証不可能で――しかもわたしに言わせれば、無意味に言葉を並べ立てたものでしかない。ボードレールのフランス語原詩は、実にさまざまなとき、さまざまな効果をわたしに及ぼすし、また確実に、読者共同体全体にさらいっそう広範な効果を与えているはずだ。そのうちのどれに、翻訳の「効果」は、等価であろうとしているというのか？

文芸翻訳の真理は、翻訳作品はその原典と通約不可能だという点にある。それは、文学作品が互いに通約不可能であり、小説や詩や戯曲の個々の読みが、ほかの読者との話し合いのなかでのみ「測定」できるのと同じことなのだ。翻訳者が行うのは、作品を組み立てる諸単位と等価なものではなく、合致するもの、すなわちぴったり合う語や表現を見つけることである。それらの集合から全体として原典の代わりの役目を果たすことの可能な新しい作品が生まれることを希望しかつ期待して、翻訳者はそうするのである。

本書の第一章で紹介したクレマン・マロの詩のダグラス・ホフスタッター版が、翻訳であるのはそのためだ。それは原詩の意味的、文体的、形式的な特徴の多く（ただしすべてではない）と合致しているのだ。人によっては、その訳詩が好きになれないかもしれない――が、それはわたしの関与するところではない。ただし、その全体的な効果、あるいはその構成要素のひとつ、あるいは何らかの特定の特徴が、原詩と「等価」でないという理由で、それは翻訳ではないと主張することはできない。

合致する語や表現は、自分の母語や他言語で何かを言い換えるためにわれわれが有しているすべて、あるいはいずれかの手段を使って見つけることができるかもしれない。

どういうものが満足のいく合致と見なされるかは、それぞれの個人的判断であり、けっして決まったものではない。ただひとつ確かなことがある。合致するものは、それが合致する対象と同じものではありえないということだ。

もし同じものを望むなら、それはそれで大いにけっこう。原文を読めばいいのだから。

29 境界を検分する
——翻訳でないもの

翻訳者が行うことには、話者が自らの母語を話すときふつうに行うすべてのことが含まれる。しかし、翻訳ではその種のすべてが用いられるからといって、その種のすべてを用いることを翻訳と見なすのが有効とはかぎらない。自然言語のありとあらゆる資源を活用する能力のほかに、翻訳にはそれ独自の諸特徴があるのだ。それらが何であり、何でありつづけてきたか、それこそ本書が述べようとしていることである。

言語それ自体のように、翻訳にも厳格に決められた境界というものはない。同じように曖昧な境界線が、ほかの多くの芸術でも見られる。ヴァイオリン奏者が、自分自身のカデンツァを加えたり、だれかべつの人が書いたカデンツァを一部改変したりしても、なお問題なくメンデルスゾーンの協奏曲ホ短調の演奏者でありうる。俳優は、ある場面では役のセリフを変更し、またある場面では変更しなかったとしても、なお同じ役を演じていることに変わりはない。同様に翻訳でも、語り直されたものが原作と合致しないと見なされる基準については、さまざまな伝統やジャンルの枠組みによって見解も大きく異なり、議論の余地がある。

インドでは、翻訳についての平均的な西欧的概念が根をおろしておらず、物語、神話、伝説、聖典が何千年ものあいだ——原典の翻案または改作という名目で——さまざまな言語のあいだを移動してきた。西洋では、詩人たちは、よく原典を入手し、それを踏み台として原典と同じ言語や異なる言語で新たな創作を行ってきた。ジュリエット・グレコが歌うシャンソンのためにレーモン・クノーが書いた歌詞——*‘Si tu t’imagines, fillette, fillette…’*（娘さん、娘さん、あなたがそう思っても……）——は、ロンサールの詩を原典としており、フランス語からフランス語への翻訳と考えることができる。それは、ロバート・ローウェルが明示的に他言語の詩をモデルとして書いた詩集『イミテーションズ』も、翻訳と見なすことができるのと同様であり、しかも両作とも、真に新しい作品となっている。

クノーがロンサールの詩をもとに行ったことは、翻訳なのか、それとも何かべつのことなのかを問うのは、言葉の意味——とくに'translation'という語の意味——を問うことである。そう問うことによってわれわれは、古風で趣のある歴史的、言語的、文化的な裏通りへと通ずる探究を行うことになる。たとえば中世には、'translation'は聖遺物の移転を意味した（ロシア語の перевод は、いまも同じ意味を保持している）。海洋では'translation wave'は、前への動きを伝える波のことであり、法律では'translation'は、財産譲渡を指す。カニの歩き方（フランス語の'*translation latérale*'、つまり横方向への移動）、地上から天界への直行（'the translation of Enoch'（エノクの昇天）（「創世記」に登場する人物エノクは、神への篤い信仰心ゆえに生きたまま天国へ移されたと言われている」）など、ほかにもこの語が用いられる面白いコンテクストには限りがない。著名な言語学者ローマン・ヤーコブソンは、翻訳という語の領域を三つに分類して整理しようとした。彼は、媒体《メディア》間の翻訳（「記号法間翻訳」）を同言語の異なる様態間の翻訳（「言語内翻訳」）と区別し、またこれら両方を「本来の意味での翻訳」——言語間翻訳——と区別した。ヤーコブソンのこの明確化の試みは、実のところ、大きな混乱をもたらしており、これについては本書の終わりまでに取り組まねばならない。

多くの文化的活動には、翻訳と同様、基本的に「前」と「後」から成り立っていると考えられる一般的構造がある。編み物、料理、自動車製造は、何らかの原材料（毛糸玉、食材、または別々に製造された多種の部品）からはじまり、まったく異なるもの（プルオーバー、食事、または自動車）で終わるプロセスを踏む。英語には十分柔軟性があるので、妻が乾燥デュラム小麦を細長い棒状にしたもの数十本をスパゲッティ一皿に翻訳してくれたと言っても——あるいは、わたしはタキシードを着こんで、めかし込んだ紳士に翻訳されたと言っても——重大な誤解を招く恐れはない。英語使用者はとても聡明なので、そのような発言は、翻訳そのものとまったく関係ないことが理解できるのである。

同様に、劇作家が物語テクストを舞台上演のために脚色する際に行うことは、編み物と同じく、翻訳と何の関係もない。べつのメディアに移し替えることを翻訳の一形態と見なすというヤーコブソンの提案は、人を惑わす《レッド・ヘリング》ものであり、なぜ彼がそんなことを思いついたのか、わたしにはよ

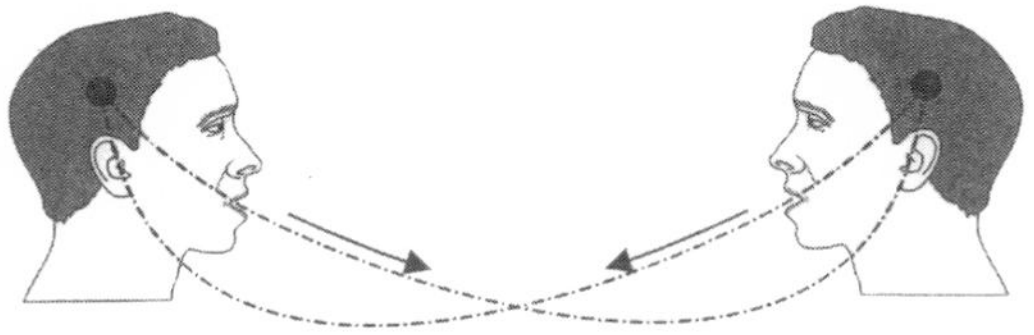

くわからない。ところが、ここ数十年にわたる彼の多くの読者は、そのエサに食いつき、小説そのほかの散文の舞台化や映画化を、翻訳そのものの特定の例と見なしてきたのである。

映画製作には、翻訳者が行ったり使用したりすることとは何の関係もない数多くの技術や知識が求められる。デヴィット・リーンの『ドクトル・ジバゴ』をパステルナークの小説の翻訳と呼ぶのは、映画芸術の独自性を無視するだけでなく、「翻訳」という語を乱雑に使用し、とにかく変容するものなら、編み物も含めて、何でも指すことができるようにしてしまうことでもあるのだ。

すべては翻訳であるというこの考え方の流行は、疑いなく古代思想の伝統——もっと明確に言えば、思想についての古代思想の伝統——の現代的な現れである。もし言葉が適切にものを指す名称としてはじまったとすれば、この世界の目に見えるものの名称ではない多くの語は、心的内容物の名称でなければならないことは、ギリシャ人にとってすら明白であった。それらを概念《アイデア》と呼ぼう。実際には、目に見えるものであっても、語はそれらのうちのどれかを名指すのではなく、それらすべてをひとつの概念の具体例として見ることを可能にするもののみを意味する。かくして「木」は、このオークやあのポプラに固有の名称ではなく、木の概念——実在するすべての木をそのようなものとして認識できるようにする木なるものの心的表象——を指す名前となるのだ。この考え方によれば、あらゆる言語表現が思考の外面的形態となる。われわれが会話のとき行っているのは、上の図のように、翻訳のプロセスを通して心的イメージを伝えることなのだ。

「テレメンテーション」、つまり思考の伝達のあり方を示すこの図は、実はソシュールの『一般言語学講義』から取ったものである。彼はこの本で、抜本的な新機軸を打ち出しているにもかかわらず、言語を思考の衣装と見なす長い伝統をしっかりと受け継いでいる。

この言葉のやり取りの視覚的表現では、実際にはＡとＢが同じ言語を話す必要はない。ＡとＢが両方とも、言語Ｌ１と言語Ｌ２を話すことができるかぎり、なされている発言を理解するプロセス——音声の流れを心的イメージに翻訳し、今度は音声の流れを発して心的イメージを表出し、話の相手がそれを心内で翻訳する一連のプロセス——は、まったく変わらない。図の範囲を拡大して、異なる言語で話しているAとBのあいだを仲介する翻訳者、人物Cを加えても、言語は翻訳されて思考となり、思考は翻訳された言語であるという同じ結論に達する。Cの図を描けば、口と耳と脳のあいだにAやBとまったく同じ伝達経路を示す線が引かれ、ぜんぜん他と変わらないように見えるだろう。翻訳過程を加えても、上記モデルにとって違いはまるでない。なぜなら、このモデルでは、すべてはすでに翻訳であると、すでに表明されているからだ。結果として、ソシュールの『講義』も、またその影響下で行われてきた言語研究の大部分も、言語間の翻訳にはまったく注意を払っていないのである。

何も思考せずに言語を使用できるのかどうか、わたしにはわからない——一見したところでは、考えなしに話す人がひじょうに多いので、できるにちがいない——し、言葉なくして思考ができるのかどうかという終わりなき論争に加わる勇気もない。わたしが自信をもって言えるのは、次のことだけだ——すなわち、すべての発言は心中での思考の翻訳を経たものだという理由で、あらゆる言語使用を翻訳と同一視すれば、言語間の翻訳の実践がどのようなものかを理解する力が、著しく低下してしまうということである。

このような異議を回避するため、一部の学者は、「コード変換《トランスコーディング》」という用語を用いて、作品をひとつのメディアからまったくべつなメディアへと変換することに言及している（たとえば、演劇やミュージカルの映画化。しかし、小説をほかのメディアに変換することがもっとも多い）。これは、さらにいっそう有害な効果をもたらす方策である。というのも、これによって人は、すべての表現を何らかのコードの具体例として見なすことができると考えるようになってしまうからだ。コードは便利で気の利いた用語であるが、開発初期の機械翻訳の受けが悪かったことでもわかる通り、言語の働き方はコードとはまったく異なる。演劇を映画に変換することは、コード化されたメッセージをべつのコードに変換することと何の類似も関係もないのに、それをコード変換と呼ぶのは、コードとはどういう意味か考えないことで成立する比喩的表現を使用することにほかならない[1]。

オックスフォード大学の学寮の評議員たちは、（実際にではないとしても原則的に）境界巡回調査を行う年一回の遠出の際に、国のさまざまな地域に学寮が所有する地所を検分する。これは、境界検分《ビーティング・ザ・バウンズ》と呼ばれ〔英国には古来教区の境界を検分する風習がある〕、まさにわれわれがいま翻訳に関して行ってきたことだ。

翻訳という地所の四方のひとつには、海岸線のように境界がない——潮が満ちては引き、海岸は形を変えるのだ。しかし、ほかの境界ははっきりと定められている。翻訳はどの方向にも広がっていくとはかぎらない。それ自身の領域がもう十分広いのである。

30 砲火を浴びて
——訳文を貶す

翻訳という行為は、つねにその過程で原文とは何かべつのことを言い、べつな言い方をすることで、不可避的に新たな発話を訳者に帰するものとしてしまう。通信社からの配信ニュースを書き換えるジャーナリスト、欧州司法裁判所の裁判官が書いた意見書の言い回しを再調整する法律家翻訳官、プーシキンの作品を英語の韻文や散文に直す作家——これらおよびその他あらゆる種類の翻訳者は、自らの仕事の成果を個人的なやり方でわが物とする。翻訳は、ある程度、原典の横領であらざるをえないのだ。

横領、所有、何かをわが物とすること――これらは情熱の言語に属する言葉だ。とすれば、欲望と、それに当然ついて回る嫉妬や傷心はどうなのか？

西洋の言語で書かれた翻訳に関する多くの論評には、怒りや不快感がはっきりとうかがえるのは、好奇心をそそる事実である。教師、書評家、また理論家すらも、自分以外の翻訳者――出来損ないの翻訳者、「独創性のない」、「機械的な仕事をする」二流の翻訳者――を口癖のように貶める。それもまるで、恋人同士が口喧嘩でぶつけ合うような、さまざまな侮辱的言辞を用いるのだ。あなたの耳はブリキのまがいものよ！　おまえは退屈で、みっともない、下手くそな文章ばかり書くじゃないか！　あんた勝手なマネばかりしているわね！　なんでまたそんな破格の訳が許されると思ってるんだ？　ちょっとあんたねえ、あんたのやってることは、裏切りって言われるの！　知ったかぶりの愚か者！　イカサマ師！　平民！　泥棒！

一六八〇年、ジョン・ドライデンは、オウィディウス著『書簡集』の洞察に富む訳者序文で、ライバルの翻訳者スペンスを誹謗した。「ルキアノスの見事なからかいの言葉と上品で鋭い機知」の代わりに、「ビリングズゲート〔かつてロンドンにあった魚市場〕風の粗野な表現」を用いたというのである[1]。なんと粗野な嘲りだろう！

哲学者のショーペンハウアーは、「自分の母語で陳腐な表現パターンしか使用することのできない」、「知的能力の限られた人たち」を中傷した。彼によれば、「そういう人たちは、その陳腐な表現パターンをあまりにも下手くそに寄せ集めるので、読者は、彼らが自分の述べていることをいかに不十分にしか理解していないか、わかってしまうのだ……そのため、（彼らの翻訳は）無意味なオウムのおしゃべりでしかないのである[2]」。低能ときたか！

「自称翻訳家の主要な問題点のひとつは、その無知さ加減である」と、ウラジーミル・ナボコフは言い放っている。彼が引用する例には、「ひどい」、「信じられないほどの訥弁」、「グロテスクなほど陳腐」などの言葉で紹介されている[3]。

オルテガ・イ・ガセットは、次のように述べているが、これはいわば本章のこれまでの議論ではじめからほぼ一貫して表明されてきた見解の要約である。「これまでなされてきた翻訳は、ほとんどぜんぶお粗末なものである[4]。」だれであれ、ほかの人がもつ技能や仕事についてそのような発言をするのは、信じがたいことのように思える。ちょっと試してみよう。「これまでの消防士は、ほとんど全員役立たずであった」、「これまでなされた数学の証明は、ほとんどぜんぶインチキだった」、「わたしのもの以前に書かれた小説は、ほとんどぜんぶ二流である」、「あなた以前にわたしが出会った女性は、ほとんど感じの悪い人ばかりでした」。これらのセリフはどれも口にしたら、最後のものを例外として、正気を失っていると思われるものばかりだ――例外が認められているのは、愛の発言にはある程度の狂気が許容されるからにすぎない。翻訳者は、自分の仕事生活がちっともセクシーでないのに、自身の仕事について語るのに愛の言葉をもってする。なんと奇妙なことだろう！

しかし、このような状況下では、一般の人たちが翻訳者を高く評価しないことに何の不思議もない。翻訳を論評する人たちは、翻訳者を擁護するどころか、先頭に立って彼らの仕事のほとんどをゴミ捨て場の方に投げ捨てるのだ。

たいていの人は、学校で異言語の授業中に翻訳に出会う。異言語の学習がうまくいったという実感は、突然、頭のなかで翻訳しなくとも異言語が読め、そしてたぶん異言語で考えることさえできるようになった喜ばしい瞬間に訪れる。その時点で、翻訳を顧みなくなってしまう。それは十分に勉強してこなかった人が頼る二流の助け舟でしかなくなるのだ。さらに勉強をつづけ、もっと高いレベルで古典語や異言語を学ぶようになると、翻訳を使うことはほぼタブーとなる。

奇妙なパラドックスなのだが、翻訳をもっとも強烈に誹謗するのは、まさに（少なくとも技術的な意味では）翻訳の能力がいちばん高そうな領域の人たちである。この傾向は、多くの大学で、比較文学の個々の講義に限ってのみ、翻訳を用いた文学教育をしぶしぶ容認する現代語学科の教授たちによって強化されている。もちろん、歴史、英語、哲学、社会学、人類学、さらに数学の学科の同僚たちは、常時、翻訳された著作を用いている。ところが、現代語学科の教員は、まったくそれに気づいていないようなのだ。

翻訳についての論評が、すべて否定的とはかぎらないが、翻訳者の仕事への賛辞に使用できる語彙の数は、きわめて限られている。書評家が、翻訳作品を取り上げ、その訳文について書こうとした場合、本書のほかの章でわれわれが解体しようと試みた俗説や誤った決まり文句をひとつ、あるいはそれ以上もち出したりしなければ、一群のごく少数で標準的な語、たとえば、流暢な、機知に富んだ、きびきびした、的確な、燦爛たる、満足のいく、スタイリッシュな、といった語のうちのどれかを再生利用することになる。これらの語やその準類義語は使いませんよ、という翻訳者への目くばせを見つけるには、膨大な量の書評をくまなくチェックする必要があるだろう。すでに指摘したように、翻訳の質評価基準を打ち立てるのは難しく、そのような評価を言い表すための批評言語を見出すのはさらに難しいことのようだ。

翻訳を言語学習の方策として用いる場合、それを行ったとき知りたいのは、正しくできたかどうかということである。英語圏の社会では、異言語の習得でさらにそれ以上のことをする人はほとんどいないので、翻訳を目の前にしたとき、たいていの人が知りたいと思うことは、学校で知る必要があったことと同じだ。われわれは、子どものとき、「正しさ」をひじょうに高く評価するようしつけられ、教師たちは競争心を利用して、子どもたちがその価値観を自分のものとする教育を行った。間違うことは恥ずべきことであり、正解を得たいという欲求は、長いあいだわれわれのうちにとどまる。正解は自負心やほかの多くの感情にとって注目の的となり、それへの欲求はしばしば情熱的に保持される。一般読者が訳文について「でも、それって正しいですか？」と尋ねるとき、ほとんど道徳的な重みをもつ問いが暗になされているのである。しかし、これは誤った問いだ。このような問いを完全に放棄できれば、翻訳の論評をかくも毒舌罵倒の飛び交う場にしている感情の多くは和らげられ、たぶんいつの日か消滅することだろう。

翻訳は、学校の小テストや銀行の取引明細書のように、正しいとか間違っているとかいうことはありえない。翻訳は、テストや明細書よりも、油絵の肖像画のほうに似ている。画家は、真珠の耳飾りや頬に余分な赤みを描き加えたり、もみあげの白髪を描かなかったりするかもしれない——が、それでも優れた肖像画を仕上げることがある。肖像画が重要なもの——目の独特の表情ばかりでなく、体つき全体——を表現していることを、なぜ鑑賞者は認めることができるのかという問題に答えるのは難しい。われわれに備わっている、視覚的な領域でうまく合致するものを認識する神秘的な能力は、ある訳文を優れていると判断するのに必要なものと近い関係にある。しかし、翻訳の読者は、肖像画家のモデルの友人たちとは異なり、モデルつまり原作にじかに親しんでいるわけではない（もし親しんでいたら、翻訳はまず必要ないだろう）。おそらくだからこそ、翻訳はあのように激しい反応を引き起こすのかもしれない。翻訳者を信用する以外に選択肢はないのだ。話し言葉や書き言葉の翻訳となると、人は人を信用しなくなる。その理由はいまやかなり明らかになったと願いたい。

31 同一性、類似性、合致
――翻訳に関する真実

異なる自然言語で書き直された発話が、原典の翻訳と見なされるためには、同じ情報を伝え、同じ意味を有していなければならない。それは、原典では述べられていない情報を（テクスト内に書き込んだり、注に加えたりして）明示的にすることがあるし、また、これはさほど頻繁ではないが、原典では重要視されている情報で、翻訳のターゲット読者のあいだでは広くよく知られており、同じ重要性をもたないと判断されるものを省くこともある。しかし、このような許容範囲内の方便はあっても、原典との情報および意味における同一性は、翻訳者の技にとって広範に尊重されている規範となっている。

これらのみが、原則として他言語で言い直しても保存できる発話の特性ではないということは、覚えておく価値がある。たとえば英語とフランス語間のテクストの翻訳を行ったとき、コンマとピリオドのパターンを正確に再現するのは難しくないが、だれもわざわざそんなことはしないというだけのことだ。（かつてわたしは、句読法が自分のスタイルと不可分の特徴だと主張する作家と短期間いっしょに仕事をしたことがあるが、その主張は、この男はちょっと狂っているというわたしの第一印象を強めただけだった。）時間にたっぷり余裕のある有能な翻訳者なら、おそらく段落、文、行ごとに原典と同じ語数や文字数の訳ができるだろうが、そのような同一性は、翻訳者の仕事にとって重要とは考えられていない。[1] そしてまた、同一性の規範は、原典における文字の選択や配置にも及ぶことはない――ただし、ダグラス・ホフスタッターがフランソワーズ・サガンの小説、'*La Chamade*'（『降伏の合図』〔邦訳題名『熱い恋』〕）のタイトルを'*That Mad Ache*'（『激痛』）としたような例外はある〔'mad ache'は'chamade'のアナグラム〕。詩や歌詞の翻訳では、行ごとに音節の数が同一であることが制約として受け入れられることがあり、続き漫画のセリフや説明文、道路標識、博物館や展覧会のキャプションでは、そこに入れられる言葉や文の長さがほぼ同一であることが要件となっている。しかし、これらはすべて例外的なケースと見なされている。これら以外ではいたるところで、同一性が要求されるのは、情報と意味のレベルにとどまっているのだ。

通訳では、声の調子、高低、顔や手の動き、足の踏み方は、話されたことの理解の仕方について重大な手がかりを与えてくれるにもかかわらず、あっさりと捨て去られている。

口頭や文章による発話のほかの多くの次元やレベルの全体で、翻訳の基準は、同一であることではなく、類似していることにある。

AはCの点から見た場合にのみBに似ている。これは、あるものを何かほかのものと比較するとき、比較する行為は、AでもBでもない第三項に基礎を置いているということを言い表している。どういう点で魚スープ《スープ・ド・ポワソン》とチャウダーは似ているのか？　比較の基準《コンパレーター》となるもの（旧修辞学の用語では'*tertium comparationis*'、つまり「比較の第三項」）は、スープであったり（しかし、これは類似性が不十分だろう）、海産物であったり（両方とも魚を材料としたスープであるので、こっちのほうがマシ)、熱い状態で食べる料理であるという事実であったり、棚の上に両方の缶詰が置かれているという事実であったり、さまざまにありうる。魚スープとチャウダーの「類似」の仕方は可変的であり、その価値は、所与のコンテクストで使用されているか含意されている比較の基準《コンパレーター》によって異なる。

　類似性が翻訳の重要な基準となる発話の次元は、多種多様である。使用域《レジスター》、語調、リズム、スタイル、ウィットは、テクスト自体の外にあるものの点から見た場合にのみ、互いに似ていると言える。たとえば、英語で弱強五歩格の詩をつくるのは、ラシーヌが十二音節の詩行を書くことに似ていると判断すれば、それはその類似の根拠を、ふたつの異なる環境でそれら詩形がもつ社会的・文化的重要性に置いている。英語とフランス語の韻文では、それらはもっとも一般的な、もっとも頻繁に使用される形式であり、その点で互いに似ているのだ。しかし、ほかのどの点でも似ていない。一方、フランス語の韻文を十二音節詩行で英訳しても、十二という数に関してのみ原文と似るが、言葉の基本的リズムという点ではまったく似ていない。英語は強勢拍リズムの言語であり、フランス語はそうではないからだ。

　どの次元を類似関係で結ぶか選択し、どの程度その類似性を目につくようにするかを決定することによって、翻訳は、つなぎ合わさり重なり合う原典の諸特徴を階層化する。訳文はつねに、少なくともその程度には原作の解釈を提示する。このことは、実際的な制約が比較的少ない文学的テクストでは明白だが、言語間の翻訳行為すべてにおいて、同じ基本的な状況が観察される。

　問題の核心は、次のようにまとめられる。翻訳が原典の情報と意味全体を伝えているとしたら、どのような点で、その様式やスタイルやトーンは、原文のそれらの要素と類似していると言えるのだろうか？

　ジョルジュ・ペレックは、実にさまざまなスタイルで小説を書いたが、彼の全文章の特徴のひとつは、大事な情報を最後のギリギリまで明かさないということで、読者はその時点まで自分が文あるいは段落——あるいは小説全体でさえ——の重要な意味を理解していなかったことに気づかされるのだ。文や段落のレベルでこれを行うなら、フランス語のほうが、概して新しい情報をそれとは違うやり方で伝える英語の文学的散文よりも容易である。それにもかかわらず、わたしは悪評の高い英語の文構造の柔軟性につけ込んで、かなり無理な訳し方をし、できるかぎりペレックの「情報告知の遅延」の技法を尊重した。そのような翻訳の仕方をしたという事実そのものによって、わたしはペレックのスタイルに関するひとつの解釈を提示しているわけだが、わたしの文章と彼の文章の類似性となると、焦点がきつく合わされ、脆弱なものとなっている。わたしは、ペレックのフランス語の扱い方よりも野放図に英語を扱っており、わたしの訳文は、言語的規範という点で、ペレックの原文とはぜんぜん「似て」いないのである。

どんな翻訳も原作と同じではなく、また、どんな翻訳も、選ばれた少数のやり方を超えて原作と類似することを期待することはできない。どの次元が選ばれるかは、受け手側の文化の慣例、関係する分野の特質、あるいは翻訳の依頼主の気まぐれにすら左右される。しかし、どんな発話も多元的かつ多面的なものであるため、翻訳者は選ぶ余地がなくて困るということはけっしてない。逆に言えば、どんな社会的、実際的、言語的、ジャンル的な制約も、翻訳の仕方を完全に決定することはけっしてないのである。

主旨や意味が同じであり、さらにほかの限られた点で原作に似ているように見えるならば、それはぴったり合う訳、合致している訳となる。翻訳者は、ある特別な種類の仲介人《マッチメーカー》なのだ。それは内容と形式の一致《マリッジ》のように単純なものではない。われわれは、まさに容貌と肖像画のあいだに合致を見出すときのように、種々の次元や特質に基づいて、翻訳がなされたかどうかを判断するのである。

われわれは、これまでわたしが「同じ」、「似ている」、「合致している」と呼んできた、それぞれ別個だが、一部重なり合う関係を認識し、それを巧みに扱う能力を備えている。この能力を、子ども向けパズル本は利用しているし、心理学者は研究している。

翻訳者・通訳者は、異言語でなされる文章表現や口頭表現という特定の分野でその能力を行使する。すべての翻訳者がこの仕事に熟達しているわけではないし、もっとも適切に合致している訳が見つかるまで待てる時間や余裕をもつ翻訳者も多くはない。しかしわれわれが、ある訳文について容認可能であると言うとき、そこに見出しているのは、起点言語と目標言語のあいだに存在するある関係全体であって、それは同一性でも等価性でも類似性でもなく――まさに適切な合致という複合的なものなのである。

これが翻訳に関する真実である。

32 アバター
——翻訳をめぐる寓話

最近、わたしは翻訳についてもっと学ぼうと、インドに滞在した。ある午後、休みを取って、映画を見に行き、これまででもっとも高額な製作費がかかったと思われる映画を色あせたフィルムで見た。わたしは、その映画『アバター』が翻訳をめぐる寓話であることに気づき、驚きと喜びを覚えた。そういうわけで、わたしは本書の末尾でこれについて語ることにしたのである。

ジェームズ・キャメロン監督のこのSFファンタジーで、舞台となるのは惑星パンドラだ。主人公は人間であるが、実験室の科学技術によって——身長九フィート〔約二メートル七四センチ〕、把握力のある尾と驚くべきスカイダイビング技術をもつ——べつの存在に変身する。彼の任務は、巨大採鉱会社といざこざを起こしている同じ容姿をした獣たちの社会に入り込み、自分の監督者に彼ら現住民を追い出すのに必要な情報を伝えることにある。彼は印象的な新しい容姿の下で、内面はなおも人間である。

しかし、いまや外見上パンドラ人になったわけだから、主人公はほかの点でもパンドラ人になっていく。彼はいわば現地化し、自分を一員として受け入れてくれたコミュニティに忠義を尽くすようになる。現地の惑星のこれら一風変わった生き物は、これまで営んできた暮らしを守り、自分自身でありつづけるために戦っている。われらのヒーローは、彼らのもつ、他とは違う存在である権利をわがものとするのである。

しかし、違いに対する尊重は、この映画では明らかに人間的価値の表現だとされている。とすると、われらのヒーローは、彼らの一員なのか、それとも心底はわれわれの一員なのか？　採掘会社が人類の向かう方向を示しているのか——それとも会社の邪魔となる厄介な獣たちが、われわれの希望と精神の真の具現化なのか？

映画は結末でかならずしもこの問いに答えてはいない。次の問いは翻訳に関するものであり、これもやはり未解決のままにしておかなければならない。すなわち、何らかの発話に大幅に変更を加え、変形させたもの——それは九フィートの長さの尾に相当する言語表現を時には含む——が、どのようにしてある基本的なレベルでなおも元のままでありつづけることができるのだろうか？

キャメロンのファンタジーと同様、翻訳の実践は、ふたつの前提に基礎を置いている。ひとつは、われわれはみな違っているということだ。われわれは違う言語を話し、自分の話す言語独特の特徴に深い影響をうけ、その枠組みを通して世界を見る。もうひとつは、われわれはみな同じで——同じ幅広い種類や限られた種類の感情、情報、見解などを共有できるという前提である。これらふたつの仮定がなければ、翻訳は存在しえないだろう。

そして、われわれが社会生活と呼びたいと思うものもまた、いっさい存在しえないだろう。

翻訳とは、人間の条件の別名なのだ。

おしゃべりの後《アフター・バブル》に
――エピローグに代えて

ほとんどの知的分野で、旧約聖書中の物語は、もはや思想の発想源や道具として使用されてはいない。翻訳研究は例外だ。この分野の学者や評論家は、聖書で語られる言語の多様性の起源に関する話に法外に思われるほど注目しつづけている[1]。その時間が有効に費やされているかどうかは、けっして明らかではない。

バベルの塔は、「創世記」第十一章で語られる物語に基づいている。その第一節では、はじめ「世界中は同じ言葉を使って、同じように話していた」と述べられている。これはあまり信用の置ける話ではない。人間の言語行動についてわれわれが知っていることや観察できることで、かつてたったひとつの言語形式しかなかったという可能性を示唆するものはいっさい存在しないのだ。

聖書の当該の章の残り、「創世記」十一章の二節から九節までは、ユダヤ民族の祖先たちが、どのようにして仮想上の単一言語状態から、彼らが生きていた約三、四千年前の世界を明確に特徴づける多言語状態へと移行したのかが説明されている。

膨大にあるバベルの塔注解の伝統では、「創世記」で語られているこの物語をめぐって、宗教的、哲学的、歴史的、文化的、考古学的、言語学的な思索がなされている。この物語には、歴史的な出来事の痕跡が含まれているのだろうか？　それとも、いっそ現在の状況、あるいは大昔の状況が生じた原因を説明するためにつくられた寓話として読むべきなのだろうか？　本書の目的から言って、現在は（イラクの）バービルと呼ばれる地域の近くに、アッシリアの神マルドゥクを祀っていたジッグラト〔ピラミッド形神殿〕が本当にあったのかどうか、そこをヘロドトスが訪れたのかどうか、それがいつ倒壊したのかは、重要なことではない。言語と翻訳を理解するためには、聖書のこの物語がシュメールのある叙事詩にある「ヌディンムドの呪文」〔バベルの塔と類似した内容が見られる〕と関連づけられるのかどうか、あるいはどのように関連づけられるのかは、重要なことではない。また、バベルの塔をめぐる注解のうち、多言語状態を恐ろしい混乱と見る立場（圧倒的多数派）、希望の光と主張する立場、ひじょうに望ましいと論ずる少数派の立場のどれを選ぼうと、重要なことではない(2)。

　重要なのは、問題の第一節を信じて、人間の言語の起源を想像するほかの見方に心を閉ざしてしまうかどうかだ。皮肉屋なら、それこそまさに宗教的テキストの本来の役目だと言うところかもしれない。しかし、翻訳は信仰の問題ではない。それよりもずっと面白いものだ。

　もともと人間はひとつの共通語を話していたという想定は、相互理解性が言語そのものの理想的ないしは本質的な状態であることを意味していると見なされてきた。このように想定すれば、翻訳は、理想にはほど遠い現状に対処するために目論まれた代償的方策でしかない。このように想定されれば、たとえすべての点でなくとも、いくつかの点で、われわれがもっている言語よりも優れた言語を考案しようとする、これまでなされてきた多くの試みが、間接的ではあるが、それでもしっかりと認可されることになる(3)。

　バベルの塔という問題含みの物語は、十九世紀と二十世紀の歴史言語学者たちの学術研究から、意図的ではなくとも暗黙の支持と根拠を与えられた。彼らは言語を「語族《ファミリーズ》」に分類し、親縁関係にある諸言語の源と仮定される祖語、および各言語による祖語の遺産の受け継ぎ方の諸規則を再構築しようとした。サンスクリット語、ギリシャ語、ラテン語、古代ペルシャ語のあいだに語族としての類似性が発見されたことによって、インド北部と大西洋のあいだで話されるさまざまな言語全体の単一の源に向かって、過去への新たな展望が開かれたのである。

　言語学のこのような刺激的な進歩のおかげで、近代の諸言語が派生した歴史的過程を、いわば時間という山腹を流れ、小川やもっと大きい川へと枝分かれする水流として、容易に理解できるようになった。いまや到達不能となった丘の頂上には、たったひとつの源があったにちがいない――インド北部の諸言語を西洋の諸言語につなぐ大語族の源であるインド・ヨーロッパ祖語だ。さらにもっと高いところには、インド・ヨーロッパ語族、およびその他のヨーロッパやアジアの言語グループの祖先とされるノストラティック大語族の祖語があり、またそれよりも高いところに、バベルの塔以前の言語で、原初の単一の人類語である「世界祖語」があるのだ。

ある人たちは、ダーウィンの進化論から借りた眼鏡を通して、言語の変化と多様化の基本的な意味を理解していた。彼らにとって、単細胞の生命体から堂々たる身体をもつ人類へと複雑さが増す過程は、狩猟採集民の粗削りな話しぶりからアカデミー・フランセーズの洗練された話し方に至るまでの「言語の進化」の理解に役立つモデルにほかならなかった。またある人たちは、言語変化を、古代の言語のもつ秩序と玄義から、今日街で耳にされる言葉の多様性がもたらす混乱への絶えざる下降として見ていた。しかし、これらの学術的な（しばしば学校の先生的な）見解の背後には、ほとんど疑われることのないひとつの前提が潜んでいる――すなわち、すべての言語は、原初には同じものであったのだから、根本的には同じ種類のものだという前提である。だが実際は、その反対を示すかなり確かな証拠があるのだ。バベルの塔の物語は、はじめ言語はひとつだったと言っているかもしれない――が、それが明示しているのは、紀元前の三千年紀あるいは二千年紀の一民族にとって、言語の多様性が厳然たる人生の現実であったということである。

しかしわれわれは、たとえすべての言語が同じ種類のものの具体例であるという主張を受け入れたとしても、次のように問わなければならない。それらの言語は、どういう点で同じといえるのか？　この問いに対する二十世紀で最も影響力のある答えは、それは文法である、というものであった。

文法をすべての人間言語に共通する特性とする考え方は、仮説のように思える――つまり、データに照らし合わせて検証し、放棄するか、改良することができるものである。ところが、これは実際にはそのような使い方をあまりされてこなかった。典型的には、「文法性の仮説」は公理として、循環論法の土台をなす基本原理として使用されるのだ。この公理で、動物や機械の信号システムはなぜ言語ではないのかが、「理解される」。交通信号灯や犬の吠え声は、識別可能な組み合わせ規則か、それとも新しい組み合わせを生み出す力か、そのどちらかをもたないように見えるので、それらは文法を有していない。ところで、すべての言語は文法を有して、はじめて言語と見なされる。したがって、犬の吠え声と交通信号は言語ではない。以上、証明終わり。

文法性の公理に基づけば、同様の循環論法で、人が発する、名詞、動詞、ピリオドにきちんと分解されない音声のノイズ——ウーン、フム、絶叫、クスクス笑い、むにゃむにゃ、口ごもり、叫び声、感嘆の声、さらにまた省略、たわ言、がらがら声、おやまあ、赤ちゃん言葉、睦言など——が言語研究の端まで押しやられてしまうのである。

　音声の「非文法的」かつ「非言語的」な使用法すべてを除外しても、現に使われている言語の文法が規制する対象の流動性と広がりを見れば、文法こそすべての言語に共通しているものだと言うことが、何を意味するのかを理解するのはひじょうに困難となる。このことから不可避的に次の問いが誘発される。すべての文法に共通しているものとはいったい何か?

　人間の発話のすべての形態に共通する既存の文法範疇を見つけるのは難しい。多くの言語は、‘a’や‘the’のような限定詞なしですませている（たとえば、ロシア語や中国語）。多くの言語は、性の区分けなしでやっている（フィンランド語は、「彼」と「彼女」と「それ」の区別をしない）。世界の多数のメジャー言語やマイナー言語は、数を表す記号をつけない（ここでも中国語を例にとると、両数形や複数形を示す特別な語形をもっていない）。形容詞が必要ないことは、かなり明らかだ。英語ですら、何か赤いものを呼びたい場合、‘tomato’（トマト）や‘beetroot’（火炎菜）を使うことができる。また、接頭辞を用いれば、英語の‘*minibus*’（小型バス）やフランス語の‘*hypermarché*’（大型スーパーマーケット）のように、同一物の大小を区別することができる。接尾辞の場合も、イタリア語（‘*omaccione*’、「大男」）、ラテン語（‘*homunculus*’、「小男」）、ロシア語（‘левчик’、「小さなライオン」）で同様の働きをする。アルゼンチンの才人ホルヘ・ルイス・ボルヘスは、名詞のない言語——動詞や副詞ですべてを表現するのに十分である言語——を考えついた。‘It moons bluely’（青く月している）と言うだけで、空に青みをおびた月が出ていることをちゃんと指示できるのだ。相《アスペクト》〔動詞の表す行為の様態のことで、英語は進行相と完了相の文法形式をもつ〕は、いくつかの言語（たとえばロシア語）で厳密に文法化されているにすぎない。時制は、それをもつ言語でさえ、明らかに冗長である。‘I go to Paris tomorrow’（わたしは明日パリに行く）〔話題は未来のことだが、動詞は現在形〕が完全に適正な英語であるのは、‘*Napoléon entre dans Moscou en août 1812*’（ナポレオンは一八一二年八月にモスクワに入った）〔話題は過去のことだが、動詞は現在形〕が標準フランス語であるのと同様だ。時が明確に言い表されているので（‘tomorrow’、‘1812’）、それを文法的に表示するのは不要となっているのだ。証拠性を表す文法形式は一部の言語しかもたない。ひじょうに多くの言語が前置詞をもたず、ほかの多くの言語は膠着法〔接辞や助詞などで文法関係を表す言語形式〕をもたない。格《ケース》〔文中で名詞、代名詞などがもつ他の語との関係で、主格、所有格等がある〕という概念は、英語にはほとんどなく（いまも'he'と'him'、'she'と'her'のあいだに立てられる区別に存続している――が、その程度である）、中国語にはまったくない。

このような例はいくらでも挙げることができる。法《ムード》〔叙述内容に対する話者の心的態度を表す動詞の語形変化で、直説法、接続法、条件法等がある〕は、英文法の一環をなしていない（われわれは、話者の心的態度を示す別個の語、*'may'*, *'should'*, *'ought'*などを用いる）が、アルバニア語には、感嘆をはじめとする、あらゆる種類の感情的傾向を示す一群の精緻な表現方法が備わっている。母音調和〔ひとつの語形内の母音間に見られる調音的統制の現象〕は、ハンガリー語の基本的な特徴だ。映画に行った場合、*'a moziba'*と言うが、レストランに行った場合は、*'az étterembe'*と言う。なぜなら、前者の'o'と'i'の母音は、それらと適合する*'ba'*という接尾辞を必要とし、後者の'é'と'e'の母音は、*'be'*という接尾辞を必要とするからである。世界の圧倒的多数の言語では、このような現象は起こらない。

すべての文法が共有するもの――普遍文法――の探求は、長いあいだつづけられており、文法学者たちは、聖杯伝説の騎士に負けないくらい探索の旅を行ってきた[4]。しかし、あるレベルから見れば、答えは明白である。なぜなら、それは定義に関わるからだ。すなわち、すべての文法は、自由形態素〔意味をもつ最小言語単位で、単独で一語になるもの〕を組み合わせて、容認可能な文をつくる方法を規定するのだ。

この答えの難点は明らかだ。「文」は、そもそも文法的な概念である。文であることは、目につく、自然な発話行為の特性ではない。ピリオドをどこで打っていいのか困るのは、マラルメの詩にかぎったことではない。子どもたちが話しているところを聞いてもらいたい。彼らが文をきちんと終わらせることは、けっしてないのだ。

確かにどんな人間言語でも文をつくることはできる。しかし、われわれの実際の発話のほとんどが、文法的に正しい文でなされているとは思えないのも確かである。もちろん、作文するときは、たいてい一文ずつきちんと書こうとする。しかし、いつもそうとはかぎらない。

文法性の公理――言語が言語になるのは文法をもっているからだという考え方――のふたつ目の主要な問題点は、現在使われているどの言語についても、その言語の話者によって使用される（文を含めた）すべての表現を完全に説明する文法は、いまのところ現れてはいないということだ。「英語の文法」は――あるいはほかのどの言語の文法も――まだ完成はしておらず、これからもずっと進行中の未完成品にとどまるだろうと言っても過言ではない。

もし航空力学や確率論にこれほど重大な欠陥があれば、ライト兄弟の飛行機は離陸できず、イギリスの国営宝くじは芸術に融資することもできなかっただろう。

文法を中核とする言語理論のアキレスのかかとは、次のように言い表すことができる。普遍文法は相変わらず構築困難で、しかもどれかたったひとつの言語の網羅的文法すら、いまだに出来上がっていない以上、地球上のすべての言語使用者は、文法が知らない何かを知っているはずなのである。

だから、聖書の物語と学校で習った知識は脇にどけておこう。また、言語だと認められる、あらゆる人間行動形式には、すべての言語が共通してもっている何かがあると想像してみよう。それは何か？　どういうわけで人間が発するある一群の音声が明確に言語として識別されるのだろうか？

これは大問題であり、どこから取りかかればいいのかよくわからない。しかし、どんな前提もなしにはじめてみよう。まず簡単に観察できることのうちのひとつは、手と関係がある。

世界には、手の動きを伴わずに声に出して話される言語は存在しない。実際、いま行っているスピーチに集中しようとすればするほど、話者はますます手を動かさなければならない。ルクセンブルクやジュネーヴで、ガラスの仕切りの後ろで仕事をしている会議通訳者たちを観察すればわかる。だれもまったく見ていないはずなのに、彼らはみな――ドイツ語を話していようと、エストニア語、アラビア語、あるいはオランダ語を話していようと――ひたすら全速力で通訳をつづけるために、激しく身ぶり手ぶりをしている。手の動きは、自然な発話の根深い、無意識の部分をなし、両者は不可分な関係にあるのだ。

したがって、自然な発話は、部分的だが不可避的に手を使う活動であるという、信頼度の高い、繰り返し可能な観察から、われわれははじめることができる。[5] ひとつ明らかな例外があるが、これは逆に手を使うという規則の存在を証明する。ほとんどの言語文化圏で、ニュースを読み上げるテレビ・アナウンサーは、けっして身ぶり手ぶりはせず、手はデスクの上か下に置いたままか、それとも自分の前の原稿を移し替えるためだけに動かすかである。それは、彼らが視聴者に話しかけるふりをしているだけだからだ。彼らが実際にやっているのは、テレプロンプターの画面に表示される原稿を読み上げることなのだ。同様に、手を動かす講演者は、ほぼ間違いなく即興的に喋っている——自然な発話形式で本当に聴衆に話しかけているのである。用意した講演原稿を音読する人は、特徴的なことに、両手を自分の脇に当てたままにするか、机の上に置く。話すことは、原稿を声に出して読み上げることと同じではないのだ。

逆に、非言語的でコツを要する指先仕事をすると、たいてい唇もいっしょに動いてしまう。だれかが針に糸を通すところを見たことがあるだろうか？　口をすぼめたりゆがめたりしないで、これができる人はほとんどいない。

どういうわけで手と口はつながっているのか？　両者のつながりがもっとも明白に見られるのは、物を食べるときだ。人間の手は——ほかの多くの霊長類の場合もそうであるように——食べ物を口に運ぶために使用されるが、口は話すための器官でもある。

食べることと話すことは、ふたつの別個の行為であるが、多くの共通点がある。どちらも手と口を必要とする。また、ほとんど同じ筋肉を使う。同時に両方やろうとすると無作法と見なされるのは、ひょっとするとそのためかもしれない。筋肉をコントロールする力がまだ十分に発達していない幼児や小児にとって、それはきわめて危険なことでもある。

この観点から言えば、話すことは、最重要機能が生存を確保することにある器官の寄生的な使用法と見ることができる。しかし話すことが、このように唇と舌と、また呼吸や嚥下をコントロールする筋肉との驚嘆すべき、新たに追加された使用法であるとすれば、その本来の機能とは、どのようなものだったのだろうか？　それは、手や腕のほかの使用法とどのように相互関連していたのだろうか？

手や腕を使ったコミュニケーションがもつ意味は、さまざまな文化やコミュニティのあいだでかなり違いがあるが、世界の言語のあいだの途方もないほど広範にわたる発音、語彙、文法構造上の違いほど大きくはないと言ってよい。背中を軽くたたく、肩をすくめる、腹にパンチを食らわすことは、世界じゅうでまったく同じ意味をもつわけではないにしても、わたしが発するどんな言葉や音声よりも、はるかに意味が伝わりやすい。助けを求める叫び声、ドッと起こる笑い、痛みによる悲鳴でさえ、異なる言語文化のあいだでは、腕に触れることよりも、相互理解がしにくいのだ。

しかし、分節言語〔音の単位や意味の単位の区切りをもつ言語〕は、われわれの祖先のひとつの集団ないしは多数の集団のなかにいつどのように生まれてきたにせよ、手の使用とは根本的に異なるコミュニケーションの経路《チャネル》をもたらした。それは、その時点で利用可能なほかの伝達手段よりも、はるかに意味が伝わりにくいものだった。これこそ、言語が広まった理由である可能性が高い。

生活のさまざまな領域で、あるものが何のために発明されたのかということと、それでもって実際には何がなされているかということのあいだには、必然的な相互関係がないことをわれわれは十分承知している。傘は雨に濡れないことを目的につくられたのだろうが、そのような道具が、ある名高い事件では、反体制派の人間をウォータールー橋で暗殺するために用いられた〔一九七八年のブルガリア出身亡命作家ゲオルギー・マルコフ暗殺事件のこと〕。マッチ棒は、どこでも安価に火がつけられるようにという願いがあってこそできたものだが、きわめて重宝な爪楊枝にもなる。ものは、何の「ために」あるのかということと、何をするために使用されうるのかということを、混同してはならない。これまでの言語と翻訳の真摯な考察が、この基本ルールをほとんど守ってこなかったというのは、とても奇妙なことだ。

言語は多様であるという明白な事実を見れば、どうやら言葉がほかの人間集団のメンバーとコミュニケーションを取るために生まれたのではないらしいことがはっきりと理解される。もし言語がそのためのものであったとすれば、われわれの祖先はひどい間違いをしでかしたのだ。ただちに言語など捨ててしまうべきであった。

同様に、はじめて言語が生まれたのは、同じ集団内のメンバーが互いにコミュニケーションを取り合うためだったと考える特別な理由もない。彼らはすでに――手、腕、体、顔を用いて――コミュニケーションを行っていたのだ。明らかに、多くの種の動物がそうしている。これは動物園で観察できる。

「コミュニケーション」とは、自分たちが話したり、書いたりするとき行っていることだと、われわれは考えている。そう思う主な理由は、それが学校で教わってきたことだからだ。しかし、ヒト科動物園の見物人として、ヒトが「言語的に行動する」ところを熟視し、耳を傾けるとき、われわれの目や耳に入ってくるのは、それとはまったく異なる。

微笑んだり、撫でたり、口をとがらせたり、パンチを食らわせたりするような、ほかの口や手の使い方と同様、音声を発することは――たとえば、相互援助のため、地位確立のため、敵意表明のため――何らかの形で互いに繋がることを必要とするか、希望する人たちのあいだの関係を打ち立てる。こうした観点から見れば、小児用ベッドに寝ている赤ん坊に優しくささやきかけるベビーシッターは、「おはようございます、先生《グッド・モーニング・サー》」の最後の音節を上昇調にしてわたしに挨拶する覇気に富んだ学生と同じ一般的な種類の言語行為を行っているのである。これらの行為がコミュニケーション的であるならば、コミュニケーションをAからBへの心的内容物の伝達としてではなく（まして「情報」の伝達としてではなく）、直接的な個人間の関係の確立、強化、修正として再定義しなければならない。しかし、それはコミュニケーションではない、それは言語だと言ったほうがいいだろう。言語とは、ほかの人間と関わる人間的な方法だからだ。

　比較的大きい霊長類動物では、このような機能は、多くの研究がなされているグルーミング〔毛づくろい〕という習慣的行為に見られる。グルーミングは、母親と子ども間の愛情を育て、オスたちを序列（「上下関係《ペッキング・オーダー》」）で結びつけ、交尾前のオスとメス間の情緒的関係を確立し、そして一般的に言って、共棲する動物たちの家族や群れ全体を結束させる。しかし、これは時間のかかるやり方だ。個体数の増加には、たぶんグルーミングがもはや目的を達することができなくなる段階がある。ロビン・ダンバーによると、グルーミングを基にした群れは、どうやらメンバーの個体数がおよそ五十五を超えると分裂してしまうらしい。分裂すれば、異なる群れのメンバー間のグルーミングは不可能になる。元々の群れか、新しい群れに属するしかない。チンパンジーは、「自分の仲間」ではないチンパンジーの体毛からノミを取ることはないのである。(6)

　霊長類のこのような社会構築のあり方と、人間の実際の話し方とのあいだには、驚くべき一致がある。分節言語を用いて、集団の規模は大幅に拡大できるが、無限ではない。どんな人にとっても、その話し方は、地域、区域、いやもしかすると街区によって、また確実に氏族や家族によって限定される、特定のコミュニティのメンバーとしてのアイデンティティを構成する要素である。いわゆる方言のヴァリエーションは、言語の多様性のまさにもうひとつの側面であり、チンパンジーのグルーミングの習慣と同様の構造化機能を果たしている。言語に関するこのような幅広い理解を一言で表現するとこうなる。すなわち、言語とは民族性《エスニシティ》である。

　この意味での民族性は、血統、遺伝、人種、血液型、あるいはDNAとは何の関係もない。それは、ひとつの社会集団が、自らをどのように組成し、識別するかということを意味するのだ。イギリス諸島の住民が用いている、人を困惑させるほどの言葉遣いの多様性は、人びとの話し方が、どの集団に自分が帰属するかをきめ細かく表示する機能をもつことを見事に立証している。さまざまな方言が、エセックス、ノーフォーク、ヨークシャー三行政区画、ティーズサイド、エディンバラ、アバディーン、オークニー諸島、シェトランド、ルーイス、グラスゴー、リバプール、マンチェスター、バーミンガム、北ウェールズ、南ウェールズ、サマセット、シリー諸島、ソレント、ケントを本拠地とするコミュニティへの所属を示すために使われており、加えて、現在では河口域英語と呼ばれるロンドン言葉は、話者がテムズ川の濁った流れの北岸の住民か、それとも南岸の住民かによってふたつに分けることができる。さらに、特定の音韻組織が、これらの地域的特徴に重なるか、あるいは混ざり合い、それによって話者は、富と特権を表す「メイフェア語」〔ロンドンの高級住宅地域の名前に由来する造語〕から、私立学校（パブリックスクールと呼ばれる）、公立学校（グラマースクールと呼ばれる）、その他の学校で教育を受けた人たちの、関連するが同一ではない話し方まで、イギリス社会の上下関係のなかに位置づけられる。もちろん、級友からではなく、BBCから話し方を学び（わたしの場合、そうだったにちがいないと思う）、それによって（文化的な）権威をもつ方言としての「教養ある話し方」という考え方に執着することになる人もいる。イギリスでは、口を開けばだれもが自分の出身地と属する階級を表明してしまうという事実から、とうてい逃れることはできないのだ。

ミュージカルの『マイ・フェア・レディ』は、G・B・ショーの舞台劇『ピグマリオン』を基にしたもの——この劇自体がはるか昔の古代神話を題材にした作品——だが、そのなかでヒギンズ教授が、「ああ！　イギリス人はなぜ子どもたちに話し方を教えられないのか？」と問いかける場面がある。われわれは次のように答えるべきだろう。おや、ヒギンズ先生、ちゃんと教えていますよ。イギリス人の親は子どもに、自分がタイン川沿岸地方出身者か、アバディーン出身者か、イートン校卒業生か、クラパム〔ロンドン南部の地域〕のバスに乗っている若者か、モーニングサイド〔エディンバラの住宅地区で、気取った話し方で知られる〕出身の女性か、それともニューキー〔イングランド南西部の海浜保養地〕の漁師なのかを表明するようにしつけを行っているのです。あなたがイギリス人であれば、気づかないわけにはいきません。英語は、出版物における世界的な中間言語としての役割に加えて、話し方の面で——他の言語と同様——自分は何者であるかを人に告げる、きわめて風変わりな方法なのです。

　これは、あらゆる様式の人間の話し方が共有しているものであり、ひょっとしたら言語に関して真に普遍的な唯一の特質かもしれない。すべての言語は、話者がだれか、どこの出身か、何に属しているかを聞き手に伝える。言語の多様性とは、相互理解が可能な範囲内でのさまざまな話し方のあいだに見られる微妙な言葉遣いの差異を含めて、この原初的な社会的機能が遂行されるメカニズムなのである。

　話し方の差異化機能は、これだけにとどまらない。同じ地域の方言を話していても、まったく同じ話し方の人はふたりといない。わたしの義理の母は電話をかけてくると、まず口にすることと言えば、「もしもし《アロー!》、あたしだよ《セ・モア》」だった。言葉の無駄遣いだな、とそのたびにわたしは思ったものだ。しかし、「伝達経路《チャネル》の確立」は、彼女の交話的表現〔挨拶や雑談など話し相手との関係を築くことを目的とする表現〕がもつ無自覚の目的のほんの一部でしかなかった。彼女がその表現で行っていたのは、彼女とわたしとの縮小不可能な差異に基づく個人間関係を確認することであった。あらゆる発話行為は——何を言うかに関係なく——まさにこれを行っているのだ。

　身体的、知的、実際的な理由で必要だからといって、個々人の言葉遣いや話し方の様式が変わることはない——物まね芸人は、十分腕を磨けば、他人の声紋が模倣できることを示しているのだ。一方、個々人の話し方はさまざまである。というのも、話すことの基本的で、たぶん本来の目的のひとつは、差異を生じさせる手段として役立つことにあるからだ——話者がどこの出身か、どんな階層、一族、街の不良グループに属しているのか識別可能にするだけでなく、「わたしはあなたではなく、わたしだ」と表明することにあるからである。

　バベルの塔の物語は誤っている。人間の発話の本来的な使用目的としてもっとも可能性が高いのは、人と異なることにあって、同じになることではない。

　世界には、住人もまばらで、旅行も物理的障害物——高い山々、乾燥した砂漠、深いジャングル——のため危険な地域もあり、そのような場所では、言語はきわめて多様だ。それは、パプアニューギニア、オーストラリアの大草原、アマゾン川流域に住む原住民のさまざまなコミュニティが互いにあまり接触しないからである。スイスのような富裕な国でさえ、物理的な障害物のせいで高地に多く散らばる渓谷の住民間の接触が妨げられてきたので、古来、四つの主要な言語が共存しつづけている。しかし、世界のほかの、地勢的に移動が容易で、したがって接触、交流、交易、戦争が起こりやすい地域では、言語の多様性は大幅に縮減される。人が交われば、言語もそうなるのだ。

だから、言語の多様性について、ただひとつの氷河の先端から流れ落ちる水が山腹を下り、いくつもの細流に枝分かれしていくという古いイメージで考えるのは止めようではないか。われわれはむしろそれを、多数の泉、井戸、池、雪解けの水が谷間へと流れ落ち、合流、混合して、諸々のより広く深い川を形成する過程の、つねに暫定的な結果として見るべきである。英語はここでもまた、その極端な例となる——英語の識別可能な源泉には、アングル族とサクソン族のゲルマン語、一〇六六年にイングランドを征服したノルマン人将兵が話していたフランス語、さらにまたラテン語の豊かな遺産、若干のデンマーク語やケルト語、世界じゅうの少なくとも百の言語の断片が含まれる。まさに現在、英語は、すでに広範囲に築かれていた土手を決壊させ、ほかの多くの水流へとあふれ出ているように見える。だが実は、心配することは何もない。アマゾン川とヴォルガ川が同じ海に流れ込むことがないのと同様、すべての言語が英語に飲み込まれるということはない。いずれにせよ、これまで見てきたように、差異化という言語の原初的なメカニズムによって、英語は、ほかのどの言語にも劣らず、差異を生じさせるツールとなっているからである。

このことから、当然翻訳＝通訳は、「バベル以後」に出現したのではないということになる。どこかの人間集団が、隣の街区の子どもたちや、丘の向こう側の人たちは話しかけてみる価値があるかもしれないという素晴らしい考えを思いついたとき、翻訳＝通訳は生まれるのだ。訳出することは、文明への第一歩である。

グルーミングの社会結合機能を果たす言語音が出現してから、アルファベット文字が創案されるまでには、何十万年、いや何百万年が経過した。永遠に謎であるこの測り知れない長年月のあいだに、人間の社会集団は、言葉を用いれば、家族、氏族、部族の秩序を維持するだけでなく、それよりもはるかに多くの物事ができることに気づいた。

翻訳＝通訳はそれらほかのはるかに多くの物事のほとんどを扱う。それは人間の話し言葉がもつ対人関係機能を遂行したり、模倣したり、再現したりしないし、またそうすることもできない。前のほうの章で指摘したように、翻訳者は、確立された言語間の訳出を行うとき、方言に方言を当てることはしない。‘Hallo, darling’、‘Yalrite?’、‘Wotcha, mate’は、話者がそれぞれおしゃれな人《ファッショニスタ》、グラスゴー出身者、ロンドン子であることを示す定型的な挨拶表現である。

これらの文句は、「こんにちは《ボンジュール・ムッシュー》」の訳として使えるかもしれないが、それらが果たす務めは、話者が思わず知らず不可避的に、ほかのどれでもなく、そのコミュニティに所属していると主張することなのだ。あらゆる発話がもつ、話者の民族的《エスニック》な自己アイデンティティ表明の次元を移植できると思うのは無意味である。何といっても、同じあるいはべつの方言や言語で異なった表現の仕方をすれば、異なるアイデンティティ構築がなされてしまうからだ。

もし読者がいわく言い難いものを求めているなら、ここで読むのをやめてもらいたい。事態は疑いの余地なく明らかだからだ。翻訳で失われるのは、詩ではなく、コミュニティである。現実の言語使用がもつ、話者の所属コミュニティ表明の役目は、翻訳が行うことの一部をなすものでは絶対にない。

しかし翻訳は、ほかのほとんどあらゆることをする。人間が考え、その考えを伝達する能力をもつことを議論の余地なく証明するのは、発話そのもの以上に翻訳なのだ。

われわれは翻訳をもっと行うべきである。

但し書きと謝辞

わたしは本書で自然言語間の翻訳＝通訳について書こうとしたので、'translation' という語が数学、論理学、コンピュータ・サイエンスのいくつかの分野で専門用語として使われていることには触れていない。そうしていたら、本書はべつな本になっていただろう。

また、軍隊、交戦地帯、病院での翻訳＝通訳の用途と思わぬ危険についても、何も述べることができなかった。わたしは、これらの方面について無知であることを認めなければならない。それらの分野で仕事に励む勇敢な言語仲介者たちから学ぶべきことは、きっと多いはずだ。

翻訳＝通訳研究に精通している読者は、ほかにも扱われていないものがあることに気づかれているかもしれない。そのなかには意図的に省いたものもある。ジョージ・スタイナーの『バベルの後に』は、なお出版されつづけているし、またわたしがヴァルター・ベンヤミンのエッセイ「翻訳者の課題」を論評しない理由は、*Cambridge Literary Review* 3 (June 2010), pp.194-206 に書かれているので、興味のある方は見てもらいたい。

わたしが知恵を拝借した知的先達の多くは、巻末の註や参考文献箇所で言及されているが、ほかの人や機関からも、あまり表立たない形で手がかり、体験談、識見、資料をいただいた。残念なことに一部は故人になられているが、わたしがお力添えをいただき、また時にはご自身も知らないうちにわたしの役に立ってくれた大切な人たちのお名前をここに心からの感謝をこめて記させていただきたい。ルース・アドラー、ヴァレリー・アギラール、エスター・アレン、ストリナヴァス・バンガロール、アレックス・ベロス、ナット・ベロス、ジョージ・バーマン、スーザン・バーノフスキー、ジム・ブローデン、オリヴィア・コグラン、カレン・エメリック、マイケル・エメリック、デニス・フィーニー、マイケル・ゴルダン、ジェーン・グレーソン、トム・ヘア、ロイ・ハリス、スーザン・ハリス、ジェームズ・ハドソン、ダグラス・ホフスタッター、スーザン・イングラム、エイドリアーナ・ジェイコブズ、デイヴィッド・ジョーンズ、グレアム・ジョーンズ、パトリック・ジョスパン、ジョシュア・カッツ、サラ・ケイ、カリーニ・ケネディ、マーティン・カーン、ジュディ・ラッファン、エラ・ラズロ、アンドルー・レンドラム、ペリー・リンク、サイモン・マルケージ、ヘザー・マウィニー、イローナ・モリソン、セルゲイ・ウシャキン、クレア・パターソン、ジョルジュ・ペレック、ケーティ・ピンケ、ミスター・プライス、カート・ライケンバーグ、アンタイ・サール、キム・シェップル、バンビ・シーフェリン、「フロッギー」・スミス、ジョナサン・チャールズ・スミス、孫会軍、ローレンス・ヴェヌーティ、リン・ヴィソン、カリーム・ヤシャル、フロマ・ザイトリン、以上、おひとりたりとも逸することのなかったことを願うばかりである。また、翻訳＝通訳学校（ＥＴＩ）、ジュネーヴ大学の図書館にはたいへんお世話になった。プリンストン大学のファイアーストーン図書館のスタッフの方々と所蔵資料にも大いに助けられた。二〇〇八年以来プリンストン大学で催されている翻訳昼食会においでくださった講演者と聴衆の方々からは多大な刺激を受けた。最後になるが、二〇〇八年から二〇一三年にかけて、TRA200「翻訳を考える」〔プリンストン大学の「翻訳と異文化間コミュニケーション」プログラムの中核科目のひとつ〕を受講し、わたしに考える、それも深く考える機会を与えてくれた四つの学生グループの諸君に深甚なる感謝の意を表したいと思う。

註

1　訳文とは何か?

（1）　Douglas Hofstadter, *Le Ton beau de Marot: In Praise of the Music of Language*, Basic Books, 1997, p. 1a.

2　翻訳＝通訳をなくすことはできるか?

（1）　Harish Trivedi, 'In Our Own Time, on Our Own Terms: "Translation" in India', in Theo Hermans (ed.), *Translating Others*, St Jerome, 2006, Vol.1, pp. 102-19.

（2）　Claire Blanche-Benvéniste, 'Comment retrouver l'expérience des anciens voyageurs en terres de langues romanes?', in Virginie Conti and François Grin, *S'entendre entre langues voisines: vers l'intercompréhension*, Chêne-Bourg: Georg, 2008, pp. 34-51. リンガ・フランカについては、John Holm, *An Introduction to Pidgins and Creoles*, Cambridge UP, 2000 を参照のこと。

（3）　典拠によって五千から七千までの範囲で数字が異なる。本文では、そのなかでいちばん高い推定値を挙げたが、実際の数は本書の議論にとって実は重要ではない。

（4）　これらの数字は、ウィキペディアから引用したもので、当該言語の非母語話者も含まれている。多くの人が世界の主要言語のうちふたつ以上を話すので、「トップ13」内の言語の話者総数は、世界の総人口を上回る可能性がある。母語つまり第一言語話者の総数は、これとは異なる。標準中国語が八億六三〇〇万人、ヒンディー語が六億八〇〇〇万人、英語が四億人、スペイン語が三億五〇〇〇万人、アラビア語が二億八〇〇〇万人、ロシア語が一億六四〇〇万人、日本語が一億三〇〇〇万人、ドイツ語が一億五〇〇〇万人、フランス語が八〇〇〇万人、トルコ語が六三〇〇万人、ウルドゥー語が六〇〇〇万人、インドネシア語が一七〇〇万人、スワヒリ語が一〇〇〇万人で、総数三二億、すなわちちょうど世界総人口の半分を超える程度である。

（5）　この問いに答えをひとつ挙げるとすれば、もちろんポルトガル語である。ただこの言語は、ヨーロッパ、南アメリカ、アフリカの大規模でそれぞれ遠く離れたコミュニティにとって重要であるにもかかわらず、媒介言語としての役割は、きわめて小さなものにとどまっている。

（6）　J.N. Adams, *Bilingualism and the Latin Language*, Cambridge UP,

2003には、ラテン語と、ローマ帝国の領土内における他の諸言語との関係が詳細に記述されている。アダムズが取り上げた多くのテクストは、ラテン語が他の諸言語と接触していることを示しているが、彼の資料はどれも、ラテン語以外のテクストのラテン語訳であると、おおよそにでも判断することはできない。

(7)　Georges Perec, 'Experimental Demonstration of the Tomatotopic Organization in the Soprano', in *Cantatrix Sopranica et autres écrits scientifiques*, Paris: Seuil, 1991.

(8)　Claude Hagège, *Dictionnaire amoureux des langues*, Paris: Plon, 2009, p. 109によると、独立エストニアの最後の大統領であるコンスタンティン・パッツも、同じ理由で一九三九年八月にラジオ放送でラテン語を用いた。

(9)　Elisabeth and Jean-Paul Champseix, *57, Boulevard Staline. Chroniques albanaises*, Paris: La Découverte, 1990.

(10)　Georges Perec, *Life A User's Manual*, transl. David Bellos, Vintage, 2009, p. 110.〔ジョルジュ・ペレック『人生 使用法』酒詰治男訳、水声社、一九九二年〕

3　われわれはなぜそれを「翻訳」と呼ぶのか?

(1)　Michael Emmerich, 'Beyond Between: Translation, Ghosts, Metaphors', wordswithoutborders.org, April 2009.

(2)　R. T. Bell, *Translation and Translating: Theory and Practice*, Longman, 1991, p. 8は、「翻訳は、ある言語のテクストからべつの言語のテクストへ意味を移すことを意味する」と定義している。

(3)　Bambi B. Schieffelin, 'Found in Translating: Reflexive Language across Time and Texts in Bosavi', in Miki Makihara and Bambi B. Schieffelin (eds.), *Consequences of Contact: Language Ideologies and Sociocultural Transformations in Pacific Societies*, Oxford UP, 2007, pp. 141-65.

(4)　Andrew Chesterman, *Memes of Translation*, John Benjamins, 1997, p. 61.

(5)　紀元前二〇六年以後の著作、*Book of Rites*, Martha Cheung *Target* 17:1 (2005), p. 29に引用。

(6)　それぞれ西暦二世紀の最初の中国語辞書、七世紀の孔穎達、同じく七世紀の賈公彦、最後に仏教僧の賛寧からの抜粋、Martha Cheung, *Target* 17:1, pp. 33, 34に引用(訳もCheungによる)。

(7)　さしあたって、わたしは'translation'という語を、話し言葉であれ書き言葉であれ、あらゆる種類の言語間コミュニケーションを指すために用いている〔本訳書では、コンテクストから話し言葉が問題となっていることが明らかな場合、「通訳」という訳語をあてている〕。もっぱら話し言葉を扱う通訳に関しては、第二十四章で主題となる。

(8)　「小柄な男の息子が、食品市場にびっくり仰天した」、Luis d'Antin van Rooten, *Mots d'heures, Gousses, Rames*, Grossman, 1967より。

4　翻訳について人が言うこと

(1)　これに関する事の顛末については、Leo Spitzer, *Essays on Seventeenth-Century French Literature*, Cambridge UP, 1983, pp. 253-84を参照のこと。

(2)　Lev Loseff, *On the Beneficence of Censorship: Aesopian Language in Modern Russian Literature*, Munich: Otto Sagner, 1984, p. 78に引用。

（3）　Lev Loseff, 'The Presistent Life of James Clifford: The Return of a Mystification', *Zvezda*, January 2001（ロシア語雑誌）.

5　異質性という虚構

（1）　Lawrence Venuti, *The Translator's Invisibility: A History of Translation*, Routledge, 1995, p. 20 and passim.

（2）　Jean Rond d'Alembert, 'Observations sur l'art de traduire', in *Mélanges de littérature...*, Amsterdam: Chatelain, 1763, Vol. III, p. 18. 拙訳による。

（3）　*Dangerous connections: or, letters collected in a society, and published for the instruction of other societies*. By M. C**** de L***, London, 1784.〔ピエール・ショデルロ・ド・ラクロ『危険な関係』伊吹武彦訳、岩波文庫、一九六五年〕

（4）　Fred Vargas, *Have Mercy on Us All*, transl. David Bellos, Harvill, 2003.

（5）　二〇〇六年、謝家聲の演出により、イエロー・アース劇団、上海演劇芸術センターが、ストラットフォード・アポン・エイボン、ロンドン、上海で公演。

（6）　一八一三年、ベルリンの王立科学アカデミーで行われた講義の原稿、Friedrich Schleiermacher, 'Über die verschiedenen Methoden des Übersetzens', in a new translation by Susan Bernofsky, in Lawrence Venuti, *The Translation Studies Reader* (2nd edn), Routledge, 2004. これより手に入りやすい Waltraud Bartscht による旧訳は、いくつかの箇所が省略されている。〔フリードリヒ・シュライアーマハー「翻訳のさまざまな方法について」、三ツ木道夫編訳『思想としての翻訳――ゲーテからベンヤミン、ブロッホまで』白水社、二〇〇八年所収〕

（7）　Jacques Derrida, *Of Grammatology* (1967), transl. Gayatri Chakravorti Spivak, Johns Hopkins UP, 1974〔ジャック・デリダ『根源の彼方に――グラマトロジーについて』上・下、足立和浩訳、現代思潮新社、一九七二年〕の第二章より。

（8）　Mariagrazia Margarito, 'Une valise pour bien voyager ... avec les italianismes du français', *Synergies 4* (2008), pp. 63-73.

（9）　Antoine Volodine, 'Écrire en français une littérature étrangère', *chaoïd* 6 (2002).

（10）　David Remnick, 'The Translation Wars', *The New Yorker*, 7 November 2005.

（11）　Ibid. また、Gary Saul Morton, 'The Pevearsion of Russian Literature', *Commentary*, July-August 2010を参照のこと。こちらははるかに厳しい態度を取っている。

（12）　Mariusz Wilk, *The Journals of a White Sea Wolf*, transl. Daniusa Stok, Harvill, 2003は、この方法を使って大きな効果を挙げている。

6　ネイティヴの運用力

（1）　一部の国では、移民の親の子どもたちには、国籍すら与えられていない。これは、生まれたことによって得られるものが「ゼロである状態」として――また、基本的権利に関する国際協定の侵害として見ることができる。

（2）　G. T. Chernov, *Osnovy sinkhronnogo perevoda* ('Foundations of Simultaneous Interpreting'), Moscow: Vysshaia shkola, 1987, pp. 5-8.

(3)　Lynn Visson, *Sinkhronni perevod s russkogo na angliski*, Moscow, 2007, pp. 15-16; また、Lynn Visson, 'Teaching Simultaneous Interpretation into a Foreign Language', *мосты* 2.22 (2009), pp. 57-9 も参照のこと。

7　意味は単純なものじゃない

(1)　*LINGUIST- List* 2.457, 3 September 1991.

8　単語はさらに厄介だ

(1)　Roman Jakobson, 'On Linguistic Aspects of Translation', in Reuben Brower (ed.), *On Translation*, Oxford UP, 1959, p. 232.〔ロマーン・ヤーコブソン「翻訳の言語学的側面について」、『一般言語学』川本茂雄監修、田村すゞ子・村崎恭子・長嶋善郎・中野直子訳、みすず書房、一九七三年所収〕

(2)　これはまさにジップの法則の簡単な説明である。この法則によれば、どの単語の頻度も、頻度数表の順位に反比例する。したがって、もっとも頻度の高い単語は、二番目に頻度の高い単語のおよそ二倍、三番目に頻度の高い単語の三倍の頻度で出現する。その結果、一〇〇万語の英語のコーパスでは、わずか一三五の異なる単語が、そのコーパスに出現する全単語の半分を占めることになる。

(3)　Leonard Bloomfield, *Language*, H. Holt & Co., 1933, p. 140.〔レナード・ブルームフィールド『言語』三宅鴻・日野資純訳、大修館書店、一九八七年〕

(4)　これは歴史的な観点から見ると、けっして恣意的ではないかもしれない。というのも、同じ 'light' という語形をもつふたつの語は、まったく異なる語源に由来しているのに対し、'head' という語の意味はすべてひとつの語源に由来するからである。

(5)　追加のサブルールが、('back-up'〔支援〕や商標名 'E*Trade'〔米の金融機関〕に見られるような) - や * という記号を含むアルファベット配列に適用される。一部の言語では、¿¡のような補助的な印刷記号があるが、アルファベット文字や音節文字を用いる言語に見られるこれらの特徴やほかの特徴は――コンピュータにとっての――ルールの構造、あるいは単語とは何かに関する基本的な考え方を変更するものではない。

(6)　Hayley G. Davis, *Words: An Integrational Approach*, Curzon, 2001 では、単語とは何かについて英語話者が完全に混乱していることを示す滑稽な例がたくさん挙げられている。

(7)　Anna Morpurgo Davies, 'Folk-Linguistics and the Greek Word', in George Cardon and Norman Zide (eds.), *Festschrift for Henry Hoenigswald*, Tübingen: Narr, 1987, pp. 263-80.

9　辞書を理解する

(1)　Jonathon Green, *Chasing the Sun: Dictionary-Makers and the Dictionaries They Made*, Cape, 1996, pp. 40-41.〔ジョナサン・グリーン『辞書の世界史』三川基好訳、朝日新聞社、一九九九年〕

(2)　Jan Assmann, 'Translating Gods: Religion as a Factor of Cultural (Un)Translatability', in Sanford Budick and Wolfgang Iser (eds.), *The Translatability of Cultures: Figurations of the Space Between*, Stanford UP, 1996, pp. 25-36.

(3)　Christoph Harbsmeier, *Language and Logic in Traditional China*, volume VII. 1 of Joseph Needham's *Science and Civilisation in China*, Cambridge UP, 1998, pp. 65-84 および Endymion Wilkinson, *Chinese History: A Manual*, Harvard UP, 1998, pp. 62-94 からの情報。

（4） Philitas of Cos, Ατακτοι γλπσσα, *Átaktoi glôssai*、すなわち「混乱した言葉」と題されたこの古代の語彙集では、ホメロスを含む詩人たちの珍しい文学的な語の意味が説明されている。現存する最古の詳細なホメロス語彙集は、西暦一世紀のソフィストのアポロニウスが編纂したものである。最初のサンスクリット語の単語目録『アマラコーシャ』は、西暦四世紀にアマラシンハによって作成された。

（5） Georges Perec, *Life A User's Manual*, transl. David Bellos, Vintage, 2009, pp. 287-8.〔ジョルジュ・ペレック『人生 使用法』酒詰治男訳、水声社、一九九二年〕

10 直訳の神話

（1） Naomi Seidman, *Faithful Renderings: Jewish-Christian Difference and the Politics of Translation*, Chicago UP, 2006, p. 75 によると、「近世以前における主要な逐語訳擁護論を挙げるのは難しい」。

（2） George Steiner, *After Babel*, 3rd edn, Oxford UP, 1998, p. 251.〔ジョージ・スタイナー『バベルの後に——言葉と翻訳の諸相』上・下、亀山健吉訳、法政大学出版局・叢書ウニベルシタス、一九九九年、二〇〇九年〕

（3） Nicolas Herberay des Essarts, translator's preface to *Amadis de Gaule* (1540), ed. Michel Bideaux, Champion, 2006, p. 168. 拙訳による。

（4） Octavio Paz, *Un poema di John Donne: Traducción literara y literalidad*, Barcelona: Tusquets, 1990, p. 13.

（5） オタワ大学の Kelly の元同僚のひとりによって、'Unprofessional Translation' というタイトルのブログ上で引用。

（6） Mark Twain, *The Jumping Frog, in English, then in French, then clawed back into a civilized language once more by patient, unremunerated toil*, Harper and Brothers, 1903, pp. 39-40.

（7） Michael Israel, 'The Rhetoric of "Literal Meaning"', in Sean Coulson and Barbara Lewandowska-Tomaszczyk, *The Literal and Non-Literal in Language and Thought*, Frankfurt: Lang, 2005, pp. 147-238.

（8） マルドリュスの翻訳を取り巻く文化的問題に関する考察については、Dominique Jullien, *Les Amoureux de Schéhérézade: Variations sur les Mille et Une Nuits*, Geneva: Droz, 2009 を参照のこと。

（9） Ibid., p. 107 に引用。拙訳による。

（10） André Gide, in *La Revue blanche*, xx1: 475 (January 1900), Jullien, *Amoureux de Schéhérézade*, p. 110 に引用。

（11） J.-C. Mardrus, letter to the editor in *Revue critique d'histoire et de littérature* xl1.26:515 (June 1900), Jullien, *Amoureux de Schéhérézade*, p. 85 に引用。

11 信頼の問題

（1） Roy Harris, *The Origin of Writing*, Duckworth, 1968, p. 177. 書記は——コロンブス以前のアメリカのマヤ族によって、また中国で、古代エジプトで、メソポタミアで——計四回発明された。現代の書記システムはすべて、これらの発明のうちのふたつだけに由来し、アルファベット文字体系はすべて、たったひとつに由来するものである。

（2）「第一次口承性」は、ウォルター・オング神父の造語である。彼の *Orality and Literacy*, Methuen, 1987〔ウォルター・J・オング『声の文化と文字の文化』林正寛・糟谷啓介・桜井直文訳、藤原書店、一九九一年〕を参照のこと。

（3）読み書き能力のユニバーサル化は、一八六〇年から一九二〇年までのある時点で、ほとんどの西ヨーロッパ諸国で最初に達成された。世界のほかの地域ではそれよりさらに最近のことであり、多くの地域ではまだずっと先のことである。

（4）Leo Tolstoy, *War and Peace*, transl. Rosemary Edmonds, Penguin Books, 1957, p. 1153.〔レフ・トルストイ『戦争と平和』全四巻、工藤精一郎訳、新潮文庫、一九七二年〕

（5）実際には、関係が良好な場合には、古来の儀典は放棄されることが多く、ふたりの通訳者が、公の会合での場合と同様、二〇分シフトで交替しながら両方向の通訳を行う。しかし、国家元首や政府首脳間の主要な議題の論議では、通訳者がひとりしかいないということはありえない。

（6）イスマイル・カダレ著の *Palace of Dreams*〔『夢宮殿』村上光彦訳、東京創元社、一九九四年〕は、史実にかなり基づいたオスマン帝国の夢の記録に関するアイロニックな小説である。

（7）もっと詳細な説明については、E. Natalie Rothman, 'Interpreting Dragomans: Boundaries and Crossings in the Early Modern Mediterranean', *Comparative Studies in Society and History* 51.4 (2009), pp. 771-800 を参照のこと。

（8）一般に英語では、*Ziggurat*（ジッグラト、ピラミッド形神殿）が、アッカド語からのほかの唯一の外来語と考えられているが、しかし、それが英単語になったのは、十九世紀になってからのことにすぎない。

（9）この点で、*The Blinding Order* と *The Three-Arched Bridge* は、*The Palace of Dreams*〔カダレ『夢宮殿』〕を補完する作品である。

（10）十七世紀になるとフランス語がこの役割で使われはじめ、十九世紀には完全にイタリア語にとって代わった。

（11）この例は、Bernard Lewis, *From Babel to Dragomans: Interpreting the Middle East*, Oxford UP, 2004, p. 29 から取られている。

（12）Ibid., p. 27.

（13）George Abbott, *Under the Turk in Constantinople*, Macmillan, 1920, p. 46, Judy Laffan, 'Navigating Empires: "British" Dragomans and Changing Identity in the Nineteenth-Century Levant', クイーンズランド大学、未公刊博士論文に引用。

（14）Abbott, ibid.

（15）Françoise Sagan, *That Mad Ache*, transl. Douglas Hofstadter, Basic Books, 2009〔フランソワーズ・サガン『熱い恋』朝吹登水子訳、新潮社、一九六七年〕と合本されて出版。

（16）Allan Cunningham, '*Dragomania:* The Dragomans of the British Embassy in Turkey', *Middle Eastern Affairs* 2 (1961), pp. 81-100 を参照のこと。

12 客の注文に応じるヘアカット

（1）Stephen Owen, 'World Poetry', a review of Bei Dao, *The August Sleepwalker*, transl. Bonnie McDougall, *New Republic*, November 1990.

（2）外国の映画スターとそれぞれそのスターとマッチングさ

れているドイツ語声優の一覧表が掲載されているウェブサイト 'Synchronsprecher' を参照のこと。

（3） *Le Monde*, 7 August 2010, p. 14.

（4） Vladimir Nabokov, 'Introduction', in *Eugene Onegin: A Novel in Verse by Aleksandr Pushkin*, Routledge, 1964, Vol.1, pp. vii-ix.

（5） Vladimir Nabokov, 'The Servile Path', in Reuben Brewer (ed.), *On Translation*, Harvard UP, 1959, pp. 97-110.

（6） Georges Perec, interview with Marcel Benabou (December 1965), in *Review of Contemporary Fiction VIII*. I(1993), p.19.

13　語ることができないことは、翻訳することができない

（1） http://www.packingtownreview.com/blog/, postdated 2 December 2007 を参照のこと。

（2） Elaine Barry, *Robert Frost on writing*, Rutgers University Press, 1973, p.159. また、Louis Untermeyer, *Robert Frost: A Backward Look*, Library of Congress, 1964, p.18 も参照のこと。

（3） Ludwig Wittgenstein, *Tractatus Logico-philosophicus* (1921), Proposition 74: *Wovon man nicht sprechen kann, davon muß man schweigen.* 〔ルードヴィッヒ・ウィトゲンシュタイン『論理哲学論考』藤本隆志・坂井秀寿訳、法政大学出版局・叢書ウニベルシタス、一九六八年〕

（4） ウィラード・ヴァン・オーマン・クワイン以来、英語圏の哲学者は、この問題を詳細に論じてきた。わたしの立場は、J. E. Malpas in 'The Intertranslatability of Natural Languages', *Synthese* 78 (1989), pp. 233-64 での解説から理解される範囲でドナルド・デイヴィッドソンの見解を踏まえている。

（5） Romain Gary, *White Dog* (1970), Chicago UP, 2004, p. 51. 〔ロマン・ギャリ『白い犬』大友徳明訳、角川書店、一九七五年〕

（6） Marshall Sahlins, *The Western Illusion of Human Nature*, Prickly Paradigm, 2008 は、この議論をはるか先まで進めている。Christine Kenneally, *The First Word: The Search for the Origins of Language*, Penguin, 2007 では、「言語」と「信号」の区別、人間と人間以外の存在のコミュニケーションの区別を急速に覆しつつある現行の研究に関する最新の報告が行われている。

（7） Mark E. Laidre and Jessica L. Yorzinski, 'The Silent Bared-Teeth Face and the Crest-Raise of the Mandrill (Mandrillus sphinx): A Contextual Analysis of Signal Function', *Ethology* 111 (2005), pp. 143-57. 動物記号システムの標準的入門書としては、Thomas A. Sebeok, *How Animals Communicate*, Indiana UP, 1977 が挙げられる。

14　コーヒーを表す語はいくつある？

（1） Laura Martin, "Eskimo Words for Snow": A Case Study in the Genesis and Decay of an Anthropological Example', *American Anthropologist* 88.2 (1986), pp. 418-23. この論文は、Geoffrey Pullum, *The Great Eskimo Vocabulary Hoax and Other Irreverent Essays on the Study of Language*, Chicago, 1991 のなかで説明され、支持されている。

（2） イヌイットの諸言語は膠着性をもち、通常、英語では複数の語で表現する内容を、語幹に接尾辞や接頭辞を添加して表現する。その結果、イヌイット族は、あらゆる物事に対応する数えきれないほど多くの「語」を有することになる。それぞれの語形には、英語

では多くの別個の語で言い表されるような、特性や機能の表示が含まれているのだ。あるイヌイット語には「雪」を表す語が二十、六十あるいは八十あると述べるのは、ハンガリー語には「アンナ」を表す語が十七あると述べるのと同じくらいナンセンスなことである。

（3）　*The Works of Sir William Jones*, London: Robinson and Evans, 1799 所収。

（4）　Wilhelm Freiherr von Humboldt, *Prüfung der Untersuchungen über die Urbewohner Hispaniens vermittelst der vaskischen Sprache*, 1821.

（5）　Wilhelm Freiherr von Humboldt, *Über die Entstehung der grammatischen Formen und ihren Einfluss auf die Ideenentwicklung*, 1822.

（6）　この言語については、次のアドレス掲載の Lera Boroditsky によるレポートを参照のこと。http://www.edge.org/3rd_culture/boroditsky09/boroditsky09_index.html.

（7）　Edward Sapir, 'Abnormal Types of Speech in Nootka' (1915), in *Selected Writings in Language, Culture and Personality*, ed. David G. Mandelbaum, U. of California Press, 1956, pp. 179-96.〔エドワード・サピア『言語・文化・パーソナルティ　サピア言語文化論集』平林幹郎訳、北星堂書店、一九八三年〕

（8）　Hilary Henson, *British Social Anthropologists and Language*, Clarendon Press, 1974, p. 11.

（9）　Mildred L. Larson, *Meaning-Based Translation*, University Press of America, 1984, p. 158.

（10）　E. J. Payne, *History of the New World Called America*, Clarendon Press, 1899, Vol. 2, p. 103, Henson, *British Social Anthropologists*, p. 10 に引用。

（11）　Michael Coe, *Breaking the Maya Code*, Thames & Hudson, 1999〔マイケル・D・コウ『マヤ文字解読』増田義郎監修、武井摩利・徳江佐和子訳、創元社、二〇〇三年〕を参照のこと。

15　バイブルとバナナ

（1）　数字は、Philip Noss (ed.), *A History of Bible Translation*, Rome: Edizioni di Storia et letteratura, 2007, p. 24 による。

（2）　Eugene Nida and Jan de Waard, *From One Language to Another: Functional Equivalence in Bible Translating*, Nelson, 1986.

（3）　Edesio Sánchez-Cetina, 'Word of God, Word of the People', in Noss, *A History of Bible Translation*, p. 395.

（4）　Daud Soeslo, 'Bible Translation in Asia-Pacific and the Americas', in Noss, *A History of Bible Translation*, pp. 165-6, 175.

（5）　Eugene Nida, *Fascinated by Languages*, John Benjamins, 2003.

（6）　Richard Rohrbaugh, *The New Testament in Cross-Cultural Perspective*, Cascade, 2007, Dietmar Neufeld (ed.), *The Social Sciences and Biblical Translation*, Society of Biblical Literature, 2008, p. ix に引用。

（7）　Neufeld, *Social Sciences and Biblical Translation*, p. 3.

（8）　Leora Batnitsky, 'Translation as Transcendence: A Glimpse into the Workshop of the Buber-Rosenzweig Bible Translation', *New German Critique* 70 (1997), pp. 87-116.

（9）　Gott sprach zu Mosche / Ich werde dasein, als der ich dasein werde. / Und sprach: / So sollst du zu den Söhnen Jifsraels sprechen:/ ICH BIN DA schickt mich zu euch/Und weiter sprach Gott zu Mosche:/ So sollst du den Söhnen Jifsraels sprechen: / ER, / der Gott eurer Väter /

der Gott Abrhamas, der Gott / Jitzchaks, der Gott Jakobs / schickt mich zu euch. / Das ist mein Name in Weltzeit / das mein Gendenken, / Geschlecht für Geschlecht.

16　翻訳のインパクト

（1）　Friedrich Schleiermacher, ‘Über die verschiedenen Methoden des Übersetzens’, transl. Susan Bernofsky, in Lawrence Venuti, *The Translation Studies Reader* (2nd edn), Routledge, 2004.〔フリードリヒ・シュライアーマハー「翻訳のさまざまな方法について」、三ツ木道夫編訳『思想としての翻訳——ゲーテからベンヤミン、ブロッホまで』白水社、二〇〇八年所収〕

（2）　以降の説明の材料は次から取られている。Martin Gellerstam, ‘Fingerprints in Translation’, in Gunilla Anderman (ed.), *In and Out of English: For Better, for Worse*, Multilingual Matters, 2005.

（3）　Preston M. Torbert, ‘Globalizing Legal Drafting: What the Chinese Can Teach Us about *Ejusdem Generis* and All That’, *The Scribes Journal of Legal Writing* (2007), pp. 41-50.

（4）　以降の数パラグラフで述べられる情報はすべて、次の資料から借用され、要約されたものである。Bambi Schieffelin, ‘Found in Translating: Reflexive Language across Time and Texts in Bosavi’, in Miki Makihara and Bambi B. Schieffelin (eds.), *Consequences of Contact: Language Ideologies and Sociocultural Transformations in Pacific Societies*, Oxford UP, 2007, pp. 141-65.

（5）　*The Good News Bible* (1966), Mark 2:6-10.

（6）　Scott L. Montgomery, *Science in Translation*, Chicago, 2000, p. 68〔スコット・L・モンゴメリ『翻訳のダイナミズム——時代と文化を貫く知の運動』大久保友博訳、白水社、二〇一六年〕に引用。

17　第三のコード

（1）　Lawrence Venuti, *The Translator's Invisibility: A History of Translation*, Routledge, 1995.

（2）　Sara Laviosa, *Corpus-Based Translation Studies. Theory, Findings, Applications*, Rodopi, 2002.

（3）　Mairi McLaughlin, ‘(In)visibility: Dislocation in French and the Voice of the Translator’, *French Studies* 61.2 (2008), pp. 53-64.

（4）　例外として Rosemary Edmonds 訳の *War and Peace*, Penguin Books, 1957〔レフ・トルストイ『戦争と平和』全四巻、工藤精一郎訳、新潮文庫、一九七二年〕が挙げられる。この翻訳では、プラトン・カラターエフが、かすかにヨークシャー地方の訛りを思わせる、英語の一般的な庶民的方言を話している。

（5）　Ineke Wallaert, ‘The Translation of Sociolects: A Paradigm of Ideological Issues in Translation?’, in Janet Cotterill and Anne Ife (eds.), *Language Across Boundaries*, British Association for Applied Linguistics, 2001, pp. 171-84 を参照のこと。

18　いかなる言語も孤島ではない

（1）　Simon Gaunt, ‘Translating the Diversity of the Middle Ages: Marco Polo and John Mandeville as “French” Writers’, *Australian Journal of French Studies* XLV1. 3 (2009), pp. 235-48.

（2）　Claude Lanzmann and Simone de Beauvoir, *Shoah: The Complete

Text of the Acclaimed Holocaust Film, Da Capo, 1995は、字幕のみを訳出したものである。交差言語的相互作用は、映画を見てはじめて研究することができる。

（3） Cyril Aslanov, *Le Français au Levant,* Champion, 2006では、西暦一一〇〇年から一四〇〇年のあいだ、シチリア島やキプロス島からエルサレム王国（フランス語圏）まで広がっていた、忘れられがちな「フランス語帝国」が描出されている。

（4） Gaunt, 'Translating the Diversity of the Middle Ages', p. 237.

（5） Leo Tolstoy, *War and Peace*, transl. Rosemary Edmonds, Penguin, 1957, p. 417.〔レフ・トルストイ『戦争と平和』全四巻、工藤精一郎訳、新潮文庫、一九七二年〕

19 グローバル・フロー

（1） この数字は、ほかのメジャーな、つまり中心的な言語でも驚くほど変わらない。Gisele Sapiro ('Globalization and Cultural Diversity in the Book Market', *Poetics* 38.4 (2010), pp. 419-39) は、一九八四年から二〇〇二年までフランスで出版された翻訳文芸作品の起点言語の数を四十二としている。ウェブ上の文芸翻訳における比較的新しいアメリカの冒険的試み――WordsWithoutBorders.org――は、対象の範囲を広げ、起点言語を七十以上にまで増やしているが、従来の形式の書籍出版に何らかの影響をまだ与えてはいない。

（2） ドルに関する誤った思い込みについては、Michel Onfray, 'Les deux bouts de la langue', *Le Monde*, 10 July 2010で簡潔な解説がなされている。

（3） Gideon Toury, 'Enhancing Cultural Change by Means of Fictitious Translations', http://spinoza.tau.ac.il/~toury/worksを参照のこと。

（4） Rasa'il Ikhwan al-Safa, III (Cairo, 1928), p. 152, Bernard Lewis, *From Babel to Dragomans: Interpreting the Middle East*, Oxford UP, 2004, p. 31に引用。

（5） Katharina Rout, 'Fragments of a Greater Language', in Susan Ouriou (ed.), *Beyond Words: Translating the World*, Banff Center Press, 2010, pp. 33-7.

（6） Jessica Ka Yee Chan, 'Translating Russia into China: Lu Xun's Fashioning of an Antithesis to Western Europe', MLA Conference, Philadelphia, Pa, 2009での研究発表。

（7） Arnold B. McMillin, 'Small is Sometimes Beautiful: Studying "Minor Languages" at a University with Particular Reference to Belarus', *Modern Language Review* 101.4 (October 2006), pp. xxxii-xliii.

（8） 筆者不詳の社説、『読売新聞』、一八八八年六月二十三日付、Michael Emmerich英訳。

（9） 'The Wu Jing Project: A New Translation of the Five Chinese Classics into the Major Languages of the World; an International Project Sponsored by the Confucius Institutes Headquarters, Beijing, China"、このプロジェクトに関する説明は、Martin Kern氏が快く提供してくださった情報による。

20 人権の問題

（1） 英訳には*Course in General Linguistics*, transl. Wade Baskin, Peter Owen, 1960と*Course in General Linguistics*, transl. Roy Harris, Duckworth, 1983の二種類がある〔フェルディナン・ド・ソシュー

ル『一般言語学講義』小林英夫訳、岩波書店、一九七二年〕。二番目がお勧め。

（2） Rosemary Moeketsi, 'Intervention in Court Interpreting: South Africa', in Jeremy Munday (ed.), *Translation as Intervention*, Continuum, 2007, pp. 97-117を参照のこと。

（3） しかし、日本語と同様、ドイツ語には非公式なステータスがある。ドイツ語翻訳通訳局は、ドイツ、スイス、リヒテンシュタイン、オーストリアの各政府共同の資金提供を受け、ニューヨークの国連本部でドイツ語サービスを提供している。

（4） Sir Frederick Pollock, *A First Book of Jurisprudence for Students of the Common Law*, Macmillan & Co., 1896, p. 283に引用。

（5） Karen McAuliffe, 'Translation at the Court of Justice of the European Communities', in Frances Olsen, Alexander Lorz and Dieter Stein (eds.), *Translation Issues in Language and Law*, Palgrave, 2009, pp. 99-115 (p. 107). 傍点はベロス。

21 これは翻訳ではない

（1） 別個にある通訳総局にも巨額の予算がついており——群を抜いて世界最大の通訳部局である。

（2） Karen McAuliffe, 'Translation at the Court of Justice of the European Communities', in Frances Olsen, Alexander Lorz and Dieter Stein (eds.), *Translation Issues in Language and Law*, Palgrave, 2009, p. 105.

（3） *Lubella* v. *Hauptzollamt Cottbus*, Lawrence Solan, 'Statutory Interpretation in the EU: The Augustinian Approach', in Olsen, Lorz and Stein, *Translation Issues in Language and Law*, p. 49に引用。

（4） Solan, 'Statutory Interpretation in the EU', pp. 35-53を参照のこと。

22 ニュースを翻訳する

（1） 本章で紹介される情報や事例は、主にSusan Bassnett and Esperança Bielsa, *Translation in Global News*, Routledge, 2009から取られている。

23 自動翻訳機械の冒険

（1） 当時の情報収集機構に関する、十分に裏付けされた報告については、Michael Gordin, *Red Cloud at Dawn: Truman, Stalin, and the End of the Atomic Monopoly*, Farrar, Straus, Giroux, 2010を参照のこと。

（2） Warren Weaver, 'Translation', in W. N. Locke and A. D. Booth (eds.), *Machine Translation of Languages: Fourteen Essays*, MIT Press, 1955, p. 15.

（3） Weaver, 'Translation', *MT News International*, 22 (July 1999), p. 6に引用。

（4） Yehoshua Bar-Hillel, 'A Demonstration of the Nonfeasibility of Fully Automatic High Quality Translation' (1960), in *Language and information*, Addison-Wesley, 1964, p. 174.

（5） http://www.youtube.com/watch?v=_GdSC1Z1Kzs.

（6） http://www.whitehouse.gov/administration/eop/nec/StrategyforAmericanInnovation/, section3.D.

24 耳のなかの魚

（1） Martine Behr and Maike Corpataux, *Die Nürnberger-Prozesse:*

Zur Bedeutung der Dolmetscher für die Prozesse and der Prozesse für die Dolmetscher, Munich: Meidenbauer, 2006, pp. 25-30.

（2） Richard W. Sonnenfeldt, *Witness to Nuremberg*, Arcade, 2006, p. 51.

（3） Francesca Gaiba, *The Origins of Simultaneous Interpretation: The Nuremberg Trial*, U. of Ottawa Press, 1998, p. 110.〔フランチェスカ・ガイバ『ニュルンベルク裁判の通訳』武田珂代子訳、みすず書房、二〇一三年〕

（4） Provisional Rules of Procedure of the Security Council (1946), Rule 42.

（5） Annelise Riles, 'Models and Documents: Artefacts of International Legal Knowledge', *The International and Comparative Law Quarterly* 48.4 (October 1999), p. 819.

（6） Denis Peiron, 'La France à court d'interpètes', *Le Monde*, 8 March 2010は、欧州連合（EU）の語学職に対するフランス人応募者が不足していることに警鐘を鳴らした。Brigitte Perucca, 'Un monde sans interprètes', *Le Monde*, 19 March 2010は、すべての国際機関の通訳職志願者のうちわずか三〇パーセントしか、第一次試験に合格していないと報告している。

（7） 欧州評議会は、やはりストラスブールに設置されているが、欧州議会とは別個の機関である。公用語は英語とフランス語だが、ドイツ語、イタリア語、ロシア語を「追加の作業言語」扱いとし、それらの通訳サービスを機関自らの経費で提供している。

25 できるものならあたしにぴったり合う訳を見つけてごらん

（1） Arvo Krikmann, *Netinalju Stalinist - Интернет-анекдоты о Сталине - Internet Humour about Stalin*, Tartu: Eesti Kirjandusmuuseum, 2004, joke No. 11, Alexandra Arkhipova, 'Laughing About Stalin', conference on 'Totalitarian Laughter', Princeton, May 2009での研究発表に引用。

（2） この厄介な研究分野に関するより詳細な考察については、W. D. Hart, 'On Self-Reference', *Philosophical Review* 79 (1970), pp.523-8を参照のこと。

26 スタイルと翻訳

（1） Georges Perec, *Things* (1965)〔ジョルジュ・ペレック『物の時代・小さなバイク』弓削三男訳、白水社、一九七八年〕は、実際にフロベールが書いた文を十二個ほど組み入れて、フロベールのように書く練習を、他では見られないほど強化し、質の高いものにしている。

（2） Jean Rouaud, *Fields of Glory*, transl. Ralph Manheim (1998)〔ジャン・ルオー『名誉の戦場』北代美和子訳、新潮社、一九九四年〕は、プルーストの「無比の」フランス語スタイルの文体模写を、ほかの言語でいかにそれらしく表現しうるかを示す好例である。

（3） Henri Godin, *Les Ressources stylistiques du français contemporain* (1948), 2nd edn, Blackwell, 1964, pp. 2, 3.

（4） Adam Thirlwell, *Miss Herbert*, Cape, 2007.

27 文学テクストの翻訳

（1） Pascale Casanova, *The World Republic of Letters*, transl. M. B. DeBevoise. Harvard UP, 1999.〔パスカル・カザノヴァ『世界文学空間——文学資本と文学革命』岩切正一郎訳、藤原書店、二〇〇二

年〕

（2） スペイン語は文芸翻訳において「第一位の中間言語」の役割を引き継いでもよさそうなものだが、その兆しはわたしにはまだまったく見えない。

（3） 英語版の権利は、その権利が全世界に及ぶ範囲で取得され、WELR (World English Language Rights) と呼ばれることもあれば、権利の範囲が英語圏のいずれかの地域——「イギリス連邦」とか「北米」とか、ときにはさらに細分化され「米国」や「カナダ」——に限定されて獲得されることもある。

（4） Mark Solms, 'Controversies in Freud Translation', *Psychoanalysis and History* 1 (1999), pp. 28-43 を参照のこと。

（5） Elisabeth Roudinesco, 'Freud, une passion publique', *Le Monde*, 7 January 2010.

28 翻訳者が行うこと

（1） これらの変更により、この文は英語からフランス語に翻訳されたものであり、その逆ではないことが明らかにされる。そのフランス語訳を逆翻訳すると、たぶん次のようになるだろう。'Top speed reached in July 2003 by a Eurostar train during testing of a high-speed line in the UK.'（二〇〇三年七月、イギリスの高速鉄道路線のテスト中に達成されたユーロスター列車の最高速度。）

29 境界を検分する

（1） ロマーン・ヤーコブソンとアブラアム・モールは、自然言語の役割が、ふたりがコードと呼ぶものによって果たされるという、影響力のあるコミュニケーション・モデルを提案した。彼らは実際には厳密な意味でのコードのことを言っているわけではなかったが、そのメタファーの効力はいまも衰えていない。

30 砲火を浴びて

（1） John Dryden, 'On Translation', in Rainer Schulte and John Biguenet, *Theories of Translation: An Anthology of Essays from Dryden to Derrida*, Chicago, 1992, p. 31.

（2） Arthur Schopenhauer, *Parerga und Paralipomena* (1800), Peter Mollenhauer 訳による抜粋 'On Language and Words', in Schulte and Biguenet, *Theories of Translation*, p. 34 より。

（3） Vladimir Nabokov, 'Problems of Translation: *Onegin* in English', *Partisan Review* 22.5 (Fall 1955), reprinted in Schulte and Biguenet, *Theories of Translation*, pp. 137, 140.

（4） José Ortega y Gasset, 'La Miseria y el esplendor de la traducción', *La Nación* (Buenos Aires), June 1937, transl. Elisabeth Gamble Miller, in Schulte and Biguenet, *Theories of Translation*, p. 98.

31 同一性、類似性、合致

（1） 行ごとに同じ文字数で翻訳が行われている反例については、Chapter 51 of Perec's Life A User's Manual, and above, p. 135, version 12 を参照のこと。〔ジョルジュ・ペレック『人生 使用法』酒詰治男訳、水声社、一九九二年〕

おしゃべりの後に

（1）　以下に数例を挙げる。Walter Benjamin, 'The Task of the Translator' (1923), in Rainer Schulte and John Biguenet, *Theories of Translation: An Anthology of Essays from Dryden to Derrida*, Chicago, 1992〔ヴァルター・ベンヤミン「翻訳者の課題」、三ツ木道夫編訳『思想としての翻訳――ゲーテからベンヤミン、ブロッホまで』白水社、二〇〇八年所収〕; George Steiner, *After Babel*, Oxford UP, 1975〔ジョージ・スタイナー『バベルの後に　言葉と翻訳の諸相』上・下、亀山健吉訳、法政大学出版局・叢書ウニベルシタス、一九九九年、二〇〇九年〕; Paul Zumthor, *Babel ou l'inachèvement*, Paris: Seuil, 1997; Daniel Heller-Roazen, *Echolalias*, MIT Press, 2005〔ダニエル・ヘラー＝ローゼン『エコラリアス――言語の忘却について』関口涼子訳、みすず書房、二〇一八年〕; Jacques Derrida, 'Des Tours de Babel', in *Psyché: L'Invention de l'autre*, Paris: Galilée, 2007.〔ジャック・デリダ「バベルの塔」、『他者の言語――デリダの日本講演』高橋允昭訳、法政大学出版局・叢書ウニベルシタス、一九八九年所収〕

（2）　たとえば、François Ost, *Traduire: Défense et illustration du multilinguisme*, Paris: Fayard, 2009 を参照のこと。この著作の長い第一章では、バベルの塔の物語の考えられうる多くの解釈が一通り紹介されている。

（3）　Arika Okrent, *In the World of Constructed Languages*, Pennsylvania UP, 2008 を参照のこと。この本は諸言語改善案の織り成す長い歴史をウィットに富んだ筆致でわかりやすく説明している。

（4）　だからといって、新文法学者たちが時間を無駄にしてきたというわけではない。一九五七年にはじまった変形文法の冒険的試みは、多くの人にとって、いまもなおアーサー王伝説群全部より刺激的なものでありつづけている。

（5）　言語の進化における手振りに関する詳細な議論については、Christine Kenneally, *The First Word: The Search for the Origins of Language*, Penguin, 2007, pp. 123-38 を参照のこと。

（6）　Robin Dunbar, *Grooming, Gossip and the Evolution of Language*, Faber, 1996〔ロビン・ダンバー『ことばの起源――猿の毛づくろい、人のゴシップ』松浦俊輔・服部清美訳、青土社、一九九八年〕は、進化過程でのグルーミングと言語の関係に関する第一級の著作である。ダンバーは単源説（すべての言語の起源は同一であるとする考え方）の立場を取りつづけてはいるが、彼の研究は貴重な洞察を数多く提供しており、本書のさまざまな箇所で簡略化された形で借用されている。

許可と確認

一六―一七頁（マロの英訳）Reproduced with the kind permission of Professor Douglas Hofstadter.

二四頁（科学英語のパスティーシュ）from Cantatrix Sopranica et autres écrits scientifiques, 1991, Éditions du Seuil, Paris, © Georges Perec; published in the UK as *Cantatrix Sopranica: Scientific Papers of Georges Perec*, 2008, Atlas Press, London.

二八頁（クブ族１）from *La Vie mode d'emploi* (ed. Magne), 1978, Hachette-Littératures, p. 141, © Georges Perec; published in the UK as *Life A User's Manual*, 2008, Vintage, p. no, © David Bellos, Reprinted by permission of The Random House Group Ltd; and in the USA as *Life A User's Manual* New ed., 2009, David R. Godine publishers, p. 125, © David Bellos.

二八―二九頁（クブ族２）from *La Vie mode d'emploi* (ed. Magne), 1978, Hachette-Litteratures, p. 142, © Georges Perec; published in the UK as *Life A User's Manual*, 2008, Vintage, p. no, © David Bellos, Reprinted by permission of The Random House Group Ltd; and in the USA as *Life A User's Manual* New ed., 2009, David R. Godine publishers, p. 125, © David Bellos.

三二頁（日本語の翻訳用語）from Michael Emmerich, 'Beyond Between: Translation, Ghosts, Metaphors', posted online at wordswithoutborders.org, April, 2009, reproduced with the kind permission of Professor Michael Emmerich.

三七頁（視覚詩のフィンランド語訳）courtesy of the translator, Reijo Ollinen, originally quoted in Andrew Chesterman, *Memes of Translation*, John Benjamins, 1997, p. 61.

四〇頁（ハンプティ・ダンプティの仏語版）from Luis d'Antin van Rooten, *Mots d'Heures Gousses Rames*, Grossman, 1967.

五一頁（チャーリー・チャップリンの『モダン・タイムズ』で歌われるチンプンカンプン歌曲）courtesy of the Chaplin estate, Copyright © Roy Export S.A. S. All rights reserved.

五七―五八頁　from *De La Grammatologie*, Jacques Derrida, © Editions de Minuit; published in English as *Of Grammatology*, Jacques Derrida. Translated by Gayatri Chakravorty Spivak © 1998 The Johns Hopkins University Press. Reprinted with permission of The Johns Hopkins University Press.

六〇—六一頁 （エストニア語翻訳者からの手紙） reproduced with the kind permission of Anti Saar.

八六頁 （レナード・ブルームフィールド） from Leonard Bloomfield, *Language*, H. Holt & Co., 1933, p. 140.

九九—一〇〇頁 （ペレックの言葉の殺し屋）from *La Vie mode d'emploi* (ed. Magné), 1978, Hachette-Littératures, p. 341, © Georges Perec; published in the UK as *Life A User's Manual*, 2008, Vintage, p. 287-88, © David Bellos, Reprinted by permission of The Random House Group Ltd; and in the USA as *Life A User's Manual* New ed, 2009, David R. Godine publishers, p. 327, © David Bellos.

一一八頁 From *War and Peace*, by Leo Tolstoy, translated by Rosemary Edmonds, © Penguin Classics

一二八頁 （順口溜） Reproduced with the kind permission of Professor Perry Link, University of California at Riverside.

一三三頁 （アステリックス１） © 2011 Les editions Albert René / Goscinny-Uderzo.

一三三頁 （アステリックス２） © 2011 Les editions Albert René / Goscinny-Uderzo.

一四一頁 （イスラエルの「オネーギン・スタンザ」） from *Another Place, a Foreign City*, by Maya Arad, copyright © by Xargol Books Ltd., Tel-Aviv, 2003; translated into English by Adriana Jacobs and reproduced with her kind permission.

一三八頁 （ナボコフの翻訳理論） from *Eugene Onegin: A Novel in Verse* by Aleksandr Pushkin, translated and with a commentary by Vladimir Nabokov, Routledge, 1964, Vol.1, pp. vii-ix., © Princeton University Press.

一四二—一四三頁 （巫女よ） from *La Disparition*, Georges Perec, 1969, Editions Denoël, in the translation, *A Void*, by Georges Perec, translated by Gilbert Adair, published by Harvill Press, p. 107-108. Reprinted by permission of The Random House Group Ltd.

一五一頁 （絞殺魔ピート） from *White Dog*, Romain Gary, 1970 Reprinted courtesy of the author's estate and The University of Chicago Press, 2004, p. 51.

二〇五頁 （完全な言語） from *From Babel to Dragomans: Interpreting the Middle East*, Bernard Lewis, Oxford University Press, 2004, © of and reprinted with permission from The British Academy.

二〇七—二〇八頁 （日本の新聞の論説） translation reproduced with the kind permission of Professor Michael Emmerich.

二三八頁 （ウォーレン・ウィーバー） from Warren Weaver, 'Translation', in *Machine Translation of Languages*, by William N. Locke and A. D. Booth (eds.), published by The MIT Press.

二三九頁 （ウォーレン・ウィーバー） *ibid.*

二四一頁 （ＦＡＨＱＴ） from 'A Demonstration of the Nonfeasibility of Fully Automatic High Quality Translation', Yehoshua Bar-Hillel, (1960), in *Language and Information – Selected Essays on their Theory and Application*, Addison-Wesley Publ./Jerusalem Academic, 1964, p. 174.

二六六頁 （ジョークグッズの名刺１） from *La Vie mode d'emploi* (ed. Magné), 1978, Hachette-Littératures, p. 341, © Georges Perec; published in the UK as *Life: A User's Manual*, 2008, Vintage, p. 287-88, © David Bellos. Reprinted by permission of The Random House Group Ltd; and in the USA as *Life A User's Manual* New ed., 2009, David R. Godine publishers, p. 327, © David Bellos.

二六七頁（ジョークグッズの名刺2）from *La Vie mode d'emploi* (ed. Magné), 1978, Hachette-Littératures, p. 341, © Georges Perec; published in the UK as *Life A User's Manual*, 2008, Vintage, p. 287-88, © David Bellos. Reprinted by permission of The Random House Group Ltd; and in the USA as *Life A User's Manual* New ed, 2009, David R. Godine publishers, p. 327, © David Bellos.

二六九頁（俳句）from *One Hundred Frogs: From Matsuo Basho to Allen Ginsberg*, by Hiroaki Sato, 1995, Weatherhill, Shambhala Publications Inc., Boston, MA, © Allen Ginsburg, © James Kirkup, and © Curtis Hidden Page.

二七〇頁（ワーズワースのパスティーシュ）by Catherine M. Fanshawe, extracted from *The Faber Book of Parodies*, Simon Brett (ed.), 1984, Faber & Faber.

二七〇―二七一頁（T・S・エリオットのパスティーシュ）from The Sweeniad, by Myra Buttle (aka Victor Purcell), Seeker & Warburg, 1958. Extracted firom *The Faber Book of Parodies*, Simon Brett (ed.), 1984, Faber & Faber.

二七一頁（J・D・サリンジャーのパスティーシュ）from *Adam & Eve & Stuff Like That*, by Ed Berman. Extracted from *The Faber Book of Parodies*, Simon Brett (ed.), 1984, Faber & Faber.

二九一―二九四頁（『五十三日』）from *53 Jours*, Hachette-Littératures, 1989, © Georges Perec; published in the UK as *53 Days*, by Georges Perec, translated by David Bellos, published by Harvill Press, 1994, p. 61. Reprinted by permission of The Random House Group Ltd; and in the USA as *53 Days*, David R. Godine publishers, p. 61, © David Bellos.

＊ 本書出版に先立ち、可能なかぎり著作権者と連絡を取る努力がなされた。通知があった場合、発行者は、いかなる誤りや脱落もできるだけ早い機会に修正する義務を負う。

訳者あとがき

たしか一昨年の暮れだったと思うが、水声社から本書の翻訳を依頼され、私は引き受けてよいかどうか迷った。寡聞にして著者ベロスの名は知らなかったし、依頼の席で提示された原書を見ると、タイトルは *Is That a Fish in Your Ear?: Translation and the Meaning of Everything* とある。なんだ、これは？「それはあなたの耳のなかの魚ですか？——翻訳と万物の意味」とでも訳すのだろうか？　いずれにせよ、まったく意味不明だ。水声社の説明によると、著者はフランス文学の翻訳で著名な人で、これはその彼が翻訳について満を持して書いたものだという。ふーん、私は翻訳することには大いに興味があるが、翻訳についての理論には特別な関心はもっていなかった。

ところが、ベロスはジョルジュ・ペレックの『人生 使用法』の英訳者であり、しかも彼の代表作のひとつがペレックの伝記だという。水声社はペレックの翻訳本を多数出しているが、私は読んでいなかった。しかし、彼の目覚ましい文学的冒険の数々は聞きかじっており、面白そうな作家だなと思っていたので、彼に関心をもつベロスに対してもなんとなく親しみを感じた。そこで原書を借り受け、私に翻訳ができるかどうか、確認してみることにした。

「プロローグ」の冒頭でいきなり、自分には翻訳とはどういうものかわからないという理由で翻訳の授業担当を拒否する若手大学教員が登場し、たちまち引き込まれた。ベロスは掴みのうまい人だなと思う。さらにざっとこの本に目を通すと、ある章で本書のタイトルの中心をなす「耳のなかの魚」の謎が解け、そもそもあの奇妙なタイトルの謎かけ自体が一種の巧妙な掴みであったことが理解される。これは日本でも文庫本で出版されている、イギリスの「途方もなくばかばかしいSFコメディ大傑作」(裏表紙の宣伝文句より)に登場する魚にちなんだものであったのだ。章題にも気の利いた引喩が見られ、「マッチ・ミー・イフ・ユー・キャン」というタイトルは、レオナルド・ディカプリオ、トム・ハンクス主演のある映画を思い出させるし、最後に置かれた「アフター・バブル」('babble'は「たわごと」「喃語」の意)は、もちろん「アフター・バベル」(バベル以後)のもじりである。ベロスはなかなか洒落たことを好む人であるようだ。私は食指が動いた。これは面白い仕事になりそうだと思い、私は本書の翻訳を引き受けた。翻訳期間中、この予想はけっして裏切られることはなかった。

本書の問題設定と内容については、近日刊行予定の本書の韓国語訳第二版に付けられるベロス自身による序文で的確に要約されている。彼によれば、十年前に原書初版が出て以来、本書では扱われなかった重要問題——たとえば、翻訳におけるジェンダー、紛争地域での通訳サービスの役割など——が前面に現れてきたが、「何をもって翻訳と見なせるのか?」をはじめ、「われわれがなおも完璧な訳を追い求めるのは、どのような奇妙な考え方によるのか? 商業文、科学技術文書、文学的テクスト、外交文書、法律文など異なる分野の翻訳には、どのような違いがあるのか? 過去の時代に、各種各様の社会のなかで、翻訳者・通訳者たちの仕事はどのようにつくられてきたのか?」など、翻訳の基本的問題は今も変わらないし、また変わることもないだろう。

本書は、このような翻訳をめぐるさまざまな問いに真摯に取り組みながら、それらの論議を通して、「多様な種類の文化的、社会的、人間的な問題について総括的な展望を提示しよう」とする試みである。この野心的な企てに挑みながらも、著者のベロスはけっして重苦しさを感じさせなかった。ウィットとパラドックスを武器として、たとえば「翻訳は原作の代わりにはならない」とか、「詩は翻訳で失われる」とか、「ジョークや洒落は翻訳できない」といった、さまざまな常識や神話をひっくり返してまわる彼の姿は、爽快感を与えてくれた。また、彼が万華鏡のように見せてくれる多種多様なシーンはたいへん興味深いもので、あるときはオスマン帝国の宮廷で働く通訳官たちの危険な立場に同情し、あるときは訳出に厳しい形式的制約が課される映画の字幕翻訳者たちの作業（ベロスの言葉を借りれば、「真に驚くべき奇跡」）に感嘆し、あるときは欧州連合の司法裁判所で活躍する翻訳官たちの多言語状況に目を見張るのであった。

気づいてみれば、翻訳と通訳、また言語に対する私の見方は、以前とは一変していた――控え目に言っても、私の翻訳観や言語観は豊かになっていた。もし世の中に「面白くてためになる」本があるとすれば、本書こその筆頭にあげられるもののなかのひとつだろう。もし不幸にして、読んでもぜんぜん面白くもなく、ためにもならなかったとすれば、それはひとえに非力な訳者である私に責任がある……と一応しおらしく書いてはみたものの、本音を言えば、ベロスが指摘するように、「法廷や病院や整備マニュアルでの訳出ミスは、ただちに人に害をおよぼす恐れ」があり、訳者には重大な責任が伴うが、本書のような教養書の場合、翻訳がまずくても、それほど重い責任を負わされることもなさそうなので、いくぶん気が楽だ。

わが国の翻訳に関する言及があちこちでなされていることも、日本の読者にとって本書の魅力のひとつとなるかもしれない。たとえば、わが国のアメリカ文学のもっとも有名な翻訳家として柴田元幸の名が、また日本以外の国ではまず見られない種類の本として小谷野敦編著『翻訳家列伝101』があげられているのだ。日本に関する知識は、どこから仕入れたのかと思い、ベロスに問い合わせたところ、彼にはふたりの「情報提供者でメンター」がいるそうだ。両者とも本書の最後の謝辞に名前が記されている。ひとりは日本文学研究者で大学教授のマイケル・エメリックで、川端康成、高橋源一郎、吉本ばなな等の英訳者として知られる。もうひとりはやはり大学の先生で、日本の文学、メディア等を研究しているカリーム・ヤシャル。この人は「日本映画の卓越した字幕英訳者」でもある。ベロスの博識の背後には、このような翻訳者仲間の強力な布陣が存在していたのだ。本書で彼はわが国の翻訳事情に触れ、翻訳者の社会的地位の高さについて述べている。それはもう一昔前ほどではなくなったような気もするが、それでも英語圏の人から見れば、まだまだ高いのだろう。ベロスにとって日本の翻訳界の状況は、英語圏の翻訳者たちの社会的評価の低さを鮮明に映し出す鏡なのである。なお、原書刊行後と思われるが、彼は日本を訪れたこともあり、何人もの翻訳者と会っているそうだ。

*

本書のサブタイトルについて一言。二〇一一年に出た原書初版のサブタイトルは、すでにこの「あとがき」の冒頭にメインタイトルとともに記したが、翌年に出た版では、'*The Amazing Adventure of Translation*'に替えられた。本書ではこちらの内容に合わせ、サブタイトルを「翻訳＝通訳をめぐる驚くべき冒険」とした。一般に'translation'は「翻訳」と訳されているが、あえて「翻訳＝通訳」という訳語を採用したのは、鳥飼玖美子も指摘するように、「英語では、翻訳と通訳を合わせてtranslationと呼び」、「〈訳出という活動〉である点では、翻訳も通訳も同じ」だからである（『よくわかる翻訳通訳学』）。

実際、本書では'translation'が翻訳と通訳の両義性をもつことが多く、その点を考慮し、サブタイトルのみならず、本文中、その両義性がとくに顕著なときには「翻訳＝通訳」という訳語を当てた。ベロスは、通訳をとくに翻訳と区別したい場合、英語でそれを一般に指す語'interpretation'、あるいは'oral translation'を用いており、その場合は「通訳」とした。ただし、後者は場合に応じて「口頭翻訳」という訳語を使っている。たんに「翻訳」と訳されている場合は、もちろん翻訳を指すが、その場合でも実際には通訳の意味を併せもつ傾向が時にあることにご留意いただきたい。

なお本文中の引用に関しては、割注で記されているものを除いて、ジョルジュ・ペレック『人生使用法』は酒詰治男訳（水声社）、また聖書は新共同訳（日本聖書協会）を使用させていただいた。ただし、聖書については、本文中のコンテクストに合わせて変更した箇所もある。ご寛恕を願うしだいである。上記以外はすべて拙訳である。

＊

最後になるが、著者のベロス氏はこちらの質問にいつも丁寧に答えてくださった。また、平出和子氏からは貴重なご助言とご協力をいただいた。さらに、水声社の関根慶氏には、翻訳中、また出版にあたって、大変お世話になった。社長の鈴木宏氏は私に本書を翻訳する機会を与えてくださった。ここにお礼を申し述べたい。

二〇二一年四月

松田憲次郎

著者／訳者について──

デイヴィッド・ベロス（David Bellos）　一九四五年、英国に生まれる。オックスフォード大学でフランス文学の博士号を取得。現在、プリンストン大学教授。専攻、十九世紀および二十世紀フランス文学、翻訳研究。主な著書には、『ジョルジュ・ペレック伝──言葉に明け暮れた生涯』（酒詰治男訳、水声社、二〇一四年、原著はゴンクール伝記賞受賞）、『世紀の小説『レ・ミゼラブル』の誕生』（立石光子訳、白水社、二〇一八年、原著はパリ・アメリカン・ライブラリー賞受賞）などがある。また、ジョルジュ・ペレック、イスマイル・カダレ、ロマン・ギャリ、フレッド・ヴァルガス等の作品の英訳者としても知られ、ＩＢＭフランス翻訳賞、マン・ブッカー国際翻訳賞などを受賞している。

＊

松田憲次郎（まつだけんじろう）　一九五一年、横浜市に生まれる。パリ第三大学大学院博士課程修了。文学博士。尚絅学院大学名誉教授。専攻、米仏比較文学。主な著書には、『ヘンリー・ミラーを読む』（共編著、二〇〇八年）、主な訳書には、ピエール・ブルジャッド『マン・レイとの対話』（共訳、一九九五年）、ヘンリー・ミラー『南回帰線』（二〇〇四年）、グレアム・ターナー『フィルム・スタディーズ──社会実践としての映画』（二〇一二年、いずれも水声社）などがある。

装幀——宗利淳一

耳のなかの魚

——翻訳＝通訳をめぐる驚くべき冒険

二〇二一年四月三〇日第一版第一刷印刷　二〇二一年五月一〇日第一版第一刷発行

著者——デイヴィッド・ベロス

訳者——松田憲次郎

発行者——鈴木宏

発行所——株式会社水声社

東京都文京区小石川二—七—五　郵便番号一一二—〇〇〇二

電話〇三—三八一八—六〇四〇　ＦＡＸ〇三—三八一八—二四三七

［**編集部**］横浜市港北区新吉田東一—七七—一七　郵便番号二二三—〇〇五八

電話〇四五—七一七—五三五六　ＦＡＸ〇四五—七一七—五三五七

郵便振替〇〇一八〇—四—六五四一〇〇

URL : http://www.suiseisha.net

印刷・製本——ディグ

ISBN978-4-8010-0565-5